横道世之介

吉田修一

文藝春秋

横道世之介　目次

横道世之介

四月　桜

新宿駅東口の駅前広場をふらふらと歩いてくる若者がいる。ふらふらしているのは体調が悪いわけではなく、肩にかけた鞄《かばん》が重いかららしい。十歩ほど進むと、荷物を右から左の肩へ。そしてまた十歩で、左から右。

鞄の中には高校の卒業アルバムがある。着古した学校ジャージがあり、いつも使っていた置き時計がある。ちなみにこの置き時計、土台が大理石ですこぶる重い。当初これらの品々は九州の実家に置いてくる予定だったのだが、いざ出発という今朝になって、急に心もとなくなり、慌てて鞄に突っ込んできたらしい。

若者の目の前には、新宿アルタの大画面がある。振り返れば高層ビルがあり、あっちにもこっちにも地下へ通じる階段がある。人も多い。高校の全校集会より多い。物珍しそうに辺りをきょろきょろとするので、一向に前へ進まない。

また鞄を持ち替え、若者が再び歩き出そうとすると広場の中央で大きな音が立つ。見れば、特設ステージで若い女の子がライトを浴びている。新発売されたガムの宣伝らしい。ステージ前にちらほらと観客もいるが、ほとんどの人は素通りしていく。

マイクを通した女の子の声に誘われて、若者はステージに近寄った。観客が少ないので、楽に最前列に立てる。女の子は司会者の男を相手に、「このガムを噛むと、すごくリラックスできるんです」などと話している。

と、ここで若者は、「え？」と思わず声を漏らした。横の男が怪訝《けげん》な顔で若者を睨《にら》む。

若者には愛読している漫画雑誌がある。このグラビアページに相田美羽という子が最近よく出ているのだが、ステージ上の女の子がその相田美羽にとても似ているのである。

若者は周囲を見回した。

もしも相田美羽ならば、広場にいるみんながこうも無関心でいるはずがない。それこそ彼女が高校の全校集会に来たら大変なことになる。

若者はしばし考え、「ははぁん、偽者なんだな」と結論を出した。いくら東京とはいえ、こうも簡単にグラビアアイドルに会えるわけがない。

と思った矢先、司会の男が、「相田美羽さんでした！　みなさん、盛大な拍手を！」と叫ぶ。偽者だと思っていた相田美羽が小さく手を振ってステージを去る。若者は慌てて爪先《つまさき》立ち、その後ろ姿を目で追った。

やはり本物だったのである。

偽者だと思ったせいで、真剣に見ていなかったことが急に悔やまれる。東京では本物が偽者に見えるらしい。以後、気をつけたほうがいいかもしれない。

ちょっとがっかりして、ステージの奥をまだ覗き込んでいるこの若者、名前を横道世《よこみちよ》之介《のすけ》という。大学進学のため、たった今東京へ出てきたばかりの十八歳。

相田美羽がもう一度出てこないかと、世之介はしばらく待っていた。子供の頃から往生際が悪い。しかしステージには撤収班のスタッフしか出てこない。仕方なく歩き出そうとすると、今度は生け垣の向こうで若い男がギターを抱えて歌い出す。よほど近寄って一曲聴いてみようかと思ったが、こう次から次に足を止めていては今夜中に新居のアパートに辿《たど》り着けなくなる。それに今日からこの街で暮らすのだから、初日から何もかも欲張って見て歩くこともない。

世之介は山手線の高架沿いに歩き出した。地図にある通り、西武新宿駅が見えてくる。駅の上は高層ホテルになっている。二ケ月前、受験で上京した時、世之介はこのホテルに友人の小沢と宿泊した。隣が歌舞伎町の歓楽街ということもあり、出発前は一晩くらい遊びに行こうぜ、などと盛り上がっていたのだが、いざやって来てみると、「なんか、そんなことすると、合格できないような気がする」などと小沢が不吉なことを言い出し、結局、歓楽街入口のロッテリアまでしか行っていない。

西武新宿駅前の広場に桜の木が一本生えている。受験の時には蕾《つぼみ》もなかったはずである。ビルの谷間にぽつんと立っているせいか、とても低く見える。派手な看板に囲まれているので花びらの色もどこか薄い。さっきの相田美羽ではないが、こちらも偽物に見えてくる。

世之介は真下から七分咲きの桜をまじまじと見上げた。

この時期になれば、世之介の地元でも桜は咲く。咲くどころか、近くの中学校にも神社にもどこを向いても桜が咲いている。しかし、こうやってまじまじと桜を眺めたことなど世之介には一度もない。

なるほど、これはたしかに美しい。

生まれて初めてしば漬けを美味《おい》しいと感じた中学生の頃をふと思い出す。


西武新宿駅で世之介は準急電車に乗った。高田馬場、鷺ノ宮《さぎのみや》、上石神井《かみしやくじい》と停車した辺りで窓からの眺めが寂しくなってくる。

さっき東京に着いたのに、もう東京を離れているような感じである。

実際、世之介が契約したワンルームマンションの「住所」も弱かった。

東京都東久留米市。

家賃四万円で風呂付き且《か》つ鉄筋マンションという条件で都心に借りられるわけもないのだが、テレビドラマでしか東京を知らない世之介としては腑《ふ》に落ちない。契約の際、世之介は不動産屋のオヤジに、「ここ、本当に東京ですよね？」と何度も何度も念を押した。

「自転車で十分も走ったら埼玉だけどね」

高い仲介料を取る上に、嫌みな不動産屋であった。

準急電車は三十分ほどで花小金井《はなこがねい》駅に到着した。先月、物件を下見に来ているので駅前の風景に改めて落胆することもない。東京ではなく、東京まで電車でたったの三十分の所に来たのだと思えば気持ちも晴れる。

駅前からバスに乗り、だだっ広い小金井街道を北上する。街道沿いにはぽつりぽつりとファミリーレストランがあり、コンビニがあり、大きな倉庫があり、それ以外は気持ちがいいほど見晴らしがいい。

八つ目のバス停。ここで降りると一階にちゃんぽん屋が入った三階建てのマンションがある。この二階の一室が、世之介の東京生活スタートの場所である。

いよいよ始まるのである。

マンションのエントランスには多くの自転車が並んでいる。床にはチラシやダイレクトメールが散らばっている。三階建てで五十戸ほどのワンルームがあるらしい。壁にはぎっしりと各戸の郵便受けが並び、自室である２０５号室を見ると、前の住人の仕業か、扉に直《じか》に「葛井」と書いてある。世之介は指に唾をつけて消してみたが消えない。油性マジックらしい。

非常ベルのような音が微《かす》かに聞こえてきたのは、世之介が階段を上がり始めた時である。一段上がるごとに音が大きくなってくる。二階に着くと、左右にびっしりとドアの並んだ廊下が延びている。自室の前に立った時、その奇妙な音の正体が分かった。

誰が張ったのか、お隣、２０３号室のドアに「目覚まし　うるさい！」と書かれた紙が張ってある。当の住人は留守らしい。

初めての一人暮らし。そのドアを初めて開ける感動的な瞬間なのだが、隣の目覚ましが気になって仕方ない。

ガチャリ。

自分の鍵で、自分の城の扉を開ける。目覚ましはうるさいが、気分はいい。部屋に入ると、薄い壁を通して目覚ましの音がはっきりと聞こえる。六畳ほどのワンルームである。がらんとしている分、音が響く。

管理会社に苦情の電話を入れた者はいないのだろうか。

世之介はとりあえず床に座り込んだ。ざらついている。鞄に雑巾が入っていることを思い出した。今朝、母親が半ば無理やり鞄に入れたものである。息子にとって新生活は希望なのだが、母親にしてみれば、新生活は雑巾らしい。

世之介は部屋中の床を拭くことにした。動き出すと、不思議と隣の目覚ましの音も気にならなくなる。気が紛れるので、世之介はサッシ戸の溝まで拭き始めた。

宅配便で新しい布団が届けられる午後七時までまだ一時間ほどあった。世之介は雑巾のお礼に実家の母親に電話をかけることにした。

２０３号室ではまだ目覚ましが鳴っている。張り紙もある。

マンションを出て、通りの向こうの電話ボックスに入る。電話に出たのは父親である。開口一番、「布団は届いたか?」と訊いてくる。

母親が雑巾なら、父親は新生活＝布団らしい。

「いや、まだ」と世之介は答えた。

「そうか。それより、お母さんが今朝からずっと泣き通しで……」

「泣き通し？　なんで？」

「さぁ。女親にしか、この気持ちは分からんらしい」

面倒臭そうな父親が受話器の向こうで母親を呼ぶ。そばにいたようで、今にも泣き出しそうな声で母親が出る。

たかが息子を東京に出すくらいで、なんでこう悲しむのか分からない。

なんとなく気が重くなった世之介は、「あのさ、目覚ましの乾電池って、どれくらい持つのかな？」と訊いた。唐突な息子の質問に母親も泣くタイミングを逸したらしい。

それでも母親は、難産だったらしいお産の話から始め、隙あらば泣こうとする。元々、女優気質のある母親である。親戚の葬式とか、息子の旅立ちとか、こういう一世一代の見せ場を逃すわけがない。親戚の葬式などは、あまりにも大袈裟《おおげさ》に泣くものだから、必ず母の元に葬儀場の係員が請求書を持ってくる。

母親との長い電話を終えると、世之介はぐったりして電話ボックスを出た。母の緩急織り交ぜた思い出話のせいで忘れていたが、隣室の目覚まし時計はまだ鳴っていた。

203号室の前にすらっとした女が立っているのが見えたのは二階の廊下に出た時だった。料理の途中なのか、片手に花柄の鍋摑《なべつか》みをはめている。

足音に気づいた女が振り返り、「ここの人？」とでも言うように、鍋摑みの太い指先で203号室のドアを差す。

「いえ」と世之介は慌てて205号室のドアを指差した。

「そっち？　205って、空き部屋じゃなかったんだ？」

「はい、今日……」

「越してきたの？」

都会では引っ越しの挨拶などしないと小沢に聞いていたので、手渡すカステラもない。突っ立っている世之介を容赦なく女が値踏みする。

「あの、大学で……」

世之介はやっとそれだけ伝えた。

「ああ、四月だもんねえ」

女が花柄の鍋摑みをパクパク動かす。

「……なんかドアが開いたり閉まったりする音がしたから、てっきりここの人が帰ってきたと思ったんだけど、いくら待っても目覚ましの音が消えないし」

まるで鍋摑みが話しているように見える。世之介の視線に気づいた女が、「今、シチュー作ってて」と、また鍋摑みをパクパク動かす。

小沢の姉ちゃんにちょっと似ている。世之介が泊まりに行けば、「お母さん、あの子たち、いつも二人でエッチなビデオを見てるんだよー」と、両親にチクるような姉ちゃんではあったが、小沢の姉にしては美人だった。

女に立ち去る気配がないので、世之介は、「ここの目覚まし、ずっと鳴ってるんですか？」と尋ねた。鍋摑みをパクパクさせながら、「そうなのよ。頭来ちゃって」と女が顔を顰《しか》める。

「あ、そうだ。シチュー食べる？　いっぱい作っちゃって」

「え？」

「一人でいたらイライラするし、二人のほうがまだ気が紛れそうでしょ」

「いや、でも……」

「もうごはん食べちゃった？」

「いえ、まだですけど……。でも、もうすぐ布団が来るんで」

「布団？」

「はい。宅配業者が……」

「じゃあ、宅配業者さん用に、張り紙でも出しとけば？　202にいるって」

女がそう言って、「目覚まし　うるさい！」と書かれた紙を顎《あご》でしゃくる。

「ああ、張り紙かぁ」

東京じゃ近所付き合いしないどころか、隣にどんな奴が住んでるかも知らないらしいぞ。

小沢から伝えられた東京情報だったが、あまり信用しないほうがいいのかもしれない。

せっかく誘ってもらったので、世之介は自室に戻り、すぐに業者宛のメモを書いた。再び廊下へ出てメモを張り、女の部屋の前に立つ。チャイムを押すと、すぐにドアが開いた。「張った?」と女が訊くので、「はい」と自分のドアを振り返った。

女の部屋も間取りは同じである。布団もなく、がらんとした世之介の部屋と比べると、やけに圧迫感がある。見れば壁中にアフリカ製だかポリネシア製だか、奇妙な木彫りのお面がいくつもかけてある。女性の部屋というよりは、どこかの部族の酋長《しゅうちょう》の部屋に近い。

女は名前を小暮京子というらしい。シチューを皿によそいながら近所のスポーツクラブでヨガのインストラクターをしていると教えてくれる。

「ヨガですか?」

世之介は部屋の隅で膝《ひざ》を抱えたまま訊き返した。

「興味ある? えっと、君の名前……」

「あ、横道です。横道世之介」

漢字を教えると、おたまでシチューの中に世之介と書きながら、「ご両親も、思い切った名前つけたわね」と京子が笑う。

ちなみに世之介が自分の名前の由来を知ったのは中学校一年の国語の時間であった。もちろん小学校の先生たちも井原西鶴「好色一代男」の主人公と同じであることは知っていたのだろうが、短パン姿の少年に教えてよいものか迷ったに違いない。

中学の国語教師が定年退職間近の「稲爺《いなじい》」と呼ばれる助平《すけべい》そうな爺さんだった。初めての授業の時、出欠確認で「横道世之介！」と呼ばれて返事をすると、「ほぅ。大した名前つけてもらったなぁ」とニヤニヤ笑い、親に由来を聞いたことがあるかと訊かれた。

「はい。昔の小説の主人公で理想の生き方を追い求めた男の名前からです」

世之介は父親に教わった通りにはきはきと答えた。はきはきとした答え方が面白かったのか、興に乗った稲爺が、年頃の少年少女を前にして、「理想の生き方を追い求めた」という男の話をたっぷり一時間もかけてしてくれたのだ。

遊女、遊郭の説明が始まった辺りで、クラス委員の女子が抗議し、男子は喝采。それでも稲爺の話は止まらない。床《とこ》の責め道具を好色丸《よしいろまる》に積み込む終盤近くになると、あまりの破廉恥さに隣の女の子は啜《すす》り泣く。世之介はどうしていいのか分からない。

やっと終業のチャイムが鳴って、稲爺は満足げに出ていった。途端に教室は騒然となり、女子は親に報告すると声を上げるし、「そんなに立派なもんなら、一度見せてみろ」と世之介は他の男子たちからズボンを脱がされそうになっていた。

「あれ？　隣の目覚まし止まってない？」

ふと声をかけられ、世之介は目の前の京子をきょとんと見つめた。京子がケラケラ笑ってくれるので、調子に乗って稲爺の話をしていたのである。すでに京子の皿にもシチューは残っていない。世之介など三杯目も平らげている。

「あ、ほんとだ。止まったみたいですね」

壁に耳を押しつける京子を真似て、世之介も木彫りのお面の間に顔を埋《うず》めた。目覚まし時計の音は消え、微かに住人の物音だけがする。

「あ〜、世之介くんの話、面白かった。それにしても世之介くん、ほんとに今日、東京に出てきたばっかりなんだよね」

壁から耳を離した京子が、汚れた皿を重ねながら改めて言う。

「はい、五時間ほど前に」

「……今日から世之介くんの新しい生活が始まるんだ。男の子ってロマンチストだから、こういう夜はそれこそ青春小説の主人公みたいに、部屋でひとり、好きだった女の子のこと思い出したり、将来のこと考えたり、しみじみしたかったんじゃないの？」

立ち上がった京子が皿を小さなキッチンへ運ぶ。

「いえ、別に……。京子さんって、ここ長いんですか？」

壁のお面を触っていると、目玉が取れた。世之介は慌てて座布団の裏に隠す。

「まだ一年とちょっと。家賃安いし、スポーツクラブに近かったから越して来たんだけど、仕事帰りに寄れるところが西友しかないんだもんね」

「ここの前は、どこにいたんですか？」

「ボンベイ」

「へ？」

「インドのボンベイ。留学してたのよ。知らない？」

「い、いや、知ってますけど、前の住所訊いて、ボンベイって答えられたことがなくて」

「実家は横浜なんだけど、エスカレーター式の学校で大学まで卒業して、いったん食品メーカーに就職したのよ。ただ、社会に出ると、急に自分には何にもないような気がしてきちゃって。まぁ、今も何もないっちゃないんだけどね」

世之介はテレビ棚に置かれたインド留学時代のものらしい写真に目を向けた。

「大学卒業して就職して辞めて、インド留学に、ヨガの先生って……。なんかすごいですね。俺なんか世之介の由来くらいしか、自己紹介の時に話すことないですもん」

「何、言ってんのよ。これからいろんなもんが増えていくんじゃない」

「そうですかねぇ」

京子が手際良く食器を洗っていく。世之介はすっかり寛《くつろ》いでいる。玄関のチャイムが鳴ったのはその時である。

「あ、布団が来たんじゃない？……ほら、早速、一つ増えた！」

洗い物の手を止めた京子が微笑《ほほえ》む。

自分の人生に布団が一つ増えても仕方がないが、それでもなんとなく誇らしい。

数日の間、東京の街を染めていた桜もすでに散り始めている。着慣れぬスーツで武道館へ向かう新入生たちの肩にもちらほらと散っている。

入学式である。

晴天の下、武道館へ吸い込まれていた新入生たちの姿も開式五分前となって、すでに疎《まば》らになっている。しかし当の世之介の姿がない。

「紺の背広はキリッとして見えるねぇ」

孫の晴れ姿に目を細めた祖母が地元のデパートでスーツを新調してくれてもいる。今日着ないと、あとは着る機会もない。

開式の一分前となり、受付の係員たちも式場へ向かい始めた頃、九段下からの坂道をサイズの合わぬ革靴の踵《かかと》をスポスポと鳴らしながら駆け上がってくる若者がいる。気づいた係員の一人が、「ほら、急いで！　もう始まるよ！」と手招きをする。若者（もちろん世之介である）も、急ごうとはするのだが、急げば急ぐほど踵が抜ける。

「中に入ったら左に進んで、西側の階段を上がって！　正面のドアは閉まってるから！」

係員は背中を押してくれるが、息の上がった世之介には、左だの、西だの、正面だのといっぺんに言われても覚えられない。とにかく建物内に駆け込んで、さてどっちだ？ともう迷い、結局、右へ進んでしまう。

式はすでに始まっている。がらんとした廊下にマイクを通した厳粛な声が響いている。廊下にドアはたくさんある。どこから入ればいいのか分からない。どれにしようかと小走りに進んでいくうちに一カ所だけ開いたドアがある。「ここだ」とばかりに世之介は駆け込んだ。

駆け込んだ瞬間、視界が開ける。

ちなみに今年の入学者は七千人である。その七千人の学生たち全員の顔が、なぜか世之介のほうを向いている。ドアを間違え、金屛風の壇上で挨拶をする総長の頭上に出たらしい。

総長の頭上でおろおろする世之介に気づいた学生たちが、会場のあちこちでクスクスと笑い出す。出るに出られず、戻るに戻れず、ますます世之介はおろおろとなる。

「ほら、君、こっち！」

いきなり背後から襟首《えりくび》を摑まれて、会場内にどっと笑い声が起こる。せっかくの入学式、キリッと見える紺の背広もこれでは台無しである。

係員に連行されて、世之介はやっと新入生席の最後列に腰を下ろした。居眠りをしていた隣の男が目を覚まし、「お、終わったの？」と世之介に訊いてくる。やはり新調したらしい紺のブレザーの襟が涎《よだれ》で濡れている。

「いや、まだ」

世之介は男にそう答えると、背後でまだ睨んでいる係員に見せつけるように、摑まれて乱れた襟を正した。

祖母に買ってもらったスーツはよれよれ、隣の男のスーツは涎でべとべと、武道館にはそんな新入生たちが七千人も集まっている。

たるい式が延々と続く。若者たちは新生活への希望で満ち溢《あふ》れてはいるが、若者たちは四六時中眠くもある。気持ち良さそうな隣の男の寝息のせいで、世之介もすでにうとうとしている。そのうち入学式も終盤である。

ずっと寝ていたくせに閉会の挨拶だけは聞こえたようで、隣の男が目を覚まし、「なんか、ヘンな夢見て、チンコ勃《た》っちゃったよ、ハハ」と世之介に笑いかけてくる。世之介はとりあえず聞こえなかったふりをして、ぞろぞろと出口へ向かう学生たちのあとを追った。

武道館を出ると世之介はやっと目が覚めた。入学式のあと学校へ戻ってオリエンテーションがあるので、みんな真新しいスーツ姿でぞろぞろと坂を下りていく。ちらほらとグループで歩いている学生たちは付属高校の出身らしいが、ほとんどの学生はまだ友達もおらず、一人寂しく歩いていく。

行列のあとに続こうと世之介が歩き出した時、「何学部?」と、とつぜん声をかけられた。見れば、さっき隣に寝ていた男がいつの間にか並んで歩いている。

「経営学部だけど」

あまり関わりたくはなかったが、世之介も思わず答えてしまう。それでもちゃんと迷惑そうな顔をしたのだが男は気にならないらしく、「おっ、一緒じゃん」と馴れ馴れしく肩を叩いてくる。

やっぱさ、大学生活で一番大事なのは友達選びだよな。

同じ飛行機で上京してきた小沢の言葉が、なんだか不吉な前兆として蘇《よみがえ》る。

「……しかし、たるい入学式だったよな。途中、どっかの間抜けが総長の頭の上でおろおろした時は笑ったけどさ」

その間抜けに自分が話しかけているとは思ってもいないらしい。

「名前、なんての？　俺、倉持《くらもち》」

根っからマイペースな男らしく、ポケットから取り出したガムを世之介に差し出す。世之介も関わりたくないのなら断ればいいものを、つい受け取ってしまい、「俺、横道」と自己紹介する。

「横道って、ここ第一志望だったの？」

倉持が早速呼び捨てにする。野良猫でも親しくなるにはもうちょっと時間がかかる。

「早稲田も受けたけど落ちた」

「そうなの？　それも一緒。気が合うな、俺ら」

気が合うとは学部が一緒だったり、落ちた大学が一緒だったりする時に使う言葉ではないのだが、倉持にそう言われると、なんとなくそう思えてくるから不思議である。

くちゃくちゃとガムを噛みながら、世之介と倉持は外濠《そとぼり》沿いの桜並木を抜けて大学のキャンパスへと向かった。互いに出身地など尋ね合うのだが、気が合うわりに話は次から次に飛ぶだけで、一向に深まらない。

東京で世之介にできたこの初めての友人、名前を倉持一平《いっぺい》という。新宿区上落合に両親と暮らす十九歳で、一浪の果てに世之介の同級生となったらしい。

「そんでさ、さっきの話なんだけど、やっぱ俺、早稲田に入りたいんだよね」

たった今まで、免許を取りたいという世之介に、先輩風を吹かせて教官が優しい教習所などを教えていたくせに、土手の階段を上がった途端、倉持がまた話を戻す。

「そうなんだ」

応《こた》えはするが、世之介は世之介で花見客で賑《にぎ》わう土手の様子が珍しく、真剣には聞いていない。

「だから三年で早稲田の転入試験受けようかと思ってて」

「転入試験？　また受験？」

「そのつもり。一浪することを決めた時、俺、思ったんだ。人生ってやっぱ長そうだし、こんなに早い時期に妥協なんかしたら、一生そんな人生なんじゃないかって」

「人生」なんて言葉を世之介は冗談以外で口にしたことがない。この倉持、見かけによらず、わりと真面目な男らしい。世之介はまじまじと倉持の顔を見つめている。第一印象は良くなかったが、「人生」について語られたあとだと、つるんとしたその横顔がまるで釈迦《しやか》のように見えてくる。

先生、あんまり勉強しなくても、俺にも受かりそうな東京の大学って、どこかないですか？

志望校を決める面談での自分の言葉が蘇る。自分のように「まず妥協」の人間もいれば、世の中には「まず人生」の者もいるらしい。

土手の遊歩道には桜の樹々の下にびっしりとブルーシートが敷かれている。桜の花びらは土に舞い落ちるから美しいのであって、ブルーシートでは情緒も何もない。

遊歩道から学校の正門へ下りていくと、キャンパス内がやけに騒がしい。各々教室へ向かう紺色の新入生たちを取り囲んでいるのはサークル勧誘の上級生たちである。テニスラケットを持った者がいる。アメフトのユニフォームがいる。まだ寒いのに水着で頑張っているのは水泳部ではなく、プロレス同好会らしい。

「横道って、もうサークル決めたの?」

倉持にそう訊かれ、世之介は、「まだ」と首を振った。

サークルも楽しそうだが、世之介としてはまずバイトを決めないとテニスラケットどころか、おたまを買う余裕もない。

「高校ん時は? なんか部活やってた?」

勧誘の上級生たちから逃れながら倉持が訊いてくる。

「応援部。ほとんど幽霊部員だったけど」

「応援部って、あの学ラン着て、『フレー、フレー』ってやつ?」

他にどんな応援部があるのか知らないが、倉持が真面目な顔で訊く。「そう。倉持は?」と世之介も訊き返す。

「俺、アイスホッケー」

「ホッケーって、氷の？」

「他に、何があんの？」

やはり人間のタイプは同じらしい。

上級生たちの勧誘を掻《か》い潜《くぐ》り、二人は日当りの悪い校舎に入った。床に敷かれた大理石のせいか、高い天井のせいか、洞窟《どうくつ》のように暗い。二人並んでプリントに書かれた指定教室へ入ると、すでにクラスメイトたちが集まっている。黒板に名簿があって、席も決まっているらしい。

「あれ、なんで俺の名前ないんだろ……」

呟《つぶや》いたのは倉持である。世之介も確かめてみるが、たしかに倉持一平の名前がない。

「俺、このクラスじゃないや……」

学生証の引き換え票をポケットから出した倉持が頭を掻く。

「……まぁ、いいや。オリエンテーション終わったら外で会おうぜ。どうせサークルのブースとか見て回るだろ」

倉持がそう言って教室を飛び出していく。倉持の背中を見送って、改めて世之介は教室のほうを振り返った。まだ友達のできていない学生たちが冷たい視線で世之介を見ている。なぜか教室内がむさ苦しい。見れば、四十人ほどの学生たちのうち、女子がたったの二人しかいない。

指定された席へ世之介が向かうと、同じ列にたった二人しかいない女の子たちが並んでいる。「横道」なので席順はいつも男子最後と決まっている。

二人の女の子のうち一人は、ウォークマンで音楽を聴いている。もう一人は顔を埋めるようにプリントを読んでいる。世之介が近づいても顔も上げない。

席に着くと、すぐに先生が現れた。ひょうきんな先生で、何かと笑いを取ろうとするのだが、学生たちは粛々とプリントに必要事項を記入していく。シラけた教室で、なんとなく倉持の明るさがもう懐かしい。

授業登録の説明を終え、先生が教室を出て行った。すぐに席を立つ者もあれば、隣同士で短く挨拶を交わしている者もいる。世之介が席を立とうとすると隣の女の子が声をかけてきた。

「これって、学生課に出すんだよね」

すでにウォークマンのほうは姿がない。

「郵送でもいいって言ってたけど」と世之介は頷《うなず》いた。

「郵送でもいいんだ。ありがと」

小柄な女の子で、泣いたあとのように目がきらきらしている。と、思った次の瞬間、世之介は思わず、「え?」と声を上げそうになった。きらきらした目にどうも違和感があると思っていたのだが、アイプチと呼ぶのか、瞼《まぶた》が白っぽい糊《のり》で二重《ふたえ》になっているのである。

「なんか、大学の先生も、高校ん時の先生とぜんぜん変わんないんだね。学生に笑い取ろうとしてスベって、結局、不機嫌になっちゃって。子供じゃないんだからねえ」

「……あ、うん」

世之介の狼狽《うろた》えぶりをよそに女の子は平然としている。まるで自分の瞼まで糊付けされたようで、世之介はわしゃわしゃと目をしばたたかせた。

「さっきプリントで見たけど、横道くんっていうんでしょ？　よろしくね。このクラス、たった二人しか女子がいないのに、もう一人の子、なんか物凄く愛想悪くてさ」

プリントを折りたたみながら女の子が顔を顰めてみせる。ちらっと見えた氏名欄に、「阿久津唯《あくつゆい》」とある。

「ねぇ、このあと、サークルのブース見て回るんでしょ？」

「そ、そのつもりだけど」

「もし迷惑じゃなかったら、私も一緒に連れてってくれない？　さっきクラス間違えてた男の子と回るんでしょ？　一緒に回れる知り合いいないんだよね」

立ち上がった阿久津唯は、世之介の胸の辺りまでしか身長がない。世之介の返事も待たずに阿久津唯が歩き出す。階段教室なので、ますます阿久津唯が小さくなっていく。

「横道くんって、現役？」

振り返った阿久津唯に訊かれ、「うん」と世之介は頷いた。

「土手の桜、見た？　奇麗だったね」

「うん」

キャンパス広場では相変わらず新入生たちをサークルの勧誘員たちが取り囲んでいた。

「あ、あの人じゃない？」

阿久津唯が指差した先に倉持の姿がある。約束した世之介を待っているというよりは、サンバの衣装を身に纏《まと》った女に腕を引かれて、完全に鼻の下を伸ばしている。

「あの人、サンバ部に入っちゃいそうだね」

阿久津唯が笑う。

二人の足音に気づいた倉持が振り返り、「あ、ほら、来たでしょ。こいつを待ってたんですよ」とサンバの衣装をつけた女に告げる。

「じゃあさ、あとでブースに寄ってよ。待ってるからね」

化粧というよりも油絵のような顔をした女が、そう言ってまた別の新入生の腕を引きにいく。

「何やってんの……」

さすがに呆れて世之介も訊いた。

「サンバサークルに入れって、すげぇんだよ。サンバ向きの体型してるとか言っちゃってさ。どんなんだよ、サンバ向きの体型ってよ」

倉持がそう言いながら、阿久津唯に視線を移す。

「あ、この人、クラスメイトの阿久津さん」

世之介が紹介した瞬間、倉持が阿久津唯の顔をまじまじと見る。そして、「なんだ、それ……。お前の瞼、ひっくり返っちゃってんじゃん」と笑い出したのだ。世之介が無理に触れずにいたことを倉持の馬鹿があっさりと。

「あ、お前……、それは……」

慌てる世之介をよそに、「な、なんなのよ、この人！」と阿久津唯が怒鳴る。

「なんなのよって、目、ひっくり返っちゃってるって」

もう我慢できないとばかりに倉持は腹を抱えて笑っている。

「や、やめろって。お、お前、し、失礼だろ！」

世之介は慌てて倉持の体を押し、怒りでちょっと背が伸びたような阿久津唯から遠ざけた。

「失礼だろって、お前……」

「ほ、本人に言うことないだろ！」

「言わないほうがヘンだって！……え？　ええ！　お前、気づいてたのに、知らないふりしてたの？　失礼だって、そんなの」

倉持の笑いが止まらない。阿久津唯の身長がまた怒りでちょっと伸びている。

笑い転げる倉持の口を押さえ、阿久津唯を世之介は必死に宥《なだ》めた。せっかくできた友達なのだからと思う気持ちと、まだ大学生活も始まったばかり、二人のことはさっさと忘れてゼロから学生生活を始めたいと思う気持ちが鬩《せめ》ぎあう。

やっと落ち着いた阿久津唯に、世之介はベンチに座るように勧めた。教室では積極的な女の子風だったくせに、アイプチを指摘されたくらいで今にも泣きそうである。横では倉持が、「ごめん。そんなに怒ることないだろ」と中途半端に謝罪している。

「……ほんと、ごめんって。でも、急にそんなひっくり返った目、見たら、誰だって」

「もういいって！」

謝り方を知らない倉持を世之介は睨んだ。

「……私だって、変わりたいと思ったんじゃない。笑うなんて、ひどいよ」

ベンチで俯《うつむ》いていた阿久津唯が、ふいに口を開いたのはその時である。

「……新しい人間になりたいって、そう思ったんじゃない」

膝にのせた両拳《こぶし》を固く握り、阿久津唯が言葉を続ける。その拳にぽたりと涙まで落とす。あまり楽しい高校時代ではなかったらしい。

教室での印象とあまりにも違うので世之介はただ狼狽えている。救いを求めようにももちろん倉持など役に立つわけがない、と思った瞬間、

「なぁ、泣くなよ。ごめん。からかって悪かった」

倉持が阿久津唯の隣に座り、優しく肩に手をかけたのだ。

「……誰だって、新しい自分になる権利はあるよ。俺だってそうだよ。一緒に変わろうぜ。もう昔の自分なんて忘れてさ。せっかく大学生になったんだもんな」

呆気《あっけ》にとられる世之介をよそに、なんだかいい雰囲気である。これで一件落着かと思

ったその時、「いや、でもさ……、やっぱ、糊はねえよ、糊は」とまた倉持が蒸し返す。世之介は倉持の脛《すね》を蹴ろうとした。が、一瞬早く、阿久津唯の足が先に動いた。

春の日を浴びた広場では、相変わらずサークルの勧誘が賑やかに続いていた。


ガイダンスに、授業登録、奨学金の申し込みなどなど、四月の日めくりカレンダーはハラハラと桜のように散っていく。

四月の最後の日曜日である。

寝癖をつけたままマンションの玄関を飛び出してきたのは世之介である。正午に幕張の県人寮で暮らす従兄《いとこ》の清志を訪ねる予定だったのだが、九時にセットしていた目覚まし時計を無意識に消してしまい、そのまま三時間も眠りこけてしまったらしい。

東京へ着いたら、すぐに挨拶に行きなさいよ。何かあった時に困るんだから。

散々母親からも言われていた。世之介も行こう行こうとは思いながら、気がつけば、三週間が過ぎていたのである。三つ年上の従兄、清志とは家が近かったこともあり、兄のように慕っていた時期もあるので会いたくないわけでもない。

この清志、世之介の三年後を見るような男である。世之介がどこかボーッとしている印象があるとすれば、この清志はさらに三年分、その「ボーッ」をプラスした感じである。なので一緒にいても疲れない。

清志は倉持が行きたがっていた大学の四年生である。彼なりに受験勉強したのだろうが、地元ではカンニングしたのではないかという疑惑のほうが強い。

ところで、東京での暮らしが本格的に始まって世之介はあることに気がついた。たとえば平日の朝、目覚まし時計が七時に鳴るとする。布団の中から手を伸ばし、あと五分寝かせてよ、とばかりに目覚ましを消して二度寝する。当たり前と言えば当たり前なのだが、この二度寝から起こしてくれる者がいないことに気がついたのだ。

実家であれば階下から母親の声がした。それでも駄目だと、家全体を揺らすように母親が階段を駆け上がってきた。てっきり母親が好きでやっているのだとばかり世之介は思っていたのだが、先日、泊まりに来た寝起きの悪い倉持を三十分も起こし続けながら、よくこれまで母親に殺されずに済んだものだとほっとした。

ちなみに朝と同様、大学もまた優しくない。少しでも気を抜いて授業をサボると、まるで自分だけが東久留米のワンルームマンションに世界から置き去りにされたような気分にさせられる。当時はとても迷惑だったが、『横道！　お前、まだ選択科目の登録済ませてないだろ！』ともみあげをつまみ上げてくれた高校の教師でさえ、今の世之介には懐かしい。

自分のことは自分でやる。

口で言うのは簡単である。しかし東京で一人暮らしを始めるまで「自分のこと」というものが、こんなにも多いとは、世之介は夢にも思っていなかった。

世之介が幕張駅に到着したのは、午後二時半を回った頃である。昨夜、地図の上では簡単に清志が暮らす寮まで行けたのだが、いざ駅から歩き出してみると徒歩五分のはずがなかなかそれらしき建物にぶつからない。西へ東へと歩き回った果てにやっと小さなプレートの出た寮を見つけ出すまで、結局一時間近くもかかってしまった。

中へ入ると、小さな窓にピンク色の暖簾《のれん》がかかった受付があった。玄関にはコントで使ったあとのような古びた緑色のスリッパが脱ぎ散らかされている。世之介は受付の小窓に顔を突っ込んだ。

「あの、川上清志を訪ねてきたんですが」

背中を向けて小型テレビを見ていた男が、「あれ、さっきまでそこにいたけど」と世之介の背後を差す。見れば応接室らしき場所がある。ソファにはスポーツ新聞が散らばり、テーブルには誰のものなのか、洗面用具が詰められた洗面器が置かれている。

「……すぐ帰ってくるんじゃないかな。そこで待ってれば」

「あ、はい。じゃあ……」

「世之介？」

できるだけ清潔そうなスリッパを探している世之介の背後で声がした。振り返るとコンビニ袋をぶら提げた清志が立っている。

「ごめん！　寝坊しちゃってさ」

「ああ、別にいいよ。お前にはお前の時間が流れてるんだろうし」

「はい?」

なんだか清志の様子がおかしい。

「怒ってないの?」

「怒る? なんで?」

「だって、俺の知ってる清志兄ちゃんなら、間違いなくブツブツ文句言うから」

「怒りってさ、結局、他人に何かを求めることから生まれるんだよ」

「え?」

「他人に何かを求めて、それがかなわないから怒る。それって俗物以外の何物でもない。それに怒りなんて何の役にも立たない。ただ、公平な目を失うだけのこと」

「はい?」

親戚の思わぬ変貌ぶりに、世之介は思わず赤の他人である管理人に目を向けた。むろん救ってくれるわけもない。

なんだか様子は変だったが、清志のあとについて世之介は三階へ上がった。廊下に並んだほとんどのドアは開けっ放しで、あちらこちらからテレビの音が漏れている。

清志に背中を押されて、世之介は中へ入った。思ったよりも広く、ベランダからは明るい日が差し込んでいる。床には多くの本が積み上げられている。大学の生協でも山積みされているベストセラーもある。どうやらこれが清志の変身に関係あるらしい。床の一冊を拾い上げて、世之介はパラパラとページを捲《めく》った。

「清志兄ちゃん、こんなに読書家だったっけ？」

「他人の絶望に慣れようと思ってね」

いよいよ自分が知っている清志とは思えない。

「そんなもんに慣れてどうすんの？」

よせばいいのに、世之介も探りを入れたくなったらしい。

「いろんなことを深刻に考えないようにするため、とでも言えばいいのかな」

「昔から清志兄ちゃんそんなこと、考えてなかったじゃん」

以前の清志を知る人間であれば、ほぼ全員が世之介の意見に賛同するはずである。さすがに清志も一瞬狼狽える。

「清志兄ちゃん、なんかヘンだよ。どうしちゃったの？」

「別に、どうもしないよ。ただ、一つ言えることは、魅力的な女の子に出会ったってことかな」

さすがに世之介ももう我慢できない。窓辺で溜息《ためいき》をつく清志を笑っちゃいけないとは思うものの、腹が捩《よじ》れて息が苦しい。

「なんか、清志兄ちゃん、話し方もヘン」

この辺で世之介は我慢できずに噴き出した。しかし清志はそんな従弟《いとこ》をクールに見つめただけで、窓際のステレオのスイッチを入れる。

流れてきたのはスタンダードなジャズである。

「き、清志兄ちゃん、いつからこんなの聴くようになったの？」

もう笑いが止まらない。

「……ついこの間まで『ザ・ベストテン』毎週録音してたくせに」

過去を知る世之介を無視して、清志は指でリズムを取っている。

「お前、今、十八だよな？」

「うん、そう」

「お前もいつか分かるようになるよ」

「何を？」

「何かを失うってことの意味」

「あ、ああ」

この辺でやっと世之介は合点がいった。要するに魅力的な女の子に清志はフラれたのだ。

母親に訪ねるように言われて訪ねてきたのはいいが、その変貌の理由が分かると、従兄相手にさして話すこともない。清志は清志で、せっかく従弟が訪ねてきたのに、布団に寝転んで読みかけの本を読んでいる。一緒にいて何も話さないなら、どちらかが見切りをつければいいのだが、世之介も「帰る」と言わない。清志も「帰れ」と言わない。

「世之介」

「ん？」

「踊れよ」

「は？」

「だから踊るんだよ。若いうちは」

「な、何？」

「なんで踊るかなんて、意味を考えちゃダメなんだよな、きっと。一度足を止めたら、あとはどんどんあっちの世界に行っちゃうんだ」

「あっちって？」

「あっちはあっち。そのうちお前にも分かるさ」

清志が本をパタンと閉じて、溜息をつく。

「……世之介」

「ん？」

「いいか、踊れよ」

「ああ、踊ってる踊ってる」

多少面倒くさくなってもいて、世之介はそう答えた。

「お前、俺が何を言いたいか分かってるのか？」

「分かってるよ。踊れって言ってんでしょ」

「そうだよ」

「だから、踊ってるって。ご心配無用です」

清志が布団から体を起こして世之介を見る。

「俺さ、サンバサークル入ったんだよね」と世之介は告げた。

「は？」

「いや、だからサンバサークル。だから踊ってる」

「サンバ？」

「そう」

「なんで？」

「流れで」

「流れって……。どう流れたら、サンバサークルなんかに入るんだよ」

「話すと、長いんだよね」

世之介にしても、なんで自分がサンバサークルなのか、未だに合点がいっていない。倉持が阿久津唯のアイプチを馬鹿にして、馬鹿にされた彼女が泣き出した。必死に宥める倉持に、「じゃあ、お詫《わ》びにサンバサークルに入りなさいよ」と、彼女が言い出した。もちろん倉持は、「やだよ」と拒んだが、涙で一重《ひとえ》に戻った阿久津唯はかなりしつこく、根負けした倉持が、「まぁ、あとで辞めてもいいんだからさ、ここは素直に入っとこうぜ」と、何故《なぜ》か世之介まで巻き込んだのである。

結局、阿久津唯に見守られる中、サンバ同好会の入会希望欄に二人並んでサインした。

ただ、横に立っていた阿久津唯も部員に誘われて、半ば無理矢理サインさせられたので、結果的に三人仲良くサンバ同好会に入会してしまったことになる。

「お、お前さ、もうちょっとちゃんとしたサークルに入れよ」

世之介が事の顛末《てんまつ》を話し終えると、呆れたように清志は言った。

「ちゃんとしてるよ。伝統あるし」

「せっかく大学に入って、なんでサンバサークルなんだよ。なんか他にもあるだろ」

「だって、清志兄ちゃん、さっきまでいろんなことを深刻に考えずに踊れって言ってたじゃん」

「いや、それはお前、小説の中の話だよ」

「ずるいよ、そんなの」

「ずるいとか、そういうんじゃないの」

口では厭世的なことを言っていたくせに、実際に厭世的な人間を見ると腹が立つらしい。

「ま、いいや。世之介、ビールでも飲むか？　ベルギーのビールあるんだよ」

「俺、まだ未成年」

清志が小さな冷蔵庫からベルギーのビールを持ってくる。

「何が未成年だよ。去年だか、一昨年《おととし》だったか、地元の居酒屋で会っただろ」

「あ、そうだ」

高校二年の頃である。世之介は市内の居酒屋で偶然清志に見つかった。ただ、小沢たちと総勢五名、肝試し感覚で居酒屋にいたのだが、その後店を出た世之介にどんなことが起こったのかを清志は知らない。たった二杯のビールで酔った世之介は、その勢いに任せ、当時好きで好きでたまらなかった大崎さくらの家へ愛の告白に向かったのである。初めての深酒は若い五人を高揚させ、ゲームセンターに行こう、いや、ポルノ映画館だと会話が弾む中、世之介だけがすっと群れから離れ大崎さくらが住む町へバスで向かった。

バスの中では自然と笑いがこみ上げてくるほど酔っていたくせに、いざ目的地でバスを降りると途端に酔いが覚めた。それでも今夜しなければ、この先、告白する勇気など湧かないことも分かっていたので、完全に酔いは覚めたくせに、「俺は酔ってる。俺は酔ってる」と暗示をかけながら電柱から電柱へわざと千鳥足で進んでいった。大崎さくらの自宅前に着くと、酔っているどころか、普段より頭がはっきりしていた。

新興住宅地の白壁の家。二階のさくらの部屋には明かりが灯《とも》り、運良く窓も開いていた。

「大崎ッ」と世之介は小声で呼んだ。しかしそんな小さな声が聞こえるはずもない。それでも世之介が立ち続けていると、不気味な念でも伝わったのか窓に大崎さくらが現れた。

「横道くん？」

二階の窓から、不審げなさくらの声が落ちてくる。

「そう、俺。ちょ、ちょっと、酔っちゃってさ」

世之介は用意していた科白《せりふ》を吐いた。酔っているわりに軍人並の姿勢の良さである。

「酔ったって……。ちょ、ちょっと待ってて、今、降りてくから」

呆れたように笑ったさくらの姿が窓から消える。時間にして三十秒くらいだったが、さくらを待っていたあの三十秒間が世之介には未だに続いているように思えることがある。


「世之介、ゴールデンウィークどうすんだよ？」

思い出に浸っていると、とつぜん清志の声が聞こえた。

「……ゴールデンウィーク。サークルの合宿が、清里って所であって……」

「清里でサンバかぁ。……俺が今読んでる本の思想を要約すると、たしかにそうなるんだけど、なんかお前が言うと違うんだよなあ」

「もうさ、本なんか読むのやめれば。似合ってないって清志兄ちゃんには」

「読書に似合うも似合わないもないだろ」

「あるよ。元々物事を深刻に考えない人間が、『物事を深刻に考えるな』なんて書かれた本を読んだら、体に毒だって」

「お前、ひどいな」

「だってさ……」

窓の向こうに見える京葉線の高架橋が真っ青な空の下、地平線のように延びている。東京にも空はある。厳密には千葉だが。

五月　ゴールデンウィーク

待ち合わせは新宿駅中央本線の後ろ寄りホームである。混み合ったコンコースを真っすぐに進めずに、心なしか斜めに進んでくるのが世之介である。人の間を縫って歩けばいいものを、気が弱いのか、どんどん斜めに流されていく。キャディーがいれば、「ファー！」と叫びそうである。

それでも徐々に目的のホームに近づいていく。あと少しでホームへの階段という辺りで、世之介は柱の陰で何やら立ち話をしている倉持と阿久津唯の姿を見つけた。声をかけたかったが、かけようにも人の流れが逆で近づけない。どうせ二人も待ち合わせ場所に来るのだしと思い、世之介は先に中央本線ホームに上がった。

コンコースとは違い、がらんとしたホームに十名ほどのサンバ同好会メンバーが集まっている。入会後、学生会館のサロンで開かれるミーティングに世之介も参加しているので、それぞれの顔は分かる。

「おはようございます」

世之介が声をかけると、「あ、きたきた」と清寺由紀江《きよでらゆきえ》が振り返る。

この清寺由紀江、入学式の日に倉持を勧誘していた先輩である。勧誘時にはド派手な衣装とメイクで度肝を抜かれたが、普段は鼈甲《べっこう》眼鏡をかけた地味な法学部の三年生。世之介たちは、陰で「サンバ姉さん」と呼んでいる。

「他の二人は？」

清寺に尋ねられ、世之介がコンコースで見たことを告げようとすると、「おはようございます」と背後から倉持の声がした。だが、横に阿久津唯の姿がない。

「あれ……」

世之介が尋ねようとした瞬間、いかにも別々に来たように、「遅くなってすいません」と、今度は阿久津唯が現れた。

「揃ったね。電車乗っちゃおう」

清寺の合図でメンバーは動き出すし、倉持と阿久津唯も、「久しぶり」などと、なぜか珍妙な挨拶を交わしている。

「横道くん、清里、初めて？」

清寺に声をかけられ、「ええ。名前は聞いたことあります。タレントのショップとかがある所ですよね？」と世之介は答えた。

電車に乗り込むと、倉持と阿久津唯がさっと隣同士で座席に着いた。なんとなく倉持と座るつもりでいた世之介が一瞬行き場を失っていると、「ここ、座れよ」と、法学部三年の石田《いしだ》健次《けんじ》から声がかかる。

ちなみにこの石田という優男が、サンバサークルの代表である。

鞄を棚に上げて世之介が座席に着くと、「横道だったよな？　サンバなんてふざけたサークルだけどさ、こういう時一年は早目に集合するもんだぞ」といきなり注意する。

「あ、すいません」

世之介は背後の倉持たちへ目を向けた。一緒に座ったくせに二人はなぜか互いに別のほうを向いている。

「まぁ、いいよ。サンバサークルなんて真面目にやればやるほど、不真面目に見えるもんな」

「いや、そんなこと……」

「俺だって、ふと思うもん。なんで俺サンバなんか踊ってんだろって。でもまぁ、この前のミーティングでも言ったけど一年中踊ってるわけでもないしな」

ミーティングでの話によれば、一ケ月ほど練習して八月の浅草サンバカーニバルには出場するが、あとの十一ケ月はテニス＆スキー＆飲み会が主な活動らしかった。

「石田さんって、なんでこのサークル入ったんですか？」

「俺？　そうだなぁ、なんで……。まぁ、清寺に誘われたってこともあるけど、たぶん何か真面目にやってみたかったんだな。でもほら、今どき何かを真面目にやるなんてちょっと格好悪いだろ。だから格好悪いことを真面目にやれば格好いいかと思ってさ。逆転の発想だよ」

何が逆転したのか分からないくせに、世之介は、「へぇ」と納得したふりをした。

「そう言えば、この前、バイト探してるって言ってたよな。見つかったか？」

「いえ、まだ」

「今、ホテルの配膳やってんだけど、紹介してやろうか。ルームサービスだから夜勤多いけど、楽だし、時給いいぞ」

「いくらですか？」

「一《いち》、五《ご》」

「一、五って、千五百円⁉」

世之介が面接に行こうと思っていた花小金井駅前の洋風居酒屋の倍の時給である。

「やります！」

「早いな……」

石田の話では、週に二回ほど夜勤に出れば月に十万円ほどになるという。実際、石田は今朝も夜勤明けらしく、よく見れば眠そうな顔をしている。

「来週もバイト入るから、もしやるんだったらチーフに紹介してやるよ」

石田に言われ、世之介は、「お願いします」と頭を下げた。

前方の席から回ってくる飴やキャラメルを舐めながら石田と話をしているうちに、彼のアパートが同じ東久留米市だということが分かった。その上、同棲しているという。

「ってことは、家に帰ったら、その人がいるんですよね」

至極当然な世之介の質問に、「今度、遊びに来いよ」と石田が笑う。

サンバサークルの合宿とはいえ、一日踊って過ごすわけではない。昼前に清里に到着した世之介たちはまず駅前のチャペル風レストランで昼食をとった。その後チェックインまで各自レンタル自転車で木立の中を走り抜ける。

大学生になってまでこんなことしたくないと、内心では世之介も思っているのだが、まだひんやりとした高原の風は心地よく、気がつけば、「おい、待てよ!」などと先を行く倉持や阿久津唯に朗らかな声をかけている。

ペンションにチェックインすると、昨年の浅草サンバカーニバルのビデオをみんなで鑑賞した。本来は新入生に見せるのが目的なのだろうが、清寺や石田たちも久しぶりに見るらしく、

「あ、ほら、ここで羽根飾りが落ちたのよ」

「見てて、見てて、このあと、警官とぶつかるよ」

などと、新入生そっちのけで盛り上がっている。

ちなみに新入部員は世之介と倉持、阿久津唯の三人しかいないので、そっちのけにされるのも当然この三人になる。

ビデオ鑑賞会が済むと順番に風呂に入った。石田たち上級生が先だったので、必然的に倉持と二人きりになる。久しぶりに脚を伸ばして大きな湯船に世之介は浸かった。

「俺ら、なんだかんだ言って、けっこうこのサークルに馴染《なじ》んじゃってるよな」

洗髪中の倉持が笑い出す。

「俺、この合宿、来る気なかったんだよ。でも、阿久津唯が学校で顔合わせるたびに誘うしさ。あいつ、なにげにサンバに興味持っちゃってんだよな」

と、そこまで言って、世之介は待ち合わせ場所での二人の奇妙な行動を思い出した。

「そう言えば……」

世之介が尋ねようとした瞬間、「なぁ、横道ってさ、童貞？」と倉持が話を遮る。

「え、俺？　なんだよ、いきなり」

「いや、どっちかなって思って」

「じゃないよ。倉持は？」

「え、俺？」

倉持が振り返る。シャンプーの泡が目に入りそうなのか、殴られたような顔をしている。なぜかその表情で世之介はピンときた。

「え？もしかして、阿久津唯？」

「いや、っていうか、この前、たまたま帰りが一緒になってさ、届いた本棚が組み立てられないって、あいつが言うからさ」

「え？　ええ！　お前ら、付き合ってんの？」

「いや、付き合ってるというか、そこなんだよ。……なんかさ、あいつ、誰でもよかったみたいなんだよな」

殴られたような表情は泡のせいだけではないらしい。

倉持の話によれば、産業概論の授業が終わったあと一人ふらふらと外濠沿いの遊歩道を飯田橋駅へ向かっていると、同じように景色を眺めながらふらふらと歩いている阿久津唯の背中があったらしい。

「阿久津!」

アイプチ事件以来、仲直りしたわけではないが、成り行きで同じサークルに所属している者同士、授業や学食で顔を合わせれば挨拶くらいはしていたという。

倉持の声に阿久津唯は振り返った。倉持に笑われたからかどうかは不明だが、あの日以来少し腫れぼったい一重瞼のままである。近寄った倉持は、「やっぱ、そっちのほうがいいよ」とぶっきら棒に褒めた。阿久津唯は別段喜ぶこともなく、倉持を一瞥《いちべつ》したという。

腹が減っていた倉持は駅前のロッテリアに行くつもりだったので、その旨を告げると、

「私もなんか食べて帰ろうかな」と阿久津唯が言う。

「なら、一緒に行こうぜ」ということで、二人は混んだロッテリアでポテトを齧《かじ》りながら向かい合った。

どの授業がレポートで、どの授業がテスト採点だとか、そんな話をしているうちに彼女が本棚を買ったのはいいが、一人では組み立てられず困っていると言い出したらしい。

「どこ住んでんだっけ？」と倉持は訊いた。

「中野」

「なんだ。わりと近いじゃん。俺が組み立ててやるよ」

ということで、彼女のアパートに向かったという。

この時、倉持には一人暮らしの女のアパートへ入るのだ、という心構えも緊張もなかったらしい。阿久津唯に女としての魅力をさほど感じていなかったし、退屈な午後にやることができて喜んだ程度のものだったという。

阿久津唯が暮らすアパートは一階に大家が暮らす小振りな建物で、四階の真ん中が彼女の部屋だった。

部屋に着くまで倉持は高校の文化祭でバンドを組んで演奏した自慢話なんかをしていた。しかし狭い玄関で靴を脱いだ瞬間、とつぜん自分のスニーカーがとても臭いような気がして、なぜかその辺りから阿久津唯と目を合わせられなくなったという。

「これなのよぉ」

狭い部屋を占領するように、白いパイプ製の本棚の部品が散らばっていた。本棚を組み立てろと言われているだけなのだが、なぜか体の動きが不自然になる。作業を眺めている阿久津唯の素足に目が行って、まだ組み立て「ステップ1」にもかかわらず汗が噴き出してくる。裏返しているのは天板なのに、とても大胆なことをしているような気がする。

しゃがみ込んで作業しているうちはよかったが、ステップ2に進んだところで枠を立てなければならなかった。

「ちょっと、そっちも早く立ててよ」

朝、着替えるのが面倒でジャージを穿《は》いてきてしまったことを倉持は悔やんだ。

「どうしたの？　真っ赤な顔して」

立ち上がれない倉持に阿久津唯が首を傾《かし》げる。突然の腹痛か、男だから仕方ないと開き直るか悩んだ結果、倉持は思い切って立ち上がった。現場監督のようだった阿久津唯の視線が倉持の股間に向けられる。

「ちょ、ちょっと、やだ」

「し、しょうがないだろ！　だ、だって、女と二人で部屋にいるんだぞ！」

恥ずかしいわ、情けないわで、倉持は腰を引きながらも果敢に言い返した。呆れているのか、驚いているのか、阿久津唯は一重の細い目を見開き、手にした支柱を握り締めている。

で、そこからが倉持本人にもよく分からないらしい。

「気がつくと、あいつに近寄ってたんだよ。真っ昼間だぞ。カーテンも開けっ放しだし、本棚作ってたんだぞ。それなのに、気がつくと、あいつのこと抱きしめてたんだよな」

「で、阿久津唯の反応は？」と世之介は訊いた。

「そりゃ、最初は必死に俺のこと押しのけようとしてたけど、俺も、なんていうか必死だしさ、ここで離れたら、また俺の元気な奴だけがその場でぽつんとしちゃいそうだし」

どこまで本気で、どこまで冗談なのか分からないが、シャンプーの泡にしかめた倉持の顔は真剣である。

「で、そのままキスしたっていうか……。俺なんかもう無我夢中でさ。本棚は倒れてきそうになるし、手にはネジいっぱい持ってるし」

その後、改めて阿久津唯は倉持の体を押し返し、居たたまれなくなった倉持は部屋を飛び出したらしい。

「ネジは？」

思わず尋ねた世之介に、「そうなんだよ。ネジなんだよ」と倉持が神妙に頷く。

家に帰った倉持はそこでやっとネジを持ち帰っていたことに気づいた。だが、なりゆきでキスして逃げ帰ってきた手前、のこのこと返しに行くこともできない。

結果、倉持は三日間もネジを持ち歩いた。学校で会えば渡すのだが、会えない。直接返しに行く勇気がない。三日もネジを持ち歩いていると、ずっと彼女のことばかり考えるようになった。無理やり押しつけた唇の感触や、互いの胸の間に挟まっていた支柱の硬さなどが、鮮明に思い出される。

三日後、倉持は思い切って阿久津唯に電話をかけた。サンバサークルの名簿が初めて役立ったのだ。電話に出た彼女は、「本棚どうすんのよ？」と苦情を言ったらしい。組み立てステップ２で止まったままの本棚は未だに部屋に横たわっているという。

「これから行ってもいいかな」と倉持は言った。言いながら手のひらのネジを強く握り締めた。阿久津唯は、「来てもらわないと、困るよ」と答えたという。

三日ぶりに彼女の部屋に行くと、倉持は挨拶もそこそこに本棚を組み立て始めた。組み立て手順の確認以外は互いに口を開かなかった。

本棚が完成すると、阿久津唯がお礼にシチューを作ってくれた。三日前のことには触れず、世之介の寝癖のことなんかを笑っていたという。

「あいつ、自分で作ったくせに、シチューぜんぜん喰わねぇんだよ。仕方ないから俺、三杯も喰っちゃって。で、詳しくはあれだけど、そのあと、そういうことになっちゃったんだよな」

どういう風にそうなっちゃったのか聞きたいところだったが、さすがに世之介にもその質問は憚《はばか》られ、代わりに、「だから、付き合ってんだろ?」と改めて尋ねた。

「いや、だから、俺はそう思って、その日からもう何度もあいつんちに泊まってんだけど、『倉持くんって、好きな人いないの?』なんて、しれっと聞くんだよ」

「それ、確認してんだよ」

「何を?」

「だからお前の気持ち」

「俺、ちゃんと好きだって言ってるぞ。他になんて言えばいいんだよ!」

「し、知らないよ」

その時、風呂場のドアが開いた。顔を突き出した石田が、「お前ら、いつまで入ってんだよ。メシだぞ！」と二人を怒鳴る。

●

D棟のエントランス前にパトカーはもう停まっていなかった。さっきまで停まっていた場所を青白い街灯が照らしている。雨が降ったわけでもないのにアスファルトが濡れて見える。東南向きにずらっと並んだベランダにはちらほらと明かりもあるが、ほとんどは真っ暗で、洗濯紐《せんたくひも》に残されたハンガーだけが夜風に揺れている。

残業を終えて会社から戻ったのは十時を過ぎた頃だった。結局、ゴールデンウィークも働き詰めで、疲れ果てている体を引きずるように駅から歩いてくると、D棟のエントランスの前に無人のパトカーが停まっていた。嫌な予感というよりも、重い確信があり、思わず駅のほうへ引き返した。

向かったのは駅前にあるチェーン店の居酒屋だった。ゴールデンウィーク明けということもあり、店内はがらんとしていたが、一人客なので有無を言わさずカウンターに案内された。

カウンターの幅は狭く、何かの罰で壁に向かって立たされているような席だった。注文を取りにきた若い女の子に、「いつもこんなに空《す》いてるの？」と声をかけると、一瞬きょとんとしながらも、「あ、いえ。うち、家族連れのお客さんが多いから、週末が混むんです」と教えてくれる。

「バイト？　もう長いの？」

生ビールと数品のつまみを注文してから尋ねると、「いえ、四月から。一ケ月だけ」と答える。イントネーションに少し癖があったので、胸元の名札に目を向けた。「張」と書いてある。

「留学生なんだ。日本語うまいね」

「いえ、まだまだ」

はにかむような、ちょっと誇らしくもあるような笑顔で彼女が首を振る。

「いや、ほんとにうまいよ。大学生？」

「はい」

頷いた彼女が、懐かしい大学名を口にした。

「えっ、じゃあ、俺の後輩だ。何学部？」

「国際文化学部です」

「今、そんな学部があるんだね。俺の頃なかったなぁ」

「そうなんですか」

「でも留学生はいたよ。ただ、俺の頃は君みたいに若い子じゃなくて、三十越えてる男の人が多かったなぁ。奥さんがいる人も多くて。だから当時は別世界の人だと思って、あまり付き合いなかったけど、今となると、もっといろんなこと話しとけばよかったって後悔するよ」

ふと大学時代の光景が蘇り、早口で捲《まく》し立てた。

ただ、どこの国でも、中年男の昔話など若い子には興味がないのか、彼女は曖昧《あいまい》な表情を浮かべている。もう少し話したかったが厨房から呼ばれて、「生ビール持ってきますね」と微笑んだ彼女は立ち去った。駆け戻った彼女に店長らしき男が声をかけ、二人で楽しそうに笑い合う。白い歯を見せた彼女の横顔を眺めていると、ふと体から疲れが抜けた。

居酒屋を出たのは閉店間際だった。途中、団体客が数組来店し、店内は途端に騒がしくなった。忙しく立ち回っていたバイトの女の子も、勤務時間が終わったのか、いつの間にか姿を消していた。いくら飲んでも酔えなかったがキリキリと刺すような胃の痛みは消えていた。

パトカーが停まっていた場所を抜け、エントランスに入った。すでに十二時を回り、受付横の自動販売機のモーター音だけが低く唸《うな》っている。乗り込んだエレベーターに甘い香水の残り香がある。ふと、警官と一緒にこのエレベーターに立っている一人娘、智世の姿が浮かぶ。

玄関を開けると、廊下の先に妻、唯の姿があった。帰宅して時間が経っているはずだが、着替えもせず、ダイニングテーブルに頬杖《ほおづえ》をついている。

「ただいま」

声をかけると、表情も変えずに立ち上がり、台所へと姿を消した。手前のドアの向こうからうるさい音楽に混じって友達と電話で話しているらしい智世の声がする。

廊下を進んでダイニングに入った。

「何度も携帯にかけたんだけど」と台所から妻の声がする。

「ごめん、電源切ってたんだよ。この前、話した、ほら、浦和の商店街組合の会長さんたちと一緒でさ。電車降りるまで留守電にも気づかなくて」

妻は最初から言い訳など聞く気がないらしく、台所の電気もつけずにグレープフルーツを切っている。その背中に、「智世は?」と尋ねた。「部屋」と短く答えた妻の手元で包丁がズブッとグレープフルーツに切り込まれる。

「迎えに行ったのか?」

そうではないと知っているくせに尋ねた。首を振った妻の背中で纏められた髪が揺れる。

先に智世の変化に気づいたのは妻だった。智世が中学三年になった頃だ。

「最近、あの子、妙な字を書くのよ」

妻が言うにはたまたま授業のノートを見た時に気づいたらしく、「繁華街の店のシャッターや歩道橋にある落書きのような書体だった」らしい。

「学校で流行《はや》ってんだろ」

気にも留めずに言い返すと、「たぶんそうなんだろうけど、ああいう字って見てるだけでも精神的に滅入《めい》るのに、それを書いてるって……」と妻は顔を顰めた。

智世が友達の家を泊まり歩くようになったのはそれからすぐのことだ。ただ、智世が泊まりに行くこともあれば、友達が泊まりに来ることもあり、深夜一時近くまで自室で声を押し殺してコロコロと笑い合っている様子を見る限り、さほど心配することもなさそうだった。泊まりに来るのはみんな礼儀正しい子たちばかりで、たまに仕事を早く終えて家へ帰ると、同じく仕事で帰りの遅い妻の代わりにみんなで料理を作っていてくれることもあった。

夏休みが終わっても、週末になるとそんな生活は続いた。学校の成績も悪くなかった。髪を染めたり、服装が派手になることもなかった。もっと言えば、自分たちが中学生の頃に比べれば、今の子供たちは真面目だよね、などと妻と笑い合っていたほどだ。

なので智世が補導されたと地元の警察署から初めて連絡を受けた時、妻共々、何かの間違いだろうと思った。もちろん心配はしたが、たとえば友達の家からコンビニにお菓子を買いに出て、夜遅かったので警察に保護されたとか、その程度のことだと考えたのだ。

すぐに妻と二人で警察署に向かった。

「本当にご迷惑かけてすいませんでした。夜遅くにコンビニなんか行かないようにいつも注意してたんですけど」

その程度の言葉しか持ち合わせていなかった。

しかし補導された智世は薄《うつす》らと顎髭《あごひげ》を生やした十八歳の男と一緒だった。てっきりいつもの友達と一緒だとばかり思っていたので、「桃ちゃんたちと一緒だったんでしょ?」と妻は訊いた。智世が申し訳なさそうに首を振る。次に浮かんだのはこの男が無理やり智世をどこかに連れて行こうとする光景だった。途端にカッと頭に血が上り、男のほうを睨みつけると、「お父さん、違うの。私たち、ちゃんと付き合ってるの」と智世が言った。

警察の話では娘はこの男の車に乗っていたところを補導されたらしかった。男が信号無視をした際に白バイに停められ、不審に思った警官が智世を保護したという。

あまりにも何もかもがとつぜん過ぎて、たとえばその場で娘の頬を叩くとか、中学生の娘を深夜のドライブに誘い出した男の胸ぐらを摑むとか、あとで考えれば、やってもよさそうなことがその場では何一つ頭に浮かばなかった。

なかなか事情を飲み込めない両親の前で智世だけがひどく落ち着いていた。薄らと顎髭を生やした少年のほうが逆にオドオドして落ち着きがなかった。

帰りの車では一言も口を開かなかった。感情的に怒鳴りつけることもできたのだろうが、怒鳴りつけなければならない娘の姿をまだ自分でうまくイメージできていなかったのだと思う。

家に戻ると、まず妻が、「先にちょっと二人で話をさせてほしい」と言い出して、智世の部屋にこもった。

いつからあんな男と付き合っていたのか。友達の家に泊まっていたのは嘘だったのか。中学生の娘が言う付き合いとは、いったいどの程度のものなのか。

訊きたいことは山ほど浮かんでくるのだが、やはりどうしてもこんな生々しい質問を投げかける娘の像を結べない。

夜が明け始めた頃、妻が智世の部屋から出てきた。ひどく疲れた表情で、「まずは私たちがしっかりしなきゃ」と呟く。

「……頭ごなしに怒鳴りつけても駄目よ。あの子、私たちが思ってる以上にもう大人なんだから」

「いや、まだ子供だよ……」

妻の言葉に、その夜、初めて口を開いた。思わず出た言葉だったが自分の気持ちが全てこの言葉に集約されている気がした。

智世と一緒にいた男は、高校を中退し、ガソリンスタンドで働いている十八歳の少年らしかった。智世とは夏休みの終わりに知り合い、三ケ月ほど付き合いが続いているという。

「そんなのどうでもいいよ。とにかく、もう会わないように、言ったんだろ」

妻の言葉を制した。

「だから、そう頭ごなしに言っても……」

「じゃ、じゃあこのまま、そんな奴と会わせ続けるのかよ！」

「怒鳴らないでよ」

「智世は？　智世呼べ！」

立ち上がろうとした肩を妻が強く押さえつける。震えているのが自分の体なのか、妻の手なのか分からない。

「あの子、自分でも分かってるのよ。こんな風になるのはまだ早いって」

「なんだよ、こんな風にって……。違うよ、違うだろ。あいつにはまだやらなきゃいけないことがたくさんあるんだよ。まだ何も知らないんだよ。まだ何も始まってないんだよ」

とつぜん全身から力が抜け、気がつけば頭を抱え込んでいた。

「私だってちゃんと言ったのよ。智ちゃんにはまだやらなきゃいけないことがたくさんあって、そういうことはまだあとでいくらでもできるって。そしたらあの子が、私に訊くのよ。『じゃあ、いつならいいの？』って。『いくつになれば付き合ってもいいの？』って。『好きで好きで仕方なくて、考えるだけで胸が苦しくなるような人と、何歳になれば出会ってもいいの？』って」

「年齢の問題じゃないだろ。現に、親に隠れて夜中にこっそり会ってんだぞ。そんなのまともな中学生のやることじゃないよ」

「私たちに隠してたのは心配させたくなかったからだって。私たちを理解させられるような言葉で彼を紹介できなかったからだって」

「中学生にそんな言葉、必要ないだろ……」

結局、互いの出勤時間になるまで妻と話を続けた。何を聞かされても納得ができなかったし、妻が時間をかけようと言えば言うほど智世が離れていくような気がして仕方なかった。

一度も顔を見せることはなかったが智世が自室でじっとこちらの話を聞いているのは分かった。その日、仕事を休んで、智世と話をしようと思わなかったわけではない。しかし妻が時間を置けと言うし、新規で清掃システムを設置してくれた店へ挨拶に行く予定もあった。脂ぎった顔を洗って玄関で靴を履いていると、智世が部屋から顔を出した。一睡もしていないからか、それとも泣いていたのか、瞼は腫れ、目は充血していた。

「お父さん、許さないからな。二度とあいつに会うな。分かったか。もし、会いたいならここから出てけ。出てって好き勝手しろ」

気がつくと目も合わせずにそう言っていた。てっきり、「じゃあ、出て行く！」と強がるものだとばかり思った。しかし部屋を出てきた智世は、「……分かった。我慢する。でも、いつまで我慢すればいい？」と言ったのだ。

「いつまでって……」

言葉が詰まった。

中学を卒業するまで？　いや、まだ早い。じゃあ、高校をきちんと卒業するまで？

いや、そこから新しい世界が開けるのだ。この子がまだ知りもしない新しいことがその先にたくさん待っているのだ。

「そ、そんなの自分で考えろ！」

思わず声を荒らげた。

「そんなの、ずるいよ」と智世が今にも泣きそうになる。

「私、まだ中学生だから何もできません。それは分かってる。今、出て行けって言われても、どうしようもない。恭平くんにも迷惑かけられない。でも、働けるようになったら、ちゃんと頑張るから。だから、それまでここに居させて下さい」

最後は涙と鼻水で声になっていなかった。呆気にとられた。拳を握り締めた娘の姿に頭が真っ白になり、「駄目なものは駄目だ！　二度と会うな！」と怒鳴るとその場から逃げるように外へ飛び出した。

大学を中退して、小さな不動産会社で営業マンとして働いた。歩合給の不安定な職場だったが、子供の頃から人見知りせず、口も上手いほうだったからそこそこの成績は上げられた。もちろん嫌な目に遭ったことがないわけではない。契約寸前だった顧客に心変わりされ、酔った上司に殴られたこともある。それでも必死に食らいついて働いたのは、家に帰れば妻がおり、殴られた頰を小さな手で撫《な》でてくれる智世がいたからだ。

妻とは大学のサークルで知り合った。当初は学生同士の気楽な付き合いだったが、ある日、彼女から妊娠したことを告げられた。避妊をしていなかったわけではないが確実にそうだったかと言われれば俯くしかない。妊娠を告げられた瞬間、焦るというよりも妙に肝が据わったような記憶がある。二人で何日も話し合い、育てていこうと結論を出した。お互いに臆病だったのだと思う。女は男に「産んでくれ」と言われて断る自分が怖く、男は女に「産みたい」と言われて反対する自分が怖くて、逆に「堕《お》ろす」という言葉自体を使えなかったのかもしれない。

もちろん両親は大反対した。何の援助もしないと言われた。きっと若かったせいだと思う。反対されればされるほど、両親たちの言う将来が意味のないものに思えて仕方なかった。

大学を辞め、すぐに働き始めた。生活は苦しかったが助けてくれる友達もいた。智世が健康に生まれた日のことは、未だに思い出すだけで涙が溢れてくる。周囲にはおままごとだとか、人生を棒に振ったとか、散々言われていたが、小さな智世を手にした瞬間、そんな周囲の嘲《あざけ》りが何の価値もないものに思われた。

智世が保育園に入るまで休日返上で働いた。夜間大学で勉強をし直したいという妻の希望を叶えるために必死で学費を貯めた。妻は育児をしながら一度は諦《あきら》めた大学を見事卒業してくれた。子供がいるせいで就職活動では苦しめられたが、結局スイス資本の保険会社に就職できた。

妻の稼ぎのお陰でかなり生活は楽になった。智世のために月々貯金もできるようになった。小学生になった智世も働く母を尊敬していたし、母を大学に行かせた父を誇りに思っているようにつたこととして作文で書いてくれたこともある。子供なりに気を遣っただけかもしれないが、言葉にできぬほど嬉しかった。若くして子供を持ち、苦労してきた自分たちにその娘が卒業証書をくれたような気分だった。

　そのせいかもしれないが自分の人生を改めて見つめるようになった。勤めていた不動産会社の景気が悪かったこともあり、智世が中学に入学した年に一念発起して会社を辞めて独立し、レストランなどの調理場清掃システムを販売する会社を始めた。

　会社といっても赤坂の集合オフィスにブースを一つ借り、電話応対の秘書サービスを頼んでいるだけなのだが、不動産会社時代に店舗を扱っていた時期も長かったので、期待通りとまではいかないが、睡眠不足になりながらも、一国一城の主《あるじ》を気取れる程度の注文は受けられるようになっていた。

　智世が警察に補導されたのは、そんな矢先のことだったのだ。

　妻は毎晩のように智世を説得した。智世は智世で妻の対応が優しいことにつけ込んで、中学を卒業したら就職し、男と結婚したいとまで言い出していた。妻とは逆に補導された翌朝、「駄目なものは駄目だ！　二度と会うな！」と怒鳴ったきり、一度も智世ときちんと話し合うことはなかった。

　こういう時は親が毅然《きぜん》とした態度を示さなければならないと強く信じ切っていたし、誰よりも自分が娘のことを考えているという自負もあった。

　相手の男に会いに行ったのは智世が学校を休んで部屋に閉じこもるようになった頃だ。

一度、携帯で男と話している声が聞こえた時、部屋に飛び込み、二度と娘に電話をかけない、娘からかかっても電話に出ないと男に約束させた。その言い方が娘には気に喰わなかったようで、部屋に閉じこもるようになったのだ。

妻が聞き出していたガソリンスタンドに行くと、男は汗だくになって働いていた。こちらの顔は覚えていたようで、目が合うとビクッと背筋を伸ばして頭を下げる。髪を染めているわけでもなく、ピアスの穴を開けているわけでもなく、どちらかと言えば純朴そうでひょろっと背だけが高い少年だった。

そろそろ休憩時間だと言うので近所のファミリーレストランに誘った。少年は事務所へ報告に行った。報告を受けるとすぐに店長らしき年配の男が駆け出してきて、「このたびは、こいつがいろいろとご迷惑をかけてしまったようで本当に申し訳ありません」と頭を下げる。一瞬、父親かとも思ったが二人のやりとりを見る限りでは違うらしい。

ファミリーレストランの席に着くと飲み物を注文するのも待たずに、少年が深々と頭を下げて、智世が補導されてしまったことを申し訳なさそうに詫びる。

「謝るくらいなら、あんな夜遅くに中学生の娘を連れ出すなよ」

つい声が大きくなり、近寄ってきていたウェイトレスが足を止める。

妻の話によれば、あの日はたまたまこの男の誕生日だったらしく、仕事で遅くなるからと渋った男にどうしても会いたいと智世のほうが頼んだらしい。

注文した珈琲が来ると、「とにかく智世はまだ中学生なんだよ。男と付き合うだのなんだの言う年じゃない」ときっぱりと言った。

汗が流れる首筋を掻く以外、少年は身動きもせず、じっとテーブルの珈琲を見つめている。

「君もまだ十八なんだろ？」

少年が俯いたまま、「はい」と答える。

「十八なんて、これからじゃないか。これからいろんなこと勉強して、これから……」

「でも……」

少年がそこで初めて顔を上げた。智世から聞いているのだろう、その視線にあなたたちも若くに結婚したじゃないですかという微かな非難の色がある。

「言っとくけど、俺たちは大学生だったんだよ。今の君と智世とはまったく状況が違う」

「それは分かってます。俺、高校も出てないし……、ただ、遊んでるわけじゃなくて、今のスタンドで金貯めて、いつか小さな整備工場持ちたくて」

「だから、智世はまだ中学生なんだぞ！」

世間知らずな少年の物言いに思わずテーブルを叩いた。

「でも、真剣に考えてるんです。だから智世さんが中学を卒業するまでは……」

「な、何が真剣だよ。真剣の意味が分かってんのか？　自分のことばっかりでちっとも智世のことなんか考えてくれてないじゃないか」

「そんなこと……」

青筋を立てるほど少年が奥歯を噛み締める。

「考えてないよ。智世のことを考えてくれてるなら、今、娘がどんな状況なのか分かるだろ？　まだ中学生なんだぞ。これから高校に行って、新しい友達を作って、大学に入ってやりたいこと見つけて、何もかもこれからなんだよ。智世にこれからの人生を見させてやってくれよ。智世のことなんか何も考えてないから真剣に考えてるなんて平気で言えるんだよ。今の君に智世を幸せにしてやれる自信があるか？」

全身を強張《こわば》らせた少年がゆっくりと首を振る。

「もし、本当に智世のことを考えてくれるなら、智世の前から姿を消してくれないか。智世の幸せを願ってくれるんだろ？　だったら、あの子に冷静に考える時間を与えてやってくれよ。まだ中学生なんだよ……」

顔を上げた少年の目に、涙が滲《にじ》んでいた。

少年がガソリンスタンドを辞め、街を出て行ったことを知った智世が半狂乱になったのは、それから一ケ月ほど経った頃だ。少年は誰にも何も告げずに本当に街を出て行ったのだ。

当初、「お父さんが何か言ったんでしょ！」と智世は髪を振り乱して殴りかかってきた。しかし妻にも告げていなかったせいもあり、こちらが「そんなことしていない」と言い張れば、他に証拠があるわけでもなかった。

少年が姿を消したあとの智世は見るに堪えないほどの状態だった。たかが十五歳の少女が、これほど絶望できるのかと胸が引き裂かれるような声で来る日も来る日も泣き明かしていた。

少年は分かってくれたのだ。

大人たちが思う以上に智世のことを大切に思っていた。だからこそこっそりと姿を消してくれたのだ。まだ十八歳だった彼は自分でもまだこの先に何があるのか分からなかったからこそ、智世にもそれを見せてあげたかったのだ。

そう思えば思うほど自分の判断に自信がなくなった。これでいいのだと思おうとすればするほど、大切な娘の何かを自分が壊してしまったような気がしてならなかった。

ほとんど学校にも行かなかったが、智世はどうにか中学を卒業できた。両親が裏切ったのか、恋人から裏切られたのかさえ分からずにひどく苦しそうだった。妻と二人で必死に説得してみたが、結局、高校へは進学できなかった。

この四月から、智世は行く場所もなく、部屋に閉じこもるか、ふと気が向いて外へ出れば、何日も帰宅しない日が続く。そして時には今夜のように警察に補導され、パトカーで連れて来られることもある。

「今日ね、もう何年ぶりかな、仕事で市ヶ谷に行ったのよ」

風呂から出ると、妻が搾り立てのグレープフルーツジュースを注いでくれた。

「市ヶ谷？」

「時間あったから大学のほうに歩いてみたんだけど、校舎が高いビルになってた」

「ああ、俺も写真で見たよ」

「あそこ、元々何があったんだっけ？」

「あそこ、なんだっけな」

グレープフルーツジュースを一口飲むと、「そう言えば、さっき警官に連れられて来て、ムスッと突っ立ってる智世を見てたら、急に横道くんのこと思い出しちゃった」と妻が呟く。

「横道？」

「うん。なんでだろう……」

「懐かしいなぁ。横道世之介かぁ。元気にしてんのかなぁ。……考えてみれば、あいつのお陰で俺ら知り合ったようなもんだし。なぁ、サンバサークルで清里行ったの覚えてる？」

「あ、行ったねぇ」

「俺、あん時、風呂場であいつに話したんだよ。お前とのこと」

「私とのこと？　なんて？」

「もう忘れたよ」

疲れて眠ってしまったのか、さっきまで智世の部屋で聞こえていた音楽がいつの間にか消えている。

人の流れに押し出されるようにして渋谷駅前広場へ出てくる若者がいる。それぞれが目的地へ向かう人波の中、うまく足を前へ出せないのか、ときどきスキップ風になったり、右手と右足が一緒に出たりしている。もちろん世之介である。

同じ飛行機で一緒に上京してきた同郷の小沢と久しぶりに会う約束で出てきたらしい。どうせ道に迷うのだからまっすぐに待ち合わせ場所の喫茶店に行けばいいものを、物珍しいのか、ゲームセンターがあれば覗き、古着屋があれば入り、たこ焼きを買ってみたりと、相変わらずなかなか前へ進まない。

古着屋では金もないのに商品を見て回り、日に灼《や》けた長髪の店員に声をかけられて、危うく使い道の分からないシルバーアクセサリーを買わされそうになったりする。

待ち合わせ場所はパルコ裏の「ルノアール」という喫茶店である。世之介が到着した時、混んだ店内に小沢の姿はなかった。仕方なく世之介は店員に案内された席に着く。まるで寝そべるような椅子なのでメニューを広げたままひっくり返りそうになる。その上、メニューに書かれた珈琲一杯の値段が高く、こっちでもひっくり返りそうになる。

珈琲にこんな金額を出すなら夕食にからあげ弁当を二つ買ったほうがいい。

隣のテーブルではテレビ関係者らしき男たちが次回の打ち合わせ日を決めている。

「来週は月から金まで完全に埋まっちゃってて」

「俺もそうなんだよねー。月火、取材で地方。水木、収録。金曜からは軽井沢。たまには遊ばないとね。ハハハ」

先に空いている日を言い合えば早いのに、なぜか互いに分厚い革のシステム手帳を広げ、スケジュールが埋まっている日を羅列する。

届けられた珈琲を世之介が一口飲もうとした時、目の前に小豆《あずき》色のド派手なスーツを着た男が立った。隣の男たちも似たようなスーツなので、一瞬、席を間違えたのかと思ったのだが、

「ごめん。ちょっと前のが押しちゃってさ」

落ちてきた声に顔を上げると、小豆色のダブルのスーツに小沢のニキビ面がちょこんと乗っている。

「な、なんだ、そのスーツ」

世之介は飲みかけた珈琲を噴き出しそうになった。

「ああ、これ？　何かとスーツ着る機会が多くて買ったんだよ。丸井の十回払いだけどな」

スーツを着る機会など入学式以外思いつかない世之介が小沢をマジマジと見上げる。

「俺、マスコミ研究会に入ってさ。ついさっきまで、今年の学祭の打ち合わせで先輩たちとタレント事務所回ってたんだよ」

「タレント事務所？」

「Sミュージックとか……」

小沢がそう言いながら分厚いシステム手帳をテーブルに置く。

「あ、そうそう。これ、俺の名刺」

小沢が分厚いシステム手帳から名刺を差し出す。

小豆色のダブルのスーツ。システム手帳。そして名刺。

笑わせようとしているのなら、かなり手が込んでいる。元々小沢という男は高校の頃からお年玉でコムサデモードのTシャツを買うような洒落者《しゃれ》であることは世之介も知っているが、それがなんだか悪いほうに向かっているような気がする。

「……あ、そうだ。お前、今度の土曜の夜って空いてる？」と小沢。

「空いてるよ」と世之介。

「即答だな」

小沢が小馬鹿にしたように笑い出し、「じゃあ、ちょうど良かった。今度の土曜、うちのサークル主催のダンパがあるんだよ。チケット回すからさ、お前も友達連れてこいよ」とテーブルにチケットを出す。

「ダンパ？」

「ダンスパーティーだよ」

「知ってるよ」

サークル、ダンスと聞いて思わずサンバを連想した世之介だが、置かれたチケットを見ると、場所は六本木のディスコ、服装制限まであるらしい。

チケットに見入る世之介を前に、小沢が片手を挙げてウェイトレスを呼ぶ。

「珈琲注文するんなら、まだ一口しか飲んでないし、これ飲んでいいぞ。で、割り勘な」

世之介の提案に、「ケチ臭いこと言うなって」と顔を歪《ゆが》めた小沢が、「いいよ、珈琲代くらい奢《おご》ってやるから」と気前の良いことを言う。

「なんで？」

「パー券の売り上げとかで、けっこう金入ってくんだよ」

「え？　これ、俺に売んの？」

世之介は慌ててチケットを突き返した。

「タダでやるよ。お前に売らなくても、うちのサークルのダンパ人気あるから女子大の子とかすぐ買ってくれっから」

「こんなの売って、儲《もう》かんの？」

「儲かるよ。サークル全体だとウン百万の単位じゃねぇかな」

「ウン百万？」

「いらない？」

「いるよ！」

「何枚？」

「じゃ、三枚」

倉持と阿久津唯の分である。

ルノアールを出ると、「これからどうする？」と世之介は尋ねた。高校時代なら、「これからどうする？」「やることないよな」「じゃあ帰る？」「帰ってもやることないし」と言いながらもなんだかんだで時間を潰せていたので、世之介としてはその口火を切ったつもりだったのだが、「やることないよな」と応えるはずの小沢が、「悪い。俺、これからちょっと別の打ち合わせ入ってんだよ」と言い出す。

「え！　何だよ、それ〜？」

「いいじゃん。無料チケットやったんだし」

呼び出された上にこの仕打ちではさすがに世之介も腹が立つ。だが、ここで無理に引き止めたところで、「これからどうする？」「やることないよな」「じゃあ帰る？」の続きをやるしかない。

世之介は仕方なく、小豆色のダブルのスーツを翻《ひるがえ》し、横断歩道を颯爽《さっそう》と渡る小沢を見送った。

ぽつんと道に残されてみると渋谷という街で立ち止まっていることがとても格好悪いような気がしてくる。このまま帰ってもいいが帰ったところで、「これからどうする？」以下省略を一人でやるしかない。

忙しそうだった小沢を真似て、世之介は公園通りまですたすたと歩いた。ちょうど赤い電話ボックスがあり、ふと思い立って倉持の自宅に電話をかけてみることにした。きっと倉持も「これからどうする？」以下省略を一人でやっているに違いない。しかし電話に出たのは倉持の母親で、「一平ちゃんは出かけてますよ」と上品な口調で言われた。

一平ちゃんで笑いたかったが堪《こら》える。

「何時頃、戻りますか？」

「さぁ、最近、帰ってこないことも多くて。学校のお友達？」

「はい。横道と言います」

「あら、一平ちゃんがたまに泊めてもらったりしてるんでしょ？　ご迷惑かけてない？」

「いえ、別に」

「まだ台所用品なんかも揃えてないんですって？　遠慮しなくていいから、いつでもうちにごはん食べに来なさいね」

「ありがとうございます」

「一平ちゃんね、最近、お付き合いしてる人がいるみたいで……、ご存知ない？」

「……いえ」

「紹介してくれればいいのに、照れちゃって何も教えてくれないのよ」

時間を持て余してかけた電話だったが世之介よりも時間を持て余している人に繫《つな》がってしまったらしい。

やっと倉持の母親との電話を終え、世之介は電話ボックスを出た。代々木公園というのがあるらしい坂の上のほうへ歩いてみる。

ゆっくりと坂道を上り始めると一歩ごとに無意識に何か呟いていた。

「な、ん、か、違、う」

「な、ん、か、違、う」

右足。左足。と交互に足を出すたびに、気がつけば、そんな言葉を呟いていた。いったん意識してしまうと、ますます声が大きくなってくる。

「なんか違う」

「な・に・が?」

「なんか違う」

「な・に・が?」

心の声のリズムに合わせて問うてみるが、「なんか違う」と思っているのも自分なら、「それが何か?」と尋ねているのも自分なので、もう一人くらい自分が出てこないと埒《らち》があかない。

「なんか違う」

「な・に・が?」

歩調に合わせて繰り返しているうちに前方に代々木公園の入口が見える所まで来ていた。世之介は自分の足跡でも確かめるように坂の上から公園通りを振り返った。

上京してすでに二ケ月近く、すでに五月も終わろうとしている。何がどう違うのかは分からないが、この二ケ月、地に足がついていない感じがする。新しい街に暮らし、新しい友達ができ、新しい生活が始まったのだから何もかもが最初からガシッガシッと嚙み合うはずもないのだが、それにしても何もかもがつるつると流れていく印象が強い。いろんなものが大きく変化したはずなのに、その印象がとても軽い。

世之介は近くにあったガードレールに腰かけた。代々木公園から戻ってきたカップルが途方に暮れたような世之介を眺めて通り過ぎていく。

あれは中学二年の夏休み明け頃だっただろうか。男子生徒の間で肌着をつけずに制服の開襟シャツを着るのが流行った。それまで母親が買ってくるランニングシャツを何のためらいもなく着ていた世之介も、早速素肌に開襟シャツで登校するようになった。何かが流行すれば、阻止しようとする教師が現れる。素肌に開襟を目の敵にしたのは大隈という乱暴な体育教師だった。大隈は素肌に開襟シャツを着た生徒を見つけると、その太い指で生徒たちの乳首の横を強くつねった。あまりの痛みに悲鳴を上げる者もいたし、つねられて痣《あざ》になり、「乳首が増えちゃったよ」などと見せびらかす者もいた。

ある時、世之介もこの大隈と廊下ですれ違った。ああ、ついに今日は自分の番だと、つねられる痛みを先に想像して顔を歪めたのだが、近寄ってきた大隈は、「ちゃんと、下着、着てこいよ」と、どこかうんざりしたような声で言っただけだった。

もちろん、大隈につねられたかったわけではないが、物足りない気持ちもあった。うんざりしたような大隈の声が少しへんな言い方かもしれないが、とても大人の声に聞こえたのだ。

大隈の標的になるのは学校でも目立つ生徒というか、いわゆる不良たちだった。大隈につねられ、不良たちは大袈裟に悲鳴を上げる。それが一種のショーになり、休み時間中の廊下を盛り上げるのだ。そしてこの手の生徒たちに限って、「放っといてくれよ」と先生に言う。でも先生は放っとかない。世之介だって十四、五歳の思春期ど真ん中の少年なので、「放っといてくれよ」と言ってみたい。しかし言わなくても放っとかれるから、言う機会さえないのである。

そうか。あの時、大隈に「乳首の横、つねって」と頼めば良かったんだ。

ガードレールに腰かけた世之介は、ふとそう思いつき、「いや、違う違う」と慌ててガードレールに座り直した。

六月　梅　雨

「そんじゃ、しっかりやれよ！」

先輩から競走馬のように尻を叩かれ、ルームサービス用のワゴンを押してホテルの廊下を歩いていく若者、世之介である。見送っているのは、サンバサークルの先輩、石田である。石田に心細く頷き、スタッフ専用のエレベーターで客室へ向かう様子を見る限り、これから初めて一人で客室へ食事を届けるらしい。

「いいか。とにかくホテルにはいろんな客がいるから、部屋に入る時には必ずドアガード使って、ドアを完全に閉めないこと」

バイト歴の長い石田の話によれば、赤坂の一流ホテルとはいえ、酔って絡んでくる男客もいれば、ルームサービス係をホストか何かと勘違いしている女客、果てはセックスの最中に給仕させる破廉恥な客までいるらしい。

「……考えてみりゃ、自殺しようと思ってる奴だっていないとも限らないんだから、そんな奴に最後の晩餐《ばんさん》を運ぶ仕事なんだぞ。とにかく、サインもらって部屋を出るまで、絶対に気を抜くな」

石田にバイトを紹介してもらった時には部屋に食事を運ぶだけの仕事だと楽観していた世之介だったが、石田たち先輩スタッフからそうやって脅されれば脅されるほど、ここ赤坂の一流ホテルが化け物屋敷のように思えてくる。

ただ、これまで石田と何度か部屋へ運んだ限りではそんな迷惑な客には当たっておらず、地方から結婚式に出てきた老夫婦に、「寝そべる風呂だと入った気がしない。大浴場はないのか？」と尋ねられたくらいしか話しかけられたこともない。

とにかくホテルにはいろんな客がいる。泥酔だ、ホストだ、露出狂だと、先輩たちは口を揃えて世之介を脅すが、正直、世之介にはそんな客よりも二千円もするおにぎりを注文する人間がいることが恐ろしくて仕方ない。

二十階でエレベーターを降りると世之介は厚い絨毯《じゅうたん》敷きの廊下を進んだ。２０１５。部屋番号を確かめてチャイムを押すと、すぐに中から男の声がする。

「ルームサービスです」

ドアを開けたのは恰幅《かっぷく》の良い中年男である。すでに二時を回っているのに背広にネクタイのままである。

石田の言いつけ通りにドアガードを使って部屋に入り、「どちらへセットいたしますか？」と尋ねると、「机の上、散らかってるから、そのままテレビの前にでも置いといて」と男が答える。

不動産の仕事をしているらしく、机にはビルの図面が描かれた資料が散乱している。

「大変だな、遅くまで」

男がリモコンでテレビのチャンネルを替えながら声をかけてくる。

「いえ。あの、お味噌汁をお椀のほうにお注ぎしますか？」

「そのままでいいよ」

世之介は二千円のおにぎりのラップを剝《は》がした。窓際に寄った男が眼下の夜景を見下ろしながら、「せっかくデカい商談まとめた夜だってのに、こんなところで一人おにぎり喰ってんのも情けないもんだ」と呟く。

デカい商談。一人でおにぎり。

慌てて「客の対応マニュアル本」を頭の中で開いてみるが例文がない。世之介はとりあえずこの会話をスキップすることにした。

「お食事がお済みになりましたら、9番にお電話頂ければ下げに参りますので」

「ああ、分かったありがと」

サインをもらって部屋を出ようとすると、「あ、ちょっと待った」と男が呼び止める。

「はい」

振り返った世之介に、男が、「チップやるよ」と背広の内ポケットから財布を取り出す。石田と回っている時もアメリカ人の客から百円もらったことはあるが、日本人からはもらったことがない。

「あれ、千円札ねぇな。いいや、これでほら」

男が差し出したのはなんと一万円札である。もちろんおつりの用意などない。

「で、でも」

「遠慮すんなって」

男が一万円札を突き出してくる。

「あ、でも……」

「安心しろって、ヤバい金でもなんでもねぇから」

一万円といえば世之介の日給と変わらない。テーブルには二千円のおにぎりが置いてある。

「出したんだから、持ってけよ」

「そ、そうですか。じゃあ、すいません、ありがとうございます」

拒みかけたくせに世之介もあっさりと一万円札を受け取っている。

廊下に出ると世之介はもらった一万円札を天井のライトに透かして見た。折り目もほとんどない新札に近い一万円札でもちろん偽札でもない。

アメリカ人からもらった百円玉は休憩室の自動販売機ですぐに使ってしまったが、一万円となると、缶ジュースどころの騒ぎではない。

そういえば一ヶ月ほど前だったか、日本の一人当たりのGNPがアメリカを抜いたというニュースがあったことを世之介は思い出した。

好景気の東京では深夜タクシーが摑まらず、一万円札をひらひらと見せて空車を摑まえているというニュースも世之介は見た。マンションの部屋で再生専用ではないビデオを買おうかどうか迷いながらこのニュースを見ていた世之介は、そんなコントみたいなことあるわけがないと思っていたのだが、こんなところで実感できるとは思いもしなかった。

世之介はすでに廊下を駆け出している。一万円札を高く掲げたまま、ホップ、ステップ、ジャンプで天井に跳び上がっている。一万円チップのお陰でなかなか来ないスタッフ用エレベーターも苦にならない。苦にならないどころか機嫌良く歌まで唄い出している。

いやいや、いる所にはいるもんだ〜。一万円札、ひ〜らひら〜。東久留米なんかにいるから駄目なんだ〜。東京赤坂六本木〜。いる所にはいるもんだ〜。

おら、こんな村イヤだ〜、おら、こんな村イヤだ〜、東京に〜出るだ〜。

東京へ出たなら〜、ルームサービスやって〜、NTTの株買うだ〜。

チーン、と鳴ってエレベーターのドアが開き、世之介は慌てて直立不動の姿勢をとった。乗っていたのはワゴンを押す石田で、「何、ニヤニヤしてんだよ、気味悪《わり》ぃな」と顔を顰める。

世之介は慌てて一万円札を手の中に隠した。

「デカいチップもらったんだろ?」

すぐに石田に見破られる。

「……チーフに言うなよ。没収されっから」

「石田さんもよくもらうんですか？」

「たまにな。でも、続くと、マジで働く気なくすぞ」

「ですよね～。俺なんか、今、ＮＴＴ株のことで頭一杯ですもん」

浮かれた世之介を鼻で笑った石田は二千五百円のハンバーガーをワゴンに載せて長い廊下を歩いていった。


翌朝、九時を回った頃、深夜勤務を終えた世之介は準急電車で花小金井駅に戻った。明け方から降り出した雨が都心を離れるほどに強くなり、ラッシュとは逆方向でがらんとしている車輛の窓を叩いていた。改札を出ると、傘を持たなかった世之介は、駐輪場に停めてある自転車は使わず、ちょうど停まっていたバスに乗り込んだ。こちらも客は世之介だけで、世之介を待っていたように座った途端に走り出す。大きく揺れた車内で世之介はポケットから昨夜もらった一万円を再び取り出した。

広げた一万円札の福沢諭吉まで笑っているように見える。久しぶりに今晩はフォルクスでステーキを食べることに決めている。

バスを降りて雨の中をマンションへ世之介は走った。徹夜明けの体は脂ぎって、冷たい雨が心地いい。

エントランスに駆け込むと床に散らばった濡れたチラシでこけそうになる。階段を上がっていくと廊下に若い男が二人立っている。世之介は足を止めた。男たちがギロリと鋭い視線を世之介に向けたからである。背広は着ているがどう見ても会社員ではない。世之介が目を合わせないように近寄ると、「この部屋の方？」と剃《そ》り込《こ》みのあるほうに声をかけられた。

「はい」

「いや、お隣の２０３号室の人にちょっと用があって来たんだけどね〜」

まだ一度も顔を合わせてないお隣さん。目覚まし時計である。

「……開けてくれないんだよね〜。居留守使ってんのは分かってんだけどさ〜」

徐々に男の声がデカくなり、「分かってんだけどさ〜」と同時に２０３号室のドアを蹴り上げた。思わず世之介は悲鳴を上げた。

「ご近所の方にまで迷惑かかっちゃうよね〜」

男が世之介の肩を叩く。世之介は急いで自分の部屋へ逃げ込んだ。あまりにも焦ったせいか、ついバイトの癖が出て、ドアガードを使ってしまいそうになる。ドアを半開きにして部屋に入っても仕方ない。

部屋に入ってもしばらく男たちの怒号は聞こえた。世之介はテレビをつけて気を紛らした。ちょうど水戸黄門の再放送をやっている。怖いのは確かに怖いのだが、多少気が紛れてくると徹夜明けのせいで眠くなってもくる。うとうととしては男たちの声に目を覚ます。見ていた番組が悪かったのか、半醒半睡《はんせいはんすい》の夢の中、世之介は必死になくした印籠《いんろう》を探していた。

世之介が電話の音で目を覚ましたのは午後の二時を回った頃である。まだ雨は降っていたが廊下から聞こえてくる声はすでにない。世之介は半分寝ぼけたまま電話に出た。

「もしもし？　世之介？」

聞こえてきたのは小豆色のスーツもまだ記憶に新しい小沢の声である。

「この前、なんで来なかったんだよ？」

小沢が唐突に訊いてくる。無料チケットをくれたダンパのことらしい。

「いや、行かなかったわけじゃないんだよ」と世之介は答えた。

「え？　来てた？　俺、けっこう探したけどいなかったぞ」

「いやだから、行ったのは行ったんだけど入れなかったんだって」

「もしかして服装？」

「言っとくけど、俺じゃなくて、一緒に行った二人がジーンズ穿いてて」

「そりゃ、無理だよ」

「なあ、あれって何が基準なわけ？」

ジーンズ姿の倉持と阿久津唯は不可で、入学式用のスーツを着ていった世之介は入場OKだったのである。

その夜、六本木のディスコへの入場を断られた世之介たちは倉持の提案で新宿のディスコへ向かうことになった。

「新宿なら入れるだろうけど、逆に入学式スーツは浮くぞぉ」

倉持の予言通り、世之介は浮いた。よりによって、サーファー御用達のディスコだったのである。世之介だけが海水浴にスーツで来たバカに見える。

深夜、踊り疲れてディスコを出るとすでに終電はなかった。もちろん東久留米までのタクシー代などあるはずもない世之介を、「世之介くんもうちに来れば」と阿久津唯が誘ってくれた。

話によれば、ここ最近、倉持はほとんど阿久津唯のアパートで寝泊まりしており、半同棲状態にあるという。そんな二人の隣で寝るのはイヤだったが所持金千円で歌舞伎町に残されるのはもっとイヤなものである。

結局、三人で四百円ずつ出し合ってタクシーに乗り、阿久津唯のアパートへ向かった。阿久津唯の部屋には例の本棚がデンと置かれていた。窓際のベッドには枕が二つ並んでおり、床にはティッシュが置いてある。置いてあるのは普通のティッシュなのだが、世之介はなぜか直視できない。

三人とも踊り疲れていたせいか、部屋に着くと順番にシャワーを浴びてすぐに寝ることにした。普段通りに二人で寝ればいいものを阿久津唯が頑固に倉持と一緒にベッドに入ることを拒む。友達の前で一緒に寝るのが恥ずかしいらしい。

「いつも一緒に寝てんだろ」

世之介はさっさと座布団を並べて床に寝転がった。

しばらく二人は口論を続けていたが、世之介はそれを子守唄のようにあっという間に眠り込んでいた。

明け方目を覚ますと、ローテーブルの脚の向こうに体を丸めて眠る倉持の背中があった。結局ベッドには入れてもらえなかったらしい。薄らと差し込む朝日の中、倉持と阿久津唯の寝息が重なっていた。


大した用でもなかったらしい小沢からの電話を切ると世之介は廊下の様子を見に行った。まずドアに耳を当ててみる。音はしない。ドアガードをつけたまま覗き見る。男たちが飲んだらしい空き缶が二つ、隣のドア前に置かれてあるが男たちの姿はない。

世之介はほっと安堵《あんど》の溜息を漏らした。漏らした途端に腹が鳴る。先にフォルクスにステーキを食べに行くべきか。それとも軽く食パンでも齧っておいて、先に仏語の宿題を済ませたのちに、ゆっくりとステーキを味わいに行くべきか。

クロード・レヴィ - ストロースとかいう学者の本を和訳しなくてはならないのだが、分からない言語で分からないことを書かれても、正直、自分が何を分からずに困っているのかさえ分からない。

先にステーキだな。

悩んだわりにあっさりと答えは出た。ボリボリと尻を掻いているとまた電話が鳴る。部屋が狭いので、電話が鳴っているのではなく、部屋が鳴っているように音が響く。

「もしもし」

聞こえてきたのは実家の母親の声である。いつもは電話料金が安くなる午後八時以降にしかかってこないので、世之介も少し驚いた。

「どうしたの？　こんな時間に」

「あんた、聞いた？」

母親はやけに興奮している。

「聞いたって何を？」

「清志が就職せずに小説家になるって言い出したんだって」

「はぁ？」

「だから、あんたの従兄の清志が……」

「そこは分かるよ」

「あんた、清志の所に遊びに行ったんでしょ？」

「行った」

「変わった様子なかったの？」

「絶望に慣れたいとか、そんなこと言ってた」

「ええ!?」

世之介も伝える部分がおかしい。

「まさか自殺とかないわよね……」

「なんで？」

「だって小説家になるんでしょ」

「お母さん、小説家がみんな自殺したら小説家いなくなっちゃうじゃん」

「そりゃ、そうだけど」

その時、玄関でチャイムが鳴った。すぐに２０２号室の住人、小暮京子の声が聞こえる。

「誰？」と受話器から母親の声がする。

「お向かいの人」

世之介が電話コードを引っ張りながら玄関ドアを開けると、「ああ、良かった、いたんだ」と京子が声を潜める。

「お久しぶりです」

受話器を耳に当てたままだったので、「は？」と母親の声が返ってくる。

「あ、いや……。ちょっと人、来たから電話切るよ」と世之介は母親に伝えた。目の前で、「ごめん。電話中だった？」と京子が謝る。

「あら、女の子？」

もう誰が誰に話しているのか分からない。世之介はとりあえず電話を切った。

「ごめんね。電話中に」

「いや、お袋からなんで」

「お母さん？　心配なんだろうねえ。一人息子を東京に出して」

「いや、俺じゃなくて、従兄が……」

「従兄？」

「いえ、いいんです。……それより、何か？」

「あ、そうそう」

世之介の肩を押して京子が狭い玄関に押し入ってくる。

「……今朝、世之介くんも会った？」

「会ったって？」

「お隣、203号室に来てたヤクザ」

「え、やっぱりあれ、ヤクザなんですか？」

「でしょ？　借金の取り立てかなぁ。私、怖くて部屋出られなかったんだよぉ」

勝手に上がり込んできた京子が身震いしながら、壁を差し、「隣の人、やっぱり隠れてるのかな？」とまた声を潜める。

ちなみに203号室の住人は世之介がまだ深い眠りについている早朝に仕事へ出かける。夜、十二時近くに戻ってくる気配に世之介も気がつきはするのだがその実体を未だ見たことがない。一時期、隣にどんな人が暮らしているのか気になった世之介は、隣のドアが開いた音が聞こえると急いで玄関の覗き窓から覗いていたことがあった。しかし反射神経が鈍いのか、それとも向こうの動作が速いのか、一度もその姿を見ることはできていない。

「最近、世之介くん、夜いないよね？」

部屋に上がり込んだ京子が脱ぎ捨てられた世之介のシャツを畳みながら訊いてくる。

「バイト始めたんですよ。ホテルのルームサービス」

「どうりでいないんだ」

「あのヤクザ、夜も来るんですか？」

「来るのよ。二、三日前なんて夜中の一時過ぎにあの騒ぎだもん。ねぇ、管理会社に連絡したほうがいいかな？」

「……どうですかねぇ」

小暮京子の提案に世之介は曖昧な返事をした。

「これから仕事なんですか？」

京子がスポーツバッグを持っていたので世之介は尋ねた。

「今日は一クラスだけだけどね」

「俺もヨガ始めようかな。最近、運動不足だし」

隣室の玄関が開く音が聞こえたのはその時だった。お互いに「あ」と口を開く。

「ちょ、ちょっと。ねぇ、出てって、迷惑してるって言ってよ」

京子がとつぜん世之介の肩を押す。

「えーッ、俺ーッ？」

「男でしょ？　ほら、行っちゃう」

立ち上がった京子が世之介の腕を無理に引っ張る。強硬な京子に背中を押され、それでも世之介は抵抗したが、あっという間に玄関外へ追い出されている。

ただ、幸い隣人２０３号室の男はすでに行ってしまったらしく、廊下にその姿はない。

「ほら〜、グズグズしてるから行っちゃったじゃない」

ドアの隙間から顔を出した京子に、世之介は、「すいません……」と謝った。


どしゃ降りの中、原宿駅を出た世之介は感慨深げに目の前の通りを眺めている。竹下通りである。週末でものすごい人出である。色とりどりの傘が狭い通りのあちこちでぶつかり、立ち止まった世之介の傘にも容赦なく他人の傘が当てられる。把っ手《とって》を軽く握っているだけなので、当てられるたびに世之介の傘がクルクルと回る。

ちなみに世之介にとって竹下通りといえば竹の子族である。さすがにもういないだろうが、世之介がまだ小学生だった頃、家出をした父方の従姉《いとこ》がその竹の子族になって帰ってきたことがある。

伯母さんから従姉無事帰宅の第一報を受け、得体《えたい》の知れないこの「竹の子」族とやらに慌てふためいた両親の姿を未だに世之介も覚えている。

「あかりちゃん、帰ってきたらしいんだけど、なんか筍《たけのこ》に入ったんだってよ」

怒りと安堵で声を震わせる伯母さんからの電話でその深刻さだけは伝わったらしい母

親は、まずそう父親に告げた。

「筍に入った？　どこで？」

肝心な所が理解できていないのだから、いくら深刻ぶったところで父親にその真意が伝わるわけもないのだが、電話を受けたのが自分なので状況を伝える義務がある母親も頑張る。

「東京で、だって」

「東京で筍？　竹じゃなくて」

「竹かしら……。竹だったら入れる？」

「あかりが？」

「無理、よね？」

今となっては笑い話だが、当時、世之介もこの竹の子族という存在を知らず、横で両親の話を聞きながら、従姉が何に入れられたのか、とても恐ろしかった。

今では地方公務員の妻に納まっている元竹の子族の従姉のことを思い出しながら、世之介は竹下通りを歩き出す。竹下通りには有名なタレントショップやクレープ屋が並び、あまりの人ごみで立ち止まる余裕もない。やっとの思いで混み合った竹下通りを世之介は通過した。小沢との待ち合わせ場所は、明治通りを表参道に折れ、路地に入ったところにある店らしかった。

もっと分かりやすい場所にしてくれよ、と世之介は電話で頼んだのだが、業界慣れした小沢は友達と会う店までこだわるらしい。

折衷案として路地の入口で待ち合わせてもらっていた。雨に濡れた街路樹を見上げながら世之介が歩いていくと、今日はエメラルドグリーンのスーツを着た小沢が立っている。

「遅いよ」

「ごめん、ごめん」

世之介が小沢に連れて行かれたのは、「バンブー」という洒落たカフェである。基本はオープンエアのテラスが人気の店のようだが、さすがにこのどしゃ降りではテントも片付けられている。

「今日は『竹』がキーワードなのかも」

そんなことを考えながら世之介は店に入った。

店内では女の子たちがショーケースの前で列を作っている。どうやらサンドイッチの専門店らしいが、並んでいる女の子たちのレベルが学校や電車の中とは明らかに違う。全国から町一番の美人を集めてきたようである。

怯《ひる》んだ世之介の背中を小沢が押す。

「何、緊張してんだよ？」

「いや、だってさ……」

「ああ、ここ？　ここ、わりと業界の子たちが集まるんだよね」

「業界って？」

「モデルとか、タレントの卵とか」

「モ、モデル！」

世之介の声に列に並んでいた女の子が迷惑そうに振り返る。

「おい、聞いてんのか？」

小沢の声に世之介が慌てて、「ああ」と頷く。明らかに聞いていない。モデルやタレントの卵たちが集まるらしい洒落たカフェの店内に落ち着いた世之介は、正直、小沢の話どころではない。

「でな、その一年上の先輩と独立しようと思ってんだよ」

「え？　独立？　何から」

「だから……。お前、俺の話、聞いてた？」

世之介が一切聞いていなかった小沢の話によれば、サークルで主催するダンパを手伝っていても末端の自分たちにはほとんど儲けが回ってこないので、一年先輩の男と組んで新たにその手のサークルを立ち上げたいらしい。

「……でな、お前も一緒にやらねぇかと思って」

「えっ、俺？」

「簡単なんだよ。まず、場所押さえて、あとはパー券売って」

「俺、無理無理。高校の文化祭で、俺が店先に立つと、一枚もクレープ売れなかったの、お前だって知ってんだろ。俺、何か売ろうとすると目つき悪くなるらしいんだよ」

「文化祭のクレープと一緒にすんなって。大丈夫だよ。こっち来てから、お前なんか、ちょっとかっこ良くなってるし」

「え、マジ？」

「ちょっとな、ちょっと。まぁ、元が悪過ぎたってのもあるけどさ」

「褒めるなら、最後まで褒めろよ」

その辺りで店内を泳いでいた世之介の視線が止まった。

いつの間に入ってきたのか、窓際のテーブルで一人の女性がどしゃ降りのテラス席を眺めている。さっきまで、ただのどしゃ降りだった雨が彼女の視線の先で音を奏でているように見える。店内には決してレベルが低くない多くの女性客がいるはずなのに、なぜか世之介の目には彼女の姿しか映らない。

国語の授業中以外で「美しい」という言葉を世之介は初めて口にしそうになった。

「あれ、あの人……」

世之介の露骨な視線に気づいた小沢が振り返り、首を傾げる。

「……あの人、たしか」

首を傾げながら立ち上がった小沢がやはり首を傾げたまま、世之介の視線の先の女性へ近寄っていく。

中途半端な言葉を残していくものだから、残された世之介も気が気ではない。

女に近づいた小沢が遠慮がちに声をかける。小沢を見上げた女の表情が険しい。慌てたように小沢が自己紹介しているらしい。ジャケットの内ポケットから例の名刺を取り出している。

受け取った女は、「ああ」と面倒臭そうに頷き、すぐに小沢の名刺をテーブルに置く。小沢がまた何か声をかけるがもう顔も上げずにサンドイッチを食べている。小沢の様子を見ている世之介まで緊張してくる。

ほぼ女に無視された小沢が世之介の元に戻ってくる。戻ってくるというよりも、退散してくると言ったほうが近い。

「だ、誰？」

待ち切れずに尋ねた世之介に、「ああ、ちょっとした知り合い。片瀬千春《かたせちはる》とか言ったかな」と小沢がここに来て虚勢を張る。

「片瀬千春……。でも、知り合いにしちゃ、お前、まったく無視されてなかった？」

「ああいう女なんだよ」

小沢が小声で悪態をつく。

「何の知り合いなんだよ」

「あの女さ、なんていうか……、パーティーガールとでも言うの？」

「パーティーガール？　何それ？」

「だから、正体不明なわりに、いっつも羽振りのいい男たち侍《はべ》らせて、いろんなパーティーに顔出してるような」

「何者？」

「だから正体不明なんだって」

「羽振りのいい男って、たとえば？」

「だから、業界の人とか、有名な俳優とか、金持ちのボンボンとか、地上げ屋とか」

「地上げ屋って……、もしかしてヤクザの女とか？」

「違うって、だからパーティーガール」

世之介は改めて女のほうへ目を向けた。小沢にいくら説明を聞いても腑に落ちないが何やら危なそうな女に見えてくる。

サンドイッチを食べ終えたらしい女がちらっとこちらへ視線を向ける。世之介は必要以上に慌ててしまい、ドリンクメニューで顔を隠した。

女が立ち上がったのはその時である。立ち上がった女が伝票をひらひらさせて近づいてくる。世之介の視力が突如落ちたのでなければ、なぜか女は真っすぐに世之介を見ている。

はぁ〜あ。

教授の話など聞いていなかったくせに、人一倍疲れた顔で溜息をついているのは世之介である。産業概論の授業が終わり、学生たちが大教室を出ていく。

キャンパスの樹々が久しぶりに晴れた日の日差しを吸収しようと青々と輝いている。誰もいなくなった教室に夏の香りのする風が吹き込み、とても長いカーテンをゆっくりと揺らす。差し込んだ光が黒板の隅に少しだけ触れている。

世之介は女性器の落書きがある机に突っ伏した。ひんやりとした机に頬をつけていると、トントンと肩を叩かれる。顔を上げれば阿久津唯が立っており、「何よ、その分かりやすい落ち込み方」と鼻で笑う。

世之介はまた腕の中に顔を埋めた。横に座った阿久津唯が、「ねぇ、たまには練習に顔出しなさいよ」と世之介の脇腹をペンで突く。

「サンバのステップなんか覚えてる気分じゃないんだよ」

突っ伏したまま世之介が答える。

「石田さんとバイト先で顔合わせてるんでしょ？　何も言われない？」

「シフト変わって、最近会ってない。それより、最近、倉持、学校来てんの？　ぜんぜん会ってないけど」

「それがぜんぜん来てないんだよね。来てないどころか、一日中うちにこもってんのよ。……今日、火曜だし、またフロムAでも眺めてんじゃないの」

「あいつ、バイト始めるんだ」

「それならいいけど、ページの端にある一行コメントあるでしょ？　あれ読んでクスクス笑ってるだけ。気味悪いんだから」

　阿久津唯が立ち上がる気配がして世之介は顔を上げた。

　その姿を見上げた途端、「いいよなぁ、倉持は好きになったのがお前みたいな奴で」

という言葉がぽろりとこぼれる。

「何よ、それ？　馬鹿にしてる？」

「いや、そうじゃなくて、やっぱさ、同級生とかを好きになればいいんだよなって。だ
ったらこんなに悩まなくても済むんだよなって思ってさ……」

「何？　好きな人でもできた？」

　質問したくせに返事も待たずに阿久津唯が教室を出ていこうとする。

「おい、質問したんだったら答えさせろよ！」

「だって、次も授業あるんだもん」

「俺がお前らの仲、取り持ったんだろ！」

「頼んでません」

　振り返りもせず阿久津唯は姿を消した。しかし喉元《のどもと》まで出かけた話を誰かにしたい。

　世之介は教室を見渡した。

　目が合ったのは前に学食で五十円貸したことのある男である。世之介は小指を立て、

「いや、実はちょっとこれで悩んでて」とその男に微笑んだ。

　微笑んだ途端、男がすぐに視線を逸《そ》らし、素知らぬ顔でウォークマンのテープを替え

る。しかし話したい時は話したい。

「次の授業ないの？」

世之介の質問に男が「ない」と即答する。

世之介は席を立って男の横に無頓着に座り込んだ。迷惑そうな顔はするが、イヤフォンを丸めたところを見ると話に付き合ってくれる気はあるらしい。

「昼メシ喰った？」と世之介は尋ねた。

男が、「いや」と首を振り、「なぁ、俺ら初対面だよな？」と改めて眉間《みけん》に皺《しわ》を寄せる。

「忘れたの？　いつだったか学食で五十円貸したろ」と世之介は言った。

「五十円？」

「ほら、券売機ん所で、『げっ、五十円足りねぇ』とか言って帰ろうとするから、俺が貸したじゃん」

「それ、俺じゃないよ」

「嘘⁉」

途端に顔を赤らめる世之介を置いて男が席を立つ。このまま別れては間抜け男のままなので、世之介はとりあえず呼び止めた。

「な、なぁ、何か食いに行かない？　駅前のロッテリアだったらサービス券あるし。ポテトなら奢るよ」

「いいよ。これから友達と会う約束あるし」

「何時から？」

「夕方だけど」

「じゃあ、いいじゃん。行こうぜ、なぁ」

世之介の馴れ馴れしさが功を奏したのか、または断るのが面倒になったのか、男が渋々ではあるが誘いに乗ってくる。

「名前、なんてえの？」

「加藤」

「俺、横道」

キャンパスを出ると二人は外濠沿いの遊歩道を歩き出した。加藤も腹を括《くく》ったらしく幾分口数も増える。

加藤は生まれも育ちも大阪だが、とにかく大阪弁が大嫌いで東京へ出て来たらしい。しかし、まだ語尾に訛《なま》りがある。

加藤の話を聞いたので次は自分の順番だと思った世之介が、嬉々として阿久津唯に聞いてもらえなかった話を始める。

「いや、実はさ……、ちょっと、これで、悩んでて」と世之介はまた小指を立てた。

世之介の話など聞きたくもないのだろうが、自分の話をした手前、加藤のほうもむげにはできないらしい。

外はどしゃ降りの雨である。原宿の「バンブー」とかいうカフェである。ドリンクメニューで顔を隠した世之介のテーブルに女が近づいてくるわけである。

「ねぇ、一時間だけでいいから、弟のふりしてくれないかな？　バイト代出すけど」

世之介の前で立ち止まった女はそう言った。小沢に声をかけているのかもしれないと思った世之介がドリンクメニューを少しずらすと、やはり女は世之介のほうを見ている。

「あ、こいつ、俺の高校ん時からの友達で……」

口を挟もうとする小沢を制した女が、「ねぇ、一時間だけなんだけど」と繰り返す。

「え？　え？　お、俺ですか？」と世之介は声を裏返した。

「そうよ。他に誰がいる？」

小沢がいるのだが女にはもう見えていないらしい。

「一時間、弟ですか？　え？　弟？」

「君ならちょうどいいんだよね。お願い！」

女がとつぜん手を合わせる。

「で、でも……」

「とにかく事情は歩きながら話すから。時間ないのよ」と女が急《せ》かす。

「え？　でも……」

「ね、お願い！」

女がまた手を合わせてウィンクする。ウィンクというよりも女の体からほのかに香る匂いに負けて、「べ、別に、いいですけど」と世之介も答えてしまった。

「ほんと？　助かる。ありがと」

「あ、いえ、別に……」

女が世之介たちの分の伝票も持ってレジへ向かう。何が起こったのかさえ把握できていない世之介に、「お前、行くの？」と小沢が呆れる。

「いや、行かない！」と世之介は慌てて首を振る。

「行かないって、今、行くって言ったじゃん」

「うん、言った……」

「どっちなんだよ……」

世之介はレジのほうへ目を向けた。振り返った女が魅力的な微笑みを浮かべ、「早く、早く」と手招いている。

「ごめん、俺、行くわ……」

「え？　行くのかよ」

ふらふらと立ち上がった世之介の耳には、もう小沢の声が聞こえていない。

表参道に出ると女はすぐにタクシーを拾った。後部座席に乗り込んだ女が世之介のバイトしているホテルの名前を運転手に告げる。

「えっと、君、名前、何だっけ？」

雨に濡れた首筋をレースのハンカチで拭きながら女が世之介を見つめる。その瞬間、運転手がハンドルを切り、ふっくらとした女の唇が近くなる。

「ねぇ、名前……。君、聞いてる？」

体勢を立て直した女が改めて問う。

「はぁ……。あ、えっと、横道です。横道世之介」

横にいるのに世之介には女の声が遠い。中学二年の冬、風邪で高熱を出した時に似ている。

ぼんやりとした頭で世之介が聞かされた彼女の頼みはわりと単純なものだった。ある男と手を切りたい。これからその男と会うのだが、一人で行けば男がめそめそするに決まっている。そこで世之介を見てふと思いついた。弟を連れて行けば、さすがに相手もその場で泣いたりわめいたり、恥ずかしい真似はできないだろうと。

「それで、俺を？」

さすがに世之介も訊き返した。

「だって、本当にウジウジした男なんだもん」

「だって、別れるってことは付き合ってたんですよね？」

真顔で尋ねた世之介に千春が呆れる。

「『その人、奥さんと子供がいるのよ』とでも言えば納得する？」

「あ、そうなんですか？」

世之介の問いかけに千春は答えず、窓の外へ目を向ける。外は相変わらずのどしゃ降りである。

そうこうするうちにタクシーはホテルの正面玄関に横付けされた。

「お礼に帰りのタクシー代も出してあげるね」と女が言うので、「東久留米ですよ」と世之介は答えた。

「もっと近い所に住みなさいよ」と女が笑う。

「言いそびれてたけど、俺、このホテルでルームサービスのバイトやってるんですよ。ちょっと早いけど、今夜もバイトだし」

「そうなの？」

大理石のロビーに入ると女が履くヒールの音が響く。

「あ、いたいた」

広いラウンジの奥でこちらに気づいて立ち上がる一人の中年男がいる。白いシルクのジャケットは若々しいが、どう見ても五十に近い。

「あ〜あ、人間、自信なくすと、あそこまでみすぼらしくなるかな」

大袈裟に女が溜息をつく。

「自信なくすって？」

「あの人の会社、いよいよ危ないんだって。なんか詐欺まがいの商売してたのよ」

ラウンジには静かなピアノ曲が流れていた。

「あのさ、話の途中で悪いんだけど、いつになったらお前の小指の話が出てくるわけ？」

加藤に口を挟まれ、世之介はポテトをくわえたまま、「俺の小指？」と首を傾げた。

場所はロッテリア飯田橋店の二階席である。ほとんどの席は学生たちで埋まっており、さっきから誰がかけているのか、ＰＶ付きのジュークボックスでは繰り返しカイリー・ミノーグの新曲が流れている。

「彼女のことで悩んでるから、俺に話を聞いてもらいたかったんだろ？　さっき小指立てて見せたじゃん」

加藤がナゲットを口に放り込む。

「あのさ、お前、俺の話、聞いてた？」

不本意らしい加藤を世之介が質《ただ》す。

「聞いてたよ。友達と表参道のカフェに行ったら悪そうな女がいて、その性悪女に弟のふりしてくれって言われて、お前がバイトしてる赤坂のホテルに行ったんだろ？　そしたらそこに中年男がいて……」

ナゲットにバーベキューソースをべったりとつけながらそこまで言った加藤がとつぜん、「え？」と何かに気づいたように動きを止める。

「……もしかして、その女？」

「そうだよ。他に誰がいるんだよ。俺は千春さんのことで悩んでんの！」

呆れたとばかりに世之介がナゲットをつまむ。

「ちょ、ちょっと待てよ。お前、その女とその後、なんかあったわけ？」

「その後って？」

「だから、赤坂のホテルで詐欺まがいの商売してた中年男と会ったんだろ？」

「だから、俺がその話の続きをしようと思ってたら、お前がナゲットなんか食いながら話の腰を折ったんだろ」

「あ、そか。ごめん……。いや、でも、その女、いくつだよ。俺のイメージじゃ、かなり年上なんだけど」

「知らないよ、年なんか」

「見た目でだいたい分かるだろ」

「見た目？」

世之介は千春の姿を思い浮かべてみる。カフェの窓際でどしゃ降りの外を眺めていた姿は二十一、二に見えた。しかしタクシーの中、隣から微かに香ってきた彼女の香水からはもっと年上な印象を受ける。

赤坂のホテルのラウンジで中年男と向かい合った片瀬千春は世之介を弟だと簡単に紹介すると、すぐに本題に入った。

根岸と名乗った中年男はのこのことついてきた弟を恨めしそうな目つきで睨んでいた

が、千春が教えてくれたように詐欺まがいの商売で誰かに追われているのか、鋭い視線で背後を確かめては千春に狂おしそうな目を向け、また背後を確かめては世之介を恨めしそうな目で睨んでいた。

事務的な千春の話をまとめれば、男から借りている車の名義を自分の名義にして欲しいという話だった。借りている車はBMWらしかったが、同じ車の話をしているのに「BM」と呼ぶ千春に対し、男が「ベンベー」と呼ぶので、そこだけ聞いても二人が合意するのは難しそうだった。

実際、議論は紛糾した。車は貸したのだという男に対して、千春はもらったのだと言い張る。車は会社名義だったが、時期を見て千春名義に変えると男は約束していたらしい。

「ぐずぐずしてるから、こういうことになるんじゃない」と千春が憤慨する。近くのテーブルの客たちが驚いて振り返る。

一方、男のほうは車の名義変更の話をどうにかして、自分と千春の今後の話に持っていきたそうだった。

「弟さんの前で言うのは恥ずかしいけど、俺は本気だったんだよ。だから、会社がこうなってしまった今、俺は千春と一緒にどこかに逃げたいと思ってる。もちろん幸せにしてあげられるか自信はない。でも、もしもこの先不幸になるんなら、俺はお前と一緒にいたいんだよ」

男にとっては一世一代の科白なのだろうが、偽者の弟を連れてくるくらいだから、もちろん千春はまったくその気がなさそうで、話が逸れるとすぐに、車の名義変更届を男に突き出す。

三十分ほど二人の言い争いは続き、最終的には男が名義変更に応じた。話がついても、男はしつこく千春を引き止めようとする。しかし彼女は一分の同情も示さずに席を立つ。一応弟役なので、世之介も千春のあとを追ってラウンジを出た。

「いてくれて、助かったわ」

「でも、座ってただけですけど」

「どうにもならないような土地を年寄りに売りつけて儲けてた男なのよ」

千春の言葉に世之介はラウンジを振り返った。しかし植木に隠れて、すでに男の姿は見えなかった。

「世之介くんって、ここでバイトしてんでしょ？　何時から？」

外はまだどしゃ降りだった。ベルボーイにタクシーを頼んだ千春に訊かれた世之介は、

「五時半に行けばいいです」と答えた。

「じゃあ、もうお茶飲む時間もないね」

タクシーがゆっくりと車寄せに入ってくる。

「世之介くんって学生？」

「はい」

「そっか。じゃあ、いい男になりなさいよ」

それまでほとんど微笑むことのなかった千春がそう言って初めて微笑む。

「いい男？」

タクシーのドアが開く。

「そうねぇ。……私が惚れるような男」

その瞬間ふと千春の表情が幼く見えた。思わずラウンジのほうを振り返った無粋な世之介に、「やめてよ。いつ私があんな男に惚れてたって言った」と笑った千春がタクシーに乗り込む。

「じゃあね、ありがとね」

「あ、いえ……」

走り去ったタクシーを世之介は見送る。千春は振り返らない。

その日、バイトを終えた世之介が自宅へ戻ったのは翌朝の七時過ぎである。高価なおにぎりセットやハンバーガーやリブステーキを客室に運びながら、一晩中、タクシーで去った千春のことを考えていた。

東久留米のマンションに戻ると世之介は無性に誰かと話したくなり、気がつけば実家に電話をかけていた。電話には出勤前の父親が出た。まだ朝の七時過ぎだったせいで、父親は何かあったのかと心配する。

「何もないよ」と世之介は笑った。

「どうだ、東京は？」と訊かれ、「別に」と答える。

早朝の電話を父親は金欠だと推察したらしい。電話を切る直前、「いくらか送っといてやるよ」とぼそっと言った。


「俺、そろそろ帰るぞ」

ハンバーガーの包み紙をクシャッと丸めた加藤が言う。その顔は明らかに世之介の話に飽きている。ホテルの車寄せで片瀬千春と別れる場面を話している時だけ、辛うじて身を乗り出してきたのだが、期待した盛り上がりもなく、あっさりとタクシーで千春が去り、その後、世之介が実家へ電話をかけた件《くだり》になるとほとんど脱力したようになっている。

立ち上がろうとする加藤を、「せっかく話したんだから一言くらいコメントくれよ」と世之介は引き止めた。

心底うんざりしたような加藤が、「その女と出会ったのは運命なんじゃないかな」と投げやりに言う。

「だ、だろ？　俺もそう思うん……」

世之介が思わず立ちかけた瞬間、「……なわけないだろ」と加藤が冷たく言い放つ。

「さっき会ったばかりで、お前がどんな奴か知らないけどさ、相手はヤバい男からBM借りるような女なんだろ？　ちなみにお前、車の免許持ってんの？」

世之介は力なく首を振った。

「BMの女に惚れて悩んでるなんて、免許取ってから言えよ」

やけに独善的な加藤の物言いに、「じゃあ、お前は持ってんのかよ」と世之介は口を尖《とが》らせた。

「持ってないけど、来月から教習所行く予定」

「え？　どこの教習所？」

「小金井」

「嘘!?　俺もそこなら自転車で行けんだけど、あそこ高いだろ？」

「もちろん分割払いだよ。……あ、そうだ。一緒に行かない？　二人で申し込むと、今、5％引きなんだよ」

いつの間にか話は教習所の割引に流れている。椅子に座り直した加藤がバッグから取り出したパンフレットを世之介も熱心に覗き込む。バイト代でなんとかなりそうな分割設定もある。

「いつ申し込むの？」と世之介は訊いた。

「明日」

「明日なら、俺もバイト前に行けるな」

「だったら一緒に行こうぜ。5％割引はデカいぞ」

二人は改めて席を立ってトレーを片付けると、パンフレットを互いにやりとりしながらロッテリアをあとにした。

飯田橋駅へ向かう間、免許を取得した暁《あかつき》にはローバーミニが欲しいと言う加藤の話を聞きながら世之介はなぜか千春のＢＭを運転している自分を想像していた。

七月　海水浴

横倒しになりそうな勢いで教習所の敷地に入ってくる自転車がある。世之介である。段差でブレーキをかけないものだから車体が浮いて、「ああっ」と悲鳴を上げている。自転車は駐輪場で止まり、飛び降りた世之介が校舎へ入っていく。全身から噴き出る汗を拭く余裕もないらしい。

学科の授業が行われる棟へ駆け込むと、強い冷房で一瞬だけ世之介の体も冷える。廊下の自動販売機で缶ジュースを買っている加藤の背中がある。

「間に合った……」

廊下にツツーーッと滑り込んだ世之介が加藤の肩を叩く。

「あれ、お前この授業まだ取ってなかったの？」

振り向いた加藤が汗だくの世之介から迷惑そうに後ずさる。

「この前、三分遅刻して中に入れてもらえなかったんだよ」

世之介の愚痴も聞かず、すでに加藤は教室に向かっている。

「……たったの三分だぞ！」

加藤について教室に入ると前列に座っている女の子が加藤をじっと見つめている。じっと、というより、ポーッとに近い。

二人は最後列の机に着いた。

「さっきから前にいる子が、お前のこと見てない？」と世之介は加藤の肩を叩いた。

「ああ」

女の子は隣の女の子とわざとらしく笑っているが、その意識は間違いなく加藤に向けられている。

「ああって、知り合い？」

「さっき、ちょっと声かけられたんだよ」

加藤がさらりと答える。

「こ、声かけられた？　なんて？」

「デートに誘われて。ほら、これ電話番号」

「デート!?」

加藤の反応があまりに冷静なので世之介は改めて女の子を品定めした。改めて見てもそこそこ可愛い。ついでに隣の子もそこそこ可愛い。

「友達も誘えって言われたから、お前も来る？」

加藤がつまらなそうに言う。

「え？　Wデート？　あの二人？　え？　俺？」

くる。

「いやならいいけど」

「やじゃない、やじゃない」

世之介が思わず机に身を乗り出しそうになったところでタイミング悪く先生が入ってくる。

それから約一時間、厚いカーテンで閉ざされた教室では凄惨《せいさん》な交通事故現場のスライドが映し出された。世之介は睡魔に負けている。隣で加藤が、「免許取る奴もいれば、そのせいで殺される人もいるんだよなぁ」などと不吉なことを言う。お陰で世之介の夢見は悪い。

授業が終わって分厚いカーテンが開けられると、夏の日が教室に差し込んでくる。背伸びする世之介の横で、「あ、蟬《せみ》だ。初物」と加藤が呟く。

「蟬?」

世之介が耳を澄ますと確かに蟬が鳴いている。

「蟬なんかより、Wデートすんだろ?」

すでに席を立った女の子たちが加藤の方をちらちら見ながら教室を出ていく。

「ほら、行っちゃうぞ。日にちとか時間とか決めたほうがいいんじゃないの」と世之介は急かした。

「お前、BMの女のことで悩んでんだろ」

焦る世之介を加藤が笑う。

「会えないもんしょうがないだろ。連絡先も知らないんだし」

「え？　訊いてないの？」

「え？　普通、訊くの？　っていうか、とりあえずそれは置いといて、W！　W！」

急かす世之介に面倒臭そうに立ち上がった加藤がバッグを肩にかけて廊下に出ていく。

世之介もあとを追うと、加藤に呼び止められた女の子が嬉しそうに廊下を戻ってくる。

「さっきの話なんだけど、今度の土曜日とかどうかな？　それで、こいつ、同じ大学の横道って言うんだけど、こいつも行けるって言ってるし」

加藤の前まで来た女の子がまるで「捩《ねじ》」れるという漢字を真似るように体を捩る。世之介は廊下の向こうで待っている「自分の相手」のほうへすでに視線を向けている。

向けた途端、バチッと目が合う。

加藤の相手とはタイプが違い、捩れるどころか、今にも吠えかかってきそうな勢いで世之介を睨みつけている。世之介は恐ろしくなって目を逸らした。

「じゃあ、今度の土曜日、下北沢駅に午後一時ってことで」

睦美と名乗った女の子は待ち合わせ場所を決めてから加藤と別れた。「捩」れたままでも歩けるようで、今にも吠えそうにまだ世之介を睨んでいる友達の元へ戻り、並んで眩《まぶ》しい日差しの外へ出ていく。加藤が気軽に手を振っている。

二人を見送ると世之介は加藤の肩を摑んだ。

「お前ってさ、よほどモテるのか、よほど性格が悪いか、どっちだよ？」

「なんで？」

「女の子からいきなりデートに誘われるなんて体験、普通はそうないぞ。もうちょっとあたふたしろよ」

「あたふたねぇ」

改めて見れば加藤は最近人気のある俳優にどこか似ている。

「俺さ、あんま女の子に興味ないんだよ」

「じゃあ、何に興味あるんだよ？」

「何にって言われても困るけど……」

「俺、そんな同級生初めて会ったよ」

「そうか？」

二人並んで外へ出ると日差しがギラギラと地面を照らしている。風もなく、教習所の敷地に植えられた樹々の葉も絵に描かれたように動かない。帰って一眠りしたらまた世之介はバイトだがエアコンはおろか扇風機もない部屋では碌《ろく》な昼寝もできそうにない。

「あのさ、加藤の部屋って、クーラーあんの？」と世之介は訊いた。

「あるよ。備え付けだったから」

「こっから近いんだよな」

「近い」

「ちょっと寄っていい？」

「バイトの時間まで寝るつもりだろ？」

「自転車でうちまで帰って、また出かけんの面倒なんだよ。……邪魔しないって、部屋の隅でおとなしく寝るから」

「それが邪魔だって」

加藤は「来ていい」とは言わなかったが、「来るな」とも言わなかった。世之介は良いほうに解釈することにした。

加藤のアパートは教習所から歩いて三分ほどの場所だった。小川の流れる緑道沿いに建っており、部屋の窓からはその小川が見下ろせる。

早速、途中のコンビニで買ってきた弁当を食べ終えた世之介は、加藤が貸してくれたタオルケットに包《くる》まり、寝る準備に入っている。

「さっき女に興味ないとか言ってたけど、寝込み襲わないでよん」

世之介の冗談に付き合いもせず、加藤もごろんとベッドで横になる。少しカビ臭いがやはりクーラーがあるとすぐに汗が引く。世之介の瞼はすでに重くなっている。クーラーの冷たい風が世之介の頬を撫でている。窓の外からは小川のせせらぎが聞こえる。子供の頃から世之介は寝起きは悪いが寝付きはいい。

「え――、無理っすよ。これからサンバは……」

翌朝の午前六時である。ホテルでのバイトが終わり、さて帰ろうかと思っていた世之介が羽交い締めする石田に抵抗している。最近バイトにも慣れ、休憩室の椅子を並べて熟睡できるようにはなっているが、さすがに徹夜明けでサンバの練習はきつい。

「お前、サンバ部員の自覚、まったくないだろ？」

「ないです、ないです、そんなの」

「今年の新人、三人しか入ってないのに、お前も倉持もぜんぜん顔出さないし、雑用は全部、阿久津さんがやってんだぞ。少しは申し訳なく思えよ」

「だから何度も説明しましたけど、好きで入ったわけじゃなくて……」

来月行われるサンバカーニバルのために本格的な練習が始まっている。先日、世之介も一度だけ阿久津唯に無理やり連れて行かれた。

世之介が所属するサンバサークルは部員数が少ないので単独ではカーニバルに参加できない。よって毎年サンバ音楽を愛好する社会人の団体「ムウジカ」と合同チームを編成させてもらっている。で、この「ムウジカ」の人たちがやけに本気というか、限度を知らない。たとえば世之介という男はディスコに行っても壁に向かって踊ってしまう。そんな超日本人的な世之介に濃いラテンの血を要求するのだ。

散々、嫌だ嫌だと抵抗した世之介だが、結局その朝、石田に襟首を摑まれて湯島の公民館で行われる早朝練習に連れて行かれた。

さすがに石田も寝たまま吊り革を摑んでいた世之介を不憫《ふびん》に思ったらしく、公民館へ向かう前に吉野家で朝定食を奢ってくれた。

二人が少し遅れて公民館に到着すると、仕事前に集まった「ムウジカ」の人たちや、サンバ姉さんこと清寺由紀江たちがすでに来ており、派手な音楽に腰を振っていた。ホールの隅には何やら段ボールの中を覗き込んでいる阿久津唯の姿がある。世之介が近寄ると、「あんた、来たんだ。珍しい」と顔を上げ、「これ、男子部の衣装だって」とオレンジ色の奇妙な布を引っ張り出す。

「……これを頭からかぶるんだって」

「何、これ？」

阿久津唯に手渡されたのは向日葵《ひまわり》というか、太陽というか、とにかく奇妙な物体だった。どうやらこの中心から顔を出して着るものらしい。

「これ、着るの？」

「そうでしょ。ここに男子用衣装って書いてあるもん」

世之介は奇妙な物体を広げてみた。

「せっかく東京の大学まで入れてくれたのに、こんなの着たら、親が泣くよ……」

途方に暮れる世之介に阿久津唯が無理やりその巨大帽子をかぶせる。その途端、少し離れた所で踊っていた「ムウジカ」の人たちが集まってくる。世之介としてはすぐにでも脱ぎたいのだが、サイズが小さいのか、顎の下で留められたボタンがなかなか外れない。

「ちょっと、無理に引っ張らないで！」

「やっぱり、もうちょっと顎ひも伸ばしたほうがいいね」

「全体のバランスと色はいいのよ」

恥ずかしさに顔を赤らめる世之介を囲んで冷静な議論が始まっている。世之介はどうにかかぶり物を外し、阿久津唯の手に委ねてその場を離れた。

ホールの隅で石田がジャージに着替えていたので、世之介は泣き言を言おうと近寄った。

「石田さん、俺、あんなの着て、公衆の面前に出られないですよ」

「大袈裟だな。沿道にお前を知ってる奴が何人いると思ってんだよ」

「知り合いなんていたら、その場で即死ですよ俺」

「死ね、死ね、俺が骨拾ってやるよ」

「石田さんって、去年もあれ着たんでしょ？」

「去年は、ああいう感じじゃなくて、もっとこう、パープルの……」

「パープルって……。ある意味、すごいですね。懲りないって」

話にならぬとばかりに立ち去ろうとした世之介のシャツを石田が鷲掴《わしづか》みする。本来なら朝っぱらから公民館で踊り狂う人たちのほうが奇異なのだが、ここでは照れる世之介が少数派で、踊らなければ逆に目立つ。

まだステップのスの字も知らないくせに、世之介もとりあえず輪に入り、見よう見真似で腰を振っている。ただ、こっそりと腰は振れるが開放的に腕を上げることはまだできず、直立不動で腰だけを振る奇妙なおもちゃのようになっている。

「いつまで照れてんだよ」

いきなり石田に尻を蹴られ、世之介は前につんのめった。

「……何もかも忘れて浮かれてれば、だんだん楽しくなるって」

「その浮かれ方が分かんないんですって！」

「そんなもん、慣れだよ、慣れ」

体勢を立て直した世之介の横で石田が華麗なステップを踏む。


下北沢駅の改札を出て、世之介がガニ股《また》で階段を駆け下りていく。遅刻したわけではないのだが、薄情そうな加藤という男がいまいち信頼できず、一分でも遅れたら置いて行かれそうな気がしてならないらしい。

幸い、駅前広場に加藤の姿はあった。横には教習所で加藤に声をかけてきた戸井睦美《といむつみ》も立っており、なぜかお揃いのダンガリーシャツを着ている。

「あ、きたきた」

加藤に迎えられて世之介は睦美に会釈した。

「祥子《しょうこ》も、もう来ると思うんだけど……」

睦美が混み合った広場を見渡す。

「ところで、なんでお揃いなわけ？」

無粋な世之介が尋ねると、「あ、これね、ほんとに偶然で……」と顔を赤らめる睦美の横で、「こんなシャツ着てる奴なんて、石投げればぶつかるよ」と加藤のほうはあくまでつれない。

明らかに睦美が加藤の横で緊張している。正直、これでは隣にいる世之介まで居心地が悪い。二人が教習所での取得単位の話を始めたのをいいことに、世之介はしゃがみ込んでスニーカーの靴紐を結び直した。

「もしかして、あれ、祥子かも……」

睦美の声に世之介は顔を上げた。

狭い商店街の通りを、「そこのけ、そこのけ」と黒塗りのセンチュリーが進入してくる。

「あれって、あの車？」

さすがに驚いたらしい加藤の質問に睦美が頷き、車に向かって手を振っている。

立ち上がった世之介も、加藤と顔を見合わせた。黒塗りのセンチュリーが通行人の迷惑も顧みず広場に横付けされる。

「下北に車で来るか？　それもこんな駅前まで」

加藤の意見は正しい。

車から制服姿の運転手が降りてくる。回り込んでドアを開けると、教習所で睦美と一緒にいた女の子が降り立つ。

顔は焦っている。ただ、ならば運転手がドアを開けるのを待たなくてもいいわけで、とにかくそこは待って、のちに焦っている感じである。

「申し訳ありませ～ん。遅れてしまって」

手を振りながら祥子とやらが世之介たちに近寄ってくる。周囲にまったく注意を払わないものだから、地面にシートを広げて雑貨を売っている若者の迷惑そうな視線など気にしない。気にしないどころか、その足がそのシートを踏んでいる。

「なんか、すごいの来たな」

思わずそうこぼした加藤が、「……運転手付きの車があるなら、免許なんて取る必要ないじゃん」と冷静に付け加える。

駆け寄ってきた女の子を、睦美は世之介に紹介した。

「幼なじみの与謝野《よさの》祥子ちゃんです」

以上。

とにかく睦美本人は加藤との会話に戻りたいらしい。

「す、すごいね。あれ、祥子さんちの車？」

混んだ商店街をのろのろと走り去っていく黒いセンチュリーを世之介は見送っている。

「電車で来るつもりだったんですけど、出かけようとしたら、安住さんに見つかってしまいまして」

「安住さん？」

「今の運転手さん。……彼ね、最近すごく美人の奥さんをもらったばっかりで、私にのろけたくて仕方ないみたいなんですの。もう、ここに着くまでずっと奥さんの話」

唐突過ぎてよく分からないが、彼女は彼女なりに苦労があるらしい。

「じゃ、行こっか」

加藤の声を合図に四人がWデートらしくそれぞれ並んで歩き出す。

「世之介さんって、もう路上教習なさった？」

与謝野祥子が世之介に声をかけてくる。

「え？」

「ですから、路上教習」

もちろん質問の意味は分かっているが気になる所が多過ぎる。

「まだだけど……。っていうか、まずその世之介さんってやめてよ。なんか唐傘とか作ってる浪人みたいじゃない？」

「ハーハッハッ。まぁ、浪人なんて。ハー、可笑《おか》しい」

「ねぇ、いつもそんな丁寧な口調なの？」

驚く世之介に前を歩いていた睦美が振り返り、「ごめんね。でもすぐ慣れるから」と代わりに謝る。

「いやだ、睦美さん、慣れるなんて、それじゃまるで……」

そこで切れる。

中途半端な所で切られたので、返事を待つ世之介たちの足が乱れる。

「……ちょっと。まるで何よ？」

堪え切れずに訊き返した睦美に、「あら、ごめんなさい、先が浮かばなかったのよ」と祥子がしれっと応える。

見切り発車らしいが祥子に気にする様子はない。

加藤が選んだのはカプリチョーザという店である。人気店らしく、すでに階段まで行列が伸びている。

「これ待ってたら、晩メシになっちゃうよー」

早速、弱音を吐く世之介に、「じゃあ、イタトマは？」と加藤が提案する。

祥子も睦美も異存はないらしい。

しかし四人で向かったイタトマもあいにく混雑していた。離れた二人用のテーブルが二つだけ空いていると店員が言う。

早く二人きりになりたいらしい睦美が、「いいんじゃない、別々で」とさっさとテーブルに歩いていく。

「なんか、睦美ちゃんって、そうとう加藤のこと好きみたいだね」

結局、二組は別々のテーブルである。先に届いたサイドサラダにフォークを突き刺しながら世之介は言った。窓際の二人のほうを向いた祥子が、「睦美さん、顔のいい方に弱いから」とさらりと応える。

「ちょっとひどくない？　その言い方」

「だって、ほんとなんですもの」

「なんですものって。……もしかして、仲悪い？」

「いえ、親友ですわよ。幼稚園から高校までずっと一緒だったし、私、睦美さんが交通事故で歩けなくなって、自分が車椅子を押してやってる夢、何度も見てますし……」

どこまで本気なのか分からない。行間に隠喩《いんゆ》でも含まれているのかもしれないが、とりあえず世之介は深入りするのを避けることにした。

「あのさ、祥子ちゃんのお父さんて、何やってる人なの？　お金持ちなんでしょ？」

「父ですか……。ちょっと説明しづらいんですけど……」

「ヤバい商売とか？」

「ヤバくないですけど、残土処理業者って言って、東京湾を埋めるっていうか」

「よかった。東京湾に埋めるじゃなくて」

「ハー、ハハハッ」

世之介の冗談に祥子が声を上げて笑う。大きめの口は笑うと魅力的だが笑い声がちょっと大き過ぎる。

「面白い？」

「ええ。東京湾に埋めるなんて、今夜、父にも話しますね」

「い、いいよ。話さなくて。それに大事な娘さんとデートしたなんて知られたら、それこそ東京湾に埋められそうだもん」

「ハー、ハハハッ」

「これも面白い？」

「世之介さんて面白い方ね」

面白くないと言われるよりはいいが隣のカップルは明らかに二人の会話にうんざりしている。

「祥子ちゃんって、何かサークル入ってる？」

「詩吟サークル」

「詩吟かぁ。俺、サンバ」

「ハー、ハッハッハ」

「いや、ほんとだって！」

「ヒーッ、ヒッヒッヒ」

世之介は次第に心細くなってきた。助けを求めて窓際に視線を向けるが加藤の背中は冷たく、睦美はとろんとした目でそんな加藤を見ている。

やっと祥子の笑いが収まった頃、注文していたパスタが届く。すぐにパスタでダジャレを思いつくが、さすがに怖くて世之介は言い出せない。

まるで自分の部屋のように世之介は押し入れからタオルケットを取り出す。座布団を丸めて枕にして、ごろんと床に寝転がる。耳を澄ませば、窓の外から小川のせせらぎが聞こえる。加藤の部屋である。

「なぁ、ここって家賃いくら？」

世之介の質問に同じようにベッドで昼寝をしている加藤が、「六万八千円」と答える。

「食費削れば、俺も住めなくないんだよな」

「毎日毎日、うちの食いもん喰っといて、あとどこ削るんだよ」

「まぁ、そう言うなって」

学校では前期試験が始まっている。世之介には徹夜のバイトがあり、教習所に通い、無理やりサンバまで踊らされて、一日どころか一週間があっという間に過ぎていく。

時間節約のためもあり、ここ最近世之介は加藤のアパートに入り浸っている。加藤は露骨に迷惑そうな顔をしているが、大阪でわりと大きなスーパーをやっているらしい実家から毎週のように送られてくる大量の食料品を次々に平らげていく世之介を、「腐らせるよりマシか」と半ば歓迎しているふしもある。

「そう言えば、加藤って下の名前、何？」

勝手にエアコンの風量を「強」に変えながら世之介が訊く。

「ゆうすけ」

「……普通だな」

「世之介に比べりゃ、なんだって普通だろ」

窓の外を豆腐屋のラッパが通り過ぎていく。

「そう言えば、祥子ちゃん、最近教習所で見ないな」

ラッパが遠ざかるのを待って加藤が言う。

「一回目の技能で教官と喧嘩して、もう免許取るの諦めたんだって」

「連絡取り合ってんの？」

「あのあと何度か電話もらったけど、最近は居留守使ってます」

「なんで？」

「だって、布団がふっとんだ、で大爆笑だぞ。あの子、ちょっとおかしいって。……それより、そっちは？　睦美ちゃん」

「ああ」

「ああって、何だよ」

「好きな子いるって言ったら、教習所でも無視されるようになった」

「加藤、好きな子いるの？」

「大阪に。ちなみに片思いな」

「へぇ、どんな子？」

しばらく待ったが加藤の返事はない。ついさっき遠ざかったはずの豆腐屋のラッパがまたゆっくりと近づいてくる。

花屋のバイトがあるという加藤と、世之介は夕方四時過ぎにアパートを出た。出かける前に加藤が炒飯《チャーハン》を作り始めたので、世之介も無言で自分の皿とスプーンを用意した。

炒飯を食べながら加藤がバイト先の花屋の話をしてくれる。銀座にある花屋なので夕方の早い時間はホステスなどが店に飾る花を買いに来て、夜遅くなれば彼女たちへのプレゼントとして、中年男たちが花言葉を尋ねながら買っていくという。

加藤の話を聞きながら世之介は炒飯に塩をふりかけ、胡椒《こしょう》をかけ、最後にはケチャップまで混ぜた。だが、ここまで分かりやすく抗議しても加藤はまったく気にしない。

正直、加藤は料理が上手くない。この日の炒飯もそうだし、ついこの間の野菜炒めなんて、なぜか排水溝の臭《にお》いがした。さすがに世之介が不満を漏らすと、「俺、食欲って苦手なんだよな」と訳の分からぬことを言う。

「ほら、五欲ってあるだろ。色欲、財欲、食欲、名誉欲、睡眠欲、その中で一番苦手なのが食欲なんだよ」

「『俺、ピーマンが苦手』なら聞いたことあるけど、食欲が苦手な奴なんて初めてだよ」

野菜炒めの味付けの話がなぜか加藤が相手だと難解な仏教問答になってしまう。

駅へ向かう加藤とアパートの前で別れると、世之介は自転車に跨《また》がって自宅へ戻った。小金井街道を一直線に北上すればいいのだが、帰ってもやることないな～とか、今夜も暑いだろうな～などと、やる気なくペダルを漕いでいたせいで、猛スピードのダンプカーの風圧に危うく巻き込まれそうになる。

三十分以上走り、マンションのエントランスに着くと一気に汗が噴き出した。ポケットの鍵に手を突っ込むのさえ不快である。部屋に戻った世之介はまず狭いユニットバスに水を溜めた。扇風機はないが水風呂に入ればその後二時間は快適に過ごせる。

三分の一ほど溜まったところで服を脱ぎ、冷たい水にそろりそろりと足を入れた。爪先を入れただけで小金井街道をダンプカーの排気ガスにまみれながら自転車を漕ぎ、今にも発火しそうだった体から汗が引いていく。腰までつけるとあとは一気にしゃがみ込む。

「ほぉ〜」

水かさの増した小さな浴槽で世之介は鼻を摘《つま》んで潜り込んだ。頭が沈めば脚が出る。突き出た股間に蛇口からの水が当たり、世之介は水中で悲鳴を上げる。上げた悲鳴が泡になり、ぼこぼこと水面で音を立てる。

翌朝、室内でじっと動かぬ熱気に寝顔を見つめられているような気がして世之介は目を覚ました。

窓は開け放していたが、さすがに扇風機もない熱帯夜では快眠できず、一晩中、狭い布団の冷たい部分を探して何度も何度も寝返りを打っているうちに夜が明けてしまった感じである。

体温で熱くなった枕を遠くへ投げ、世之介は再び眠りにつこうと多少ひんやりとしている枕のあった位置に顔を埋めた。

玄関のチャイムが鳴ったのはその時で、寝ぼけながらも世之介は声を返した。枕元の時計はまだ八時前である。

実家から宅配便でも来たのだろうか。

眠い目を擦《こす》っていると、「世之介さ〜ん！　あの〜、こちら世之介さんのお部屋ですよね〜？」と聞き覚えのある声がする。

祥子ちゃん？

妙な体勢で寝ている上に首まで傾げたものだから、首の筋が攣《つ》りそうになる。

「ちょ、ちょっと待って！」

パンツ一枚だった世之介は足元に丸まっているタオルケットを腰に巻いて玄関へ出た。ドアを開けると、やけにツバの広い白い帽子を被った祥子が立っている。

「あら、まだ寝てらした？」

「どうしたの？　こんなに早くに」

焦る世之介をよそに祥子が部屋に入ってこようとする。

「ちょ、ちょっと待ってよ」

慌てて立ち塞《ふさ》がる世之介に、「もしかして誰かいらっしゃるの？」と祥子が険しい表情で部屋の中を覗き込む。

「じゃなくて……、あれだよ、ほら、部屋が狭いから、そんなデカい帽子だと入れないから」

「まぁ〜、またそうやって笑わせる〜。ハッハッハッ」

「ねぇ、なんで、ここが分かったの？」

「加藤さんに電話でお訊きしたんですの。こちらにかけてもいらっしゃらないし、加藤さんちにずっと泊まってらしたんですってね」

「ずっとでもないけど……。それより、ほんとどうしたの？　こんな朝早く」

「あ、そうそう。海に行きません？」

「海？　これから？」

「ええ。きっと気持ちいいと思うんです。空なんて真っ青だし」

大きな白い帽子に気圧《けお》され、世之介が一歩後ずさる。

「急に海に行こうなんて言われても、無理だよ……」

「あら、何かご予定ありまして？」

「いや、予定はないけど……」

ここで「ある」と言えればいいのだが、無駄に真面目というか機転が利かない。

「とにかくちょっと待ってよ。俺、こんな格好だし、部屋ん中、エロ本散らばってるし」

もちろん冗談で言ったのだが、とつぜん祥子の顔色が真っ青になる。

「え？　どうした？」

「……私、下ネタはノーですわ」

憮然《ぶぜん》とした祥子が怖い。いつもは布団がふっとんだでも笑うくせに、どこに地雷があるか分からない。

「とにかく待って。着替えるから」

世之介はとりあえず脱ぎっぱなしだったジーンズに足を通した。背中に視線を感じて振り返ると、祥子がじっとこちらを見ている。

「ちょ、ちょっと、そんなにじっと見ないでよ。照れるって」

「大丈夫ですわ。私、兄がいますから」

「いや、そういう問題じゃなくて」

なんだかんだと言いながらも世之介はジーンズを穿いてTシャツに腕を通した。相変わらず部屋は蒸し暑く、ちょっとした動作だけでも汗が出る。その瞬間ふと波に飛び込むイメージが浮かんでくる。急激に冷えた肌に真上から太陽が照りつけるあの感じ。

「海かぁ、……海もいいかもね」

世之介はいったん着たTシャツの臭いを確かめながら祥子に言った。

「でしょ？　海もいいかもでしょ」

祥子が白い帽子の広いつばをちょっとだけ持ち上げて微笑む。

決まれば躊躇《ちゆうちよ》のない世之介である。早速押し入れの段ボールから水着と水中眼鏡を取り出している。

「下に車を待たせてありますから、ここからでも二時間あれば行けると思うんです」

「車って、あの黒塗りの？　なんか海水浴っぽくないなぁ。年寄りみたいじゃない？」

「あら、そうですか？」

「若者は浮き輪と水中眼鏡で、電車だよ」

冗談のつもりだったが、祥子が、「あら、それもそうね」と納得する。「いや、冗談だって」と世之介は慌てて言ったが、「いいえ、若者は電車です」と今度は祥子が頑《かたく》なに首を振る。

結局、お嬢様を車で海へお連れしたい運転手さんと、若者らしく電車で行きたがる祥子と、できれば車のほうが楽だが、革張りのシートにビーサンで乗るのは憚られる世之介との折衷案で、とりあえず東京駅までは車で行き、そこから電車というとても中途半端な所で落ち着いた。

ただ、車に乗り込んだ世之介は、ふとあることに気がついた。

「でもなんで東京駅？　……湘南とか、そっちを想像してたんだけど？」

短パンにビーサンなので革張りのシートが汗ばんだ膝の裏にくっつく。

「稲毛海岸に行こうと思ってたんですけど、ご都合悪い？」

「いや、海ならどこでもいいよ。でも、稲毛海岸ってどの辺？」

「浦安の先というか……」

「浦安ってディズニーランドでしょ？　あんな所に海があるんだ？」

走り出した車は予想以上に乗り心地が良い。同じ道でもバスで通るのと高級車で通るのではまるで景色が違う。

「この下に海パン穿いてるから、なんかごわごわするよ」

世之介は尻を浮かせて何度も食い込む水着を引っ張っている。

「……うちの田舎の海ってさ、砂浜じゃなくて岩場が多いんだ。岩場から飛び込んで、サザエ採《と》って、ウニ採って、それが海水浴。ぜんぜんオシャレじゃないんだよね。だから、こっちの海水浴って、ちょっと憧れてて」

心はすでにビーチパラソルの下にある世之介の話を聞きながら祥子がどこか浮かぬ顔をする。その理由が分かったのは、東京駅で電車に乗り換え、京葉線の稲毛海岸からタクシーで目的地に着いた時である。

「え!?　ここ？」

世之介は目の前の豪奢《ごうしゃ》なヨットハーバーに目を見開いた。

「世之介さんがビーチを想像してるみたいで、言い出せなくて。……でも安心なさって。クルーザーで沖に出れば泳げますから」

「ク、クルーザー？」

サマーセーターを肩にかけたカップルが通り過ぎていく。世之介は稲毛海岸駅前のコンビニで買った浮き輪をもう腰につけている。

真っ青な海どころか、真っ青な顔をしている世之介の腕を、祥子が強引に引っ張る。腰につけた浮き輪を摑んで世之介は抵抗するが役に立つはずもない。

「ち、ちょっと待って。今、祥子ちゃん、クルーザーって言った？」

高級車が並ぶ駐車場を引き摺《ず》られながら世之介が抵抗する。

「クルーザーって言っても、小型ですから」

「小型でもクルーザーはクルーザーだって。小型でもブルドッグはブルドッグだろ！」

「ハー、ハッハッハ」

「可笑しくない！」

「とにかく、今日、兄がお友達集めてパーティーやってるんです。みなさん、気の置けない方ばかりだから、きっと世之介さんも楽しめると思うんですの」

駐車場に並んでいる車は、ベンツに、ＢＭＷに、ジャガーに、カウンタック。……カ、カウンタックである。

「祥子ちゃん、さっき俺の部屋見ただろ！　どう見たって、俺、クルーザーじゃないでしょ？　俺なんて海の家で素うどんとかが似合うんだから！」

「あら、素うどんなら、船のキッチンで」

「だから、そうじゃなくって！」

結局、桟橋まで引き摺られた。そこには白く輝くクルーザーやヨットが当たり前のように並んでいる。こんな風景、金曜洋画劇場のオープニングシーンでしか世之介は見たことがない。

「あ、あそこ。ほら、兄が手振ってる」

祥子が指差した場所にきらきらした白い船体が揺れている。デッキの上では七、八人の男女がシャンパングラスを揺らしているが、もちろん世之介のように腰に浮き輪をつけた者もいなければ、水着姿の者さえいない。

男物のサマーセーターなんて、いったい誰がどこで着るんだろうと、かねがね世之介は不思議だったが、ここにいる。……それも三人も四人もいる。

「遅くなってごめんなさい。電車で来たものだから」

祥子が兄らしき男に手を取られてデッキに移る。デッキの人たちが新参者の世之介をギロリと見つめる。せめて浮き輪だけでもなければいいのだが、もう遅い。と、次の瞬間、世之介は視界の端に身覚えのある女性を捕らえた。

千春さん？

視界の端で捕らえたのは紛れもなくあの片瀬千春である。赤坂のホテルで中年男からＢＭＷをふんだくり、「いい男になりなさいよ」と告げて世之介の前から立ち去った思い人。

腰に浮き輪をつけたままデッキに移ると明らかに場違いな感じを受けた。あからさまに拒絶されるというのではなく、もっとこう周到というか、陰湿というか、「へぇ、珍しいね、祥子ちゃんがボーイフレンド連れてくるなんて」と一見親しげに声をかけてくれるわりにはその目が全員笑っていない。

デッキでシャンパングラス片手にオードブルを摘んでいるのは祥子の兄とその友人

らしき男たちが三名（みんなサマーセーター）、それに片瀬千春を含む女性たちが四名。女性たちが着ているサマードレスはその洗濯代だけでも世之介の服一式が買える。

これがクルーザー遊びに慣れた者たちの礼儀なのか、特に新参者の世之介がみんなに紹介されるわけでもなく、逆に自己紹介してくる者もいない。

ただでさえ揺れる船上で所在なく立っている世之介に、祥子がシャンパングラスを手渡してくれる。渡されたシャンパンで祥子とぎこちなく乾杯するしかない。

「サングラス取ってくるわ」

祥子が船内に姿を消すと、すぐそこで沖合を眺めていた千春がこの時を待っていたとばかりに世之介に近寄ってきた。

祥子の兄たちは船首へ回っており、潮風に乗ってその笑い声が届く。

「なんで、あなたがここにいるのよ？」

「なんでって……、誘われて……」

耳元で囁《ささや》く千春の声が怖い。

「ほんとに、勝彦さんの妹と付き合ってるわけ？」

「いや、付き合ってません。彼女いませんし」

「ちょ、ちょっと大きな声出さないでよ」

「それより片瀬さんは……」

「とにかく、この前のことは内緒だからね。いい？」

千春の指がそのふっくらとした唇を押さえる。

「お二人、知り合いだったの？」

とつぜん声をかけられて世之介が振り返ると祥子の兄が立っていた。

「え、ええ。どこかで会ったことあると思ったら、この前、泊まった赤坂のホテルのボーイさんなのよ」

千春の嘘に祥子の兄は自然に微笑んでみせるが信じているようには見えない。

「君、祥子とはどこで知り合ったの？」

祥子の兄が千春の腰に腕を回しながら尋ねてくる。世之介は不自然にそこから目を逸らし、「あの、教習所です。車の」と早口に答えた。

出航までのデッキでの歓談の中、片瀬千春という女がどういう仕事をしているのか、なんとなく世之介にも分かってきた。シャンパングラスを片手にみんなが勝手気ままに喋る端々からその情報を読み取るしかなく、おまけに横には、「世之介さんってさそり座でしょ？」「世之介さんってB型でしょ？」などと、マイペースな祥子がいるので、なかなか整理するのは難しかったが、とにかく千春はパーティー（たとえば、DCブランド店のオープン記念などの各種集まり）を企画運営する会社の手伝いのようなことをしているらしい。

祥子の兄、勝彦ともまだ付き合いは浅いようだが、六本木で開かれたこの手のパーティーで知り合ったという。

ただ、世之介の思い込みなのかもしれないが千春を見る他の女たちの視線が冷たい。女たちは勝彦や他の男たちとは昔からの知り合いらしく、明らかに部外者といった感じで千春に接する。千春が話を始めると退屈そうな顔をして、千春が知らない昔話ばかりをしようとするのだ。

「ねぇ、いいでしょ？」

とつぜん耳元で祥子に言われ、世之介は視線を千春に向けたまま、「あ、うんうん」と適当に頷いた。

遠い空に浮かぶ入道雲がまるで千春の横顔を引き立たせるために浮かんでいるように見える。

「ほんとにいいの？　世之介さん、今、いいって言いましたよね？」

「あ、うんうん」

「ほんとにほんと？」

「うんうん」

「嬉しい！　私、九州ってまだ行ったことがなくて」

「九州に行くの？」

「だって世之介さんの実家、九州でしょ？」

「うん」

「夏休み帰省するんでしょ？」

「うん」

「だから、その時、私も一緒に遊びに行くって話でしょ？」

「え？」

いつの間にそんな話になっていたのか。

世之介が慌てて話を戻そうとした時、「そろそろ、沖のほうに出てみようか」と勝彦が立ち上がり、デッキに小さな歓声が湧く。世之介はそのせいで妙な約束を取り消すタイミングを失った。

ちなみに沖といってもさほど陸地から離れるわけではなかった。クルーザー遊びなど場違いで居心地悪いと思っていたわりに物珍しさもあって今やワクワクして出航を待ちに待っていた世之介にしてみれば、どこか肩すかしを食らった感じである。

ただ、さすがに沖合に出てみればゴミや海藻の浮いていたヨットハーバーの水とは違って、辺り一面に夏日を浴びた海が広がっている。透明度も増し、デッキから覗き込む海は深い。

停泊した船の上からまず飛び込んだのは勝彦である。大きな飛沫《しぶき》に歓声が上がり、深く沈み込んでいく勝彦の白い体もはっきりと見える。

「世之介さんも、ほら、飛び込んで！」

飛沫を顔に浴びた祥子が興奮した声で世之介の背中を押す。水面に浮き上がってきた勝彦が、「冷てぇ！」と叫び、その声がシンとした辺りにいつまでも残る。

世之介もTシャツと短パンを脱ぎ捨てた。デッキの端に足の親指をかけ、勢いをつけて跳び上がると広げた胸に太陽が当たり、あとはグングンと海が近づいてくる。爪先からすっと水に入る。冷たい水が駆け上がってくる。汗ばんだ肌が急激に冷え、大きな大きな海の中、夢中で足を動かした。

浮き上がって濡れた髪を振った。目の前にゆっくりと揺れるクルーザーがあり、デッキの千春と祥子の笑顔が並んでいる。「千春さんも！」と言いたいところをぐっとこらえて、「祥子ちゃんもおいでよ！」と叫んだ世之介の声が響く。

それからというもの、世之介は祥子と二人で飛び込んではデッキに戻り、また飛び込んではデッキに戻りを繰り返した。

海老《えび》飛び。イカ飛び。蜘蛛《くも》飛び。三回転半飛び。半クラッチ飛び。考え出せる飛び方は全て二人で飛び終えた。ずっと千春に見られていたので世之介としては多少恥ずかしくもあったのだが、「次、何飛びにします？」といつまでも祥子が飽きないのでやめるにやめられなかったのである。

問題用紙の裏に「Je suis somnolent, Je suis somnolent……」と、世之介が五回ほど書いた辺りで試験終了を知らせるチャイムが教室に鳴った。ちなみにこの落書きは「私は眠い」という意味で、この三ケ月で世之介が覚えた唯一のフランス語である。

解答用紙が集められ、教室のあちこちで溜息やらあくびやら唸り声がする。もぞもぞと動き出した学生たちの中には早くも答え合わせをしている者もいて、聞こえてくる答えがことごとく世之介の解答と違っている。ポンと肩を叩かれて顔を上げると、珍しく学校に来ている倉持が立っていた。

「その様子だと、補講確定みたいだな」

丸めた問題用紙で倉持がポコンと世之介の頭を叩く。

「補講だと夏休み減っちゃうよ〜」

「それより、最近、付き合い悪いじゃん」

そう言いながら横に腰かけてきた倉持が世之介にメントスを一粒くれる。

「バイトに、教習所に、大忙しだよ」

「この前、唯から誘われたろ？　ビリヤード行こうって」

「別の友達と約束があってさ」

「別の友達って？」

友達とは加藤のことである。いつものように泊まりに行って露骨に面倒臭そうな顔をする加藤相手に、朝方まで「クルーザー事件」の顚末を話しただけなのだが、なぜかそれを倉持に説明するのが面倒で、「加藤って、お前の知らない奴」とだけ世之介は答えた。

「それより、お前は何してたの？　阿久津唯の話じゃ、学校にも来ない、バイトもしないで、じっと部屋にこもってんだろ」

「まぁ、なんていうか、簡単に言えば、色に溺《おぼ》れてるっていうの？」

「色に？　言ってくれるねぇ」

「いや、冗談じゃなくてさ、ここだけの話、オナニー覚え立ての猿みたいなもんで、毎日毎日、朝から晩まで……。なぁ、俺、ちょっとマジでどっかおかしいんじゃねぇかな。あ、これ、唯には絶対言うなよ」

「言えないって」

「なぁ、お前そういう経験ない？　っつか、あるわけないよな」

「いや、それが、ないこともなくて……」

自信なく呟く世之介を、「なに、見栄張ってんだよ」と倉持が丸めた問題用紙でまたポコンと叩く。

まだ二年も経っていないのに世之介にはあの頃がとても遠くに思える。酔った勢いで、大崎さくらに狂おしい思いを打ち明けたのは、高校二年の二学期だった。とつぜん夜中に現れた世之介を不審に思いながらも二階の自室から降りてきたさくらは、世之介一世一代の告白を真面目に聞いてくれた。ただ、「とつぜん言われても……」とさくらは困惑した。

「それに酔ってるんでしょ？」と言われ、「酔ってない！　酔ってるふりしてるだけだから！」と世之介は慌てて否定した。

あとで聞いた話だが、この時さくらが心を動かされたのは、「ずっと好きだった」という最初の告白ではなく、「酔ってているふりをしてるのは酔ってない時のほうがずっと大崎のことを好きだから」という、分かりそうで分からない世之介の説明のほうだったらしい。

その夜さくらにどんな返事をもらったのか、世之介ははっきりと覚えていない。しかしさくらに見送られて帰る道すがら、「俺、彼女いるんだ」「え？　俺、彼女持ち？」などと何度も独り言を呟いていたのだから色良い返事だったはずである。電柱があるたびに跳び上がっていた記憶だけはある。

翌朝学校へ行くと、いつものようにさくらの姿は窓際にあった。毎朝その姿を確かめて、自分の席に着くのが日課で、その日も自然と目がいった。ただ昨日までと違ったのは、いつもは一方的に見ているだけだったのに、その日さくらもこちらを見ていて、「おはよ」と声をかけてきたのだ。

一時間目が終わり、短い休み時間には声をかけられなかった。二時間目が終わり、三時間目が終わっても声をかけるどころか、さくらのほうを見ることもできず、昼休みは小沢に無理やり学食に連れて行かれてタイミングを失うし、五時間目、六時間目と選択科目でさくらとは別々の教室だった。

彼女なんだよ。俺とさくらは昨日の夜から付き合ってんだよ。

そう自分に言い聞かせる世之介だったが、それでも声はかけられない。放課後、世之介は教室に残った。いつもはすぐにいなくなる小沢がこんな日に限って帰らない。やっと小沢が帰ったあとに期待を込めて振り返ると、そこにさくらがぽつんと残っていてくれた。

「ごめん」と世之介は謝った。

「遅い」とさくらは笑った。

たぶんこれが付き合い始めて交わした最初の会話だった。その日から毎日さくらと一緒に帰るようになった。世之介は小沢の誘いで応援部に在籍してはいたが、基本的に幽霊部員で、さくらもまた中学の頃は水泳部に所属していたらしいが、高校には水泳部がなかったので、基本的に帰宅部で、授業が終われば互いにわりと時間はあった。

高校からバスに乗り、繁華街に出る。そこで別々のバスに乗り換えるのだが、付き合い始めた当初は、そこで別れがたく、何を話すわけでもないのに長時間バス停のベンチに座り込み、中学時代のこと、仲の良い友達のこと、そして先生の悪口なんかを話し続けていた。

先生の悪口を言い合っていても、その相手がさくらであれば、自然と勃起《ぼっき》するものなのだと世之介は妙な学習もした。

初めてさくらの家に行ったのは付き合い始めてから二週間ほど経った頃である。バス停で話し込むには寒くなり、かといって毎日マクドナルドに入る金もない。

「うちに来る？」

先に誘ったのは世之介だった。誘ったのはいいが母親が過剰反応を示し、普段はまったく作らないケーキなんかを焼き始めそうな不安もある。

「でも、世之介くんち遠いでしょ？」

たしかに世之介の家は繁華街からバスで一時間近くかかり、行って戻ってくる時間を考えれば七時までに帰宅しなければならないさくらが滞在できるのは三十分ほどしかない。

「でも、三十分くらいならいられるし、それに行き帰りのバスでも話せるだろ。ここにいるよりはバスの中のほうが暖かいし」

引き下がらない世之介に、「うちのほうがここから近いし、うちに来る？」とさくらが提案した。

さくらの家は共働きで美術館で働いている母親が帰宅するのが七時頃、それまでなら二人きりでいられる。どう考えても、不味《まず》いケーキを食わされるよりはいい。

さくらの家は繁華街からバスで七、八分の場所にあった。まだ築三年の真新しい白い一軒家で玄関先にはマーガレットなんかが植えられていた。玄関で靴を脱ぐのも照れ臭かった。照れ隠しに「ただいま！」と声をかけると、先に上がっていたさくらに、「お父さん、いるんだけど」と騙《だま》され、慌てて脱いだ靴を摑んだことを覚えている。

さくらの部屋は女の子らしいインテリアだった。「全部、お母さんの趣味なのよ」と照れるので、「うちもおふくろの趣味で、ずらっと参考書が並んでるよ」と世之介は笑った。

可愛らしい部屋に数日前に世之介が貸したレコードがあった。マドンナのアルバムでこの中のバラードを聴きながら、幾夜さくらのことを思っていたことか。

それが今ではレコードもろとも、さくらの部屋に存在するのだ。

鞄を机に置いたさくらに、「なんか飲む？」と訊かれて、頭が真っ白になっている自分に気づいた。まだ手も握ったことがなかった。カーペットを踏む靴下だけのさくらの脚が生々しかった。何度も唾を飲み込んで鞄の上に片手を置いているさくらに近づいた。近づくとさくらがとても小さく思えた。緊張し切っているくせに、先に唇を突き出すのはかっこ悪いということだけは分かっており、小さなさくらの体を抱いた。さくらのつむじに押しつけた鼻先からとても甘い香りがする。

「世之介くん、鞄……」

さくらが笑う。唇を出すタイミングだけに集中していたせいで鞄を持ったままさくらを抱いていた。

鞄は置きたいが、いったん抱きついたさくらからは離れたくない。苦肉の策でそのまま手から鞄を離すと、運悪く鞄の角が足の甲を直撃した。

でも、耐えた。涙が出るほど痛かったが足の指をギュッと縮めて、必死に耐えた。世之介にとって、生まれて初めてのキスは鎮まらぬ鈍痛の思い出しかない。

その日、さくらの母親が帰宅するまでの二時間近く、マドンナのバラードをリピートするたびにさくらとキスをした。お互いのまつげが触れ合う。おずおずと伸ばした舌がさくらの白くて小さな前歯に触れる。

初めてキスをした日は初めてキスをする日なのだと思い込んでいた。今考えれば、キスのあとはそのままベッドへ誘えばいいのだが何しろ初めてだし、先を急いだら女の子に嫌われると雑誌の情報で刷り込まれているし、ある意味身動きが取れず、でも何かしていたいからと二時間もの間、ただキスだけを繰り返していたのだ。

その日から学校帰りにさくらの家へ寄るのが日課になった。授業が終わると直行し、さくらの母親が帰宅する七時頃まで、二人で勉強する（ということに、さくらの母親に対しては言っていた）。さくらの母親はわりとさばけた人で仕事から戻れば必ず自宅にいる世之介に、わざとエッチな画集などを見せ、挙動不審になる姿を眺めて笑っていた。

その頃には授業が終わってさくらの部屋に入ると、それこそ机に鞄を置く時間も惜しいほどの性急さで襲いかかっていた。

「鞄くらい置かせてよ」

「じゃ、早く置いて置いて」

「まったく、ムードもなんにもないんだから。ちょっとくらい待てないわけ？」

「ちょっとくらい？　言わせてもらうけどな、毎日毎日、俺がどれくらい待ってるか知らないだろ？　バスでここに来る時はもちろん、授業中だって、死ぬ思いで待ってんだぞ」

「大袈裟ねぇ」

「いや、授業中なんてもんじゃないよ。朝なんか、ここに来ることだけ考えて起きてんだぞ。いや、もっと言わせてもらえば、昨日、ここから帰ったろ？　あん時から待ってんだからな」

当時は本気で言っていた。さくらの部屋で過ごす二時間だけが人生だったと言っても過言ではなかった。

季節はすでに冬になり、凍《こご》えながら帰宅したさくらの部屋も底冷えがした。ストーブが部屋を暖めるまでの間、冷えたベッドに潜り込むと互いの言葉や交わす笑みだけで冷えた体が暖まった。

結婚したら、どんな家を建て、どんな仕事をして、どんな風に子を育てるか。ベッドの中で本気でそんな話をしていた。ずっとベッドの中で過ごした。ベッドの中の二時間を繋ぎ合わせていれば、幸せな人生が出来上がるのだと勘違いしていたのだと思う。

そんな関係に突如終止符を打ったのはさくらだった。春が来て、三年に進級した直後だった。

「私たち、将来のことから逃げてるだけじゃないかな」とさくらは言った。

昨日まで鼻先を擦り合わせていた女の子とは思えないほど様子が違っていた。たぶん正気に戻ったのだと思う。永遠と思われた幸福な場所のドアをさくらは一方的に閉め、鍵をかけた。決心の固い彼女の前で世之介だけがまだ正気に戻れずにいた。

溜まった洗濯物を抱えてコインランドリーを探し回る夢の途中で世之介は目を覚まし

た。つけっぱなしの冷房で軽く手足が冷たくなっている。

玄関の鍵が開く音がして世之介は慌ててベッドから起き上がり、さもそこで寝ていたように床に移動した。

まるで自分の部屋のように過ごしているがここは加藤の部屋である。

「今、ベッドで寝てただろ。……見えてたよ」

玄関から加藤の冷たい声が聞こえる。

加藤が帰宅したということはすでに夕方である。となると教習所の技能をまたさぼったことになる。

「午前中に教習所行くから、ここに泊まりに来たんだろ？」

スーパーの買い物袋を提げた加藤が心底うんざりしたように世之介を非難する。今朝、ホテルのバイトが終わって世之介はここへ来た。すでに夏休みは始まっているがサンバの練習に忙しい石田の身代わりで、ほとんど毎日シフトに入れられ、その上、教習所にもとなると、どうしても加藤のアパートに泊まりたくなる。エアコンがあるのも大きい。これだけバイトをしているのだから扇風機くらい買えないこともないのだが、金を稼ぎ過ぎると使う暇がないというのは本当で、電器店へ行く時間があれば三十分でも多く寝たい。

「人んちのクーラーだと思って、まったくお前もさ～」

加藤がリモコンでエアコンを消し、閉め切ったカーテンと窓を開ける。寝ぼけた世之介の目に夏の西日は厳しい。

「最近、本気でお前のためにクーラー買ってやろうかって考えてる自分が怖いよ」

ベッドに腰かけた加藤が途中で買ってきたらしいソーダアイスを美味《うま》そうに齧る。

冷房で冷えきった体に窓から流れ込んできたむっとする夏の熱気が心地好い。

「そう言えば、今朝、眠くて言わなかったけど、俺もう仮免受かったんだよ。お前、待ってたら夏休み中に取れそうにないから先に試験受けるからな」

ゴリゴリッと加藤の前歯で嚙まれるソーダアイスから白い湯気が立っている。

「俺もあと一時間取れば仮免受けられるんだから、あと一週間だけ待てよ」

一週間となるとバイトに休みはない上に、教習所に通って、いよいよサンバカーニバルまである。世之介はどうしたものかと剝《む》き出しの脛を掻いた。

久しぶりに十時間近く眠れたので体が軽かった。世之介は加藤がソーダアイスを食べ終えるのを見届けると、起き上がって勝手に冷蔵庫を開けた。

「この桃、もらっていい？」

尋ねながらも、すでにかぶりついたあと、「だめ」と加藤が答える。

「あ、加藤くん、そういえば、シャンプーなくなってるよん」

「お前が使うからだろ」

「なんか機嫌悪いなぁ。欲求不満じゃないの？」

齧った桃は甘く、果汁が渇いた喉にとろりと落ちていく。

「今夜、俺、出かけるから帰れよ」

ごろんとベッドに横になった加藤の靴下が汚れている。世之介はそれを見て思い出したように、「シャワー借りるよん」と勝手に浴室に入った。

残り少ないシャンプーに湯を足して髪を洗っていると水音ではっきりと聞こえなかったが、ドアの向こうで加藤が誰かと話している声がした。また新聞の勧誘か何かだろうかと気にせずに洗髪を続けていたのだが、ドンドンと薄いドアが叩かれ、「世之介、祥子ちゃん来てるぞ！」と加藤が言う。

稲毛のヨットハーバーに「海水浴」に行って以来、ぱたりと音沙汰《おとさた》がなくなったので、きっと千春ばかり見ていたせいで愛想を尽かされたと世之介は思っていた。洗髪の途中だったが、とりあえずドアから半身出してみた。狭い玄関に何喰わぬ顔をして祥子が立っている。相変わらずツバの広い帽子を被っているので、狭い玄関がますます狭く見える。

「どうしたの？」

目に入りそうな泡を拭って世之介は尋ねた。

「ここ二、三日、うちへ業者さんに来てもらって長崎で泊まる可愛いホテル選んだり、観光地を回る効率的なスケジュールなんかをご相談してるんですけど、ふと気づいたら、私、世之介さんが何日から帰省するか、まだ知りませんでしょ？」

泡だらけの世之介を前に祥子が一方的に喋り出す。

「ちょ、ちょっと待ってよ。効率的なスケジュールって、祥子ちゃん、本気で俺の田舎に来るつもりなの？」

「あら、もちろん。ホテルはね、すごく可愛いのがあったから、もう決めましたの」

世之介の控えめな抵抗など祥子に伝わるわけもない。玄関での二人の会話を聞きながら笑いを堪えていた加藤が、「へぇ、祥子ちゃん、世之介の帰省について行くんだ？　ホテルなんかじゃなくて、世之介の実家に泊めてもらえばいいのに」と余計な言葉を挟んでくる。

世之介はすぐに睨んだのだが、当の祥子は照れているようで、「まぁ、加藤さんったら。私、性格的にそんな図々しいことはできませんわ」と機嫌良く笑っている。

「帰省の日程くらい電話で訊いてくれればいいのに。こんな所まで来なくったって」と世之介は精一杯の抗議をした。

「かけましたわよ。でも世之介さんいつもいらっしゃらないし、留守電はもうメッセージでいっぱいだし」

「うちの留守電、三分が十件入るんだよ」

「え？　あれ三分もありますの？　私、三十秒くらいかと思ってましたわ」

埒があかないと諦めた世之介はとりあえず泡だけでも流そうと浴室に戻った。

泡を流しながら実家のある界隈《かいわい》を祥子が歩いている姿を想像してみる。ど田舎というわけではないが、十五年ほど前に埋め立てられて地続きになった、元は島だし、漁船を持っている者はいても、クルーザーを所有している者はまずいない。いないどころか、たぶんそんな人間を見たことがある者もいない。一度、さくらを連れて帰った時でさえ、魚市場のおばちゃんたちから、やんやの喝采《かっさい》だったのだ。

世之介は排水口に吸い込まれる泡を眺めながら長い溜息をついた。

浴室を出ると外で待っているという祥子を無視するわけにもいかず、加藤に別れを告げて部屋を出た。予想はしていたがアパートの前には黒塗りのセンチュリーが停まっており、後部座席で祥子が旅行のパンフレットを嬉しそうに眺めている。

コンコンと窓を叩いて車に乗り込むと、運転手の安住さんが、「お兄様からですよ」と自動車電話を祥子に渡す。

「今夜？　今夜は旅行準備で忙しくて」

話し始めた祥子の横で世之介はルームミラー越しに安住に挨拶をした。

「……ええ。今もその世之介さんと一緒なんですの。ええ。あら、そうなの？　でも無理ですわ。ええ。じゃあ、千春さんにもよろしくお伝えになってね」

電話が終わるのを待っていた世之介は祥子の口からこぼれた「千春」という名前にすぐに反応した。

「千春さんって、あのクルーザーの時の千春さん？」

受話器を安住に返した祥子に世之介は噛みつきそうな勢いで尋ねた。

「ええ。勝彦兄さんが今夜ヘリコプターで東京湾を飛ぶんですって。誰か誘って来ないかって言われたんだけど、今夜中にスケジュールを決めちゃいたいし」

　世之介の動揺をよそに祥子がまたパンフレットを捲り始める。

「お兄さんと千春さんだけ？」

「勝彦兄さんのお友達、ほら、この前もいらした大河内さんたちとご一緒するはずだったのが急に来られなくなったらしくて」

　喉元まで「行きたい！　飛びたい！」という言葉が上ってきているのだが、あまりにも露骨に千春熱を出すのも悪いと思い、世之介は敢えて平静さを装い、「祥子ちゃんたちって、兄妹仲いいよね」と別角度から攻めた。

「異母兄妹だからじゃないかしら」

　祥子がしれっと応える。

「え？　異母兄妹なの？」

「ええ。お父様がわりと奔放《ほんぽう》な人で、私の母が三人目なの」

「そうなんだ……。でもさ、せっかく誘ってくれたのに断るの悪くない？」

「え、何？」

「だからヘリコプター」

「世之介さん、お飛びになりたい？」

「俺？　俺は別に……」

「私、あの千春さんって方がちょっと苦手で」

「ど、どうして、感じのいい人じゃない」

「勝彦兄さん、面白がってお付き合いしているみたいだけど、あの方ね、ここだけの話、高級娼婦さんらしくて」

「こ、高級、何さん？」

サンルーフがついていたらヘリのように飛び上がりそうなほど驚く世之介を前に、

「だから、娼婦さん」と祥子が静かに答える。

「だ、だって、パーティーの企画とかの手伝いやってるんでしょ？」

「その企画会社から斡旋《あっせん》されてるんじゃないかしら。私も大河内さんにちょっとお聞きしただけで、詳しくは……。ねぇねぇ、それより私が決めたホテルこれなの。可愛いでしょ？　市内からはちょっと離れてるけど、世之介さんの実家には近いらしいの。ギリシャのサントリーニ島をイメージして造られたんですって」

気が動転したままの世之介の前に、祥子は◯印のつけられたパンフレットを広げている。

八月帰省

八月に入り、連日の猛暑が続いている。東京で初めての夏を経験している世之介も、日に日に暑さに喘《あえ》ぐ野良犬のような様相を呈してきている。もちろん世之介の地元でも夏はあった。しかし日中ぎらぎらと人や地面を照りつけた日差しが翳《かげ》り、夜ともなれば空気はひんやりしてくる。それが東京にはない。地元には寝苦しい夜はあっても、眠れない夜はなかったのである。

ちなみに七月の最終日には、サークル待望のサンバカーニバルも開催された。もちろん世之介も参加したのだが、自分が完璧な体調で参加したい先輩の石田に連日連夜のバイトを押しつけられていた世之介は午前中スタート地点に派手な衣装で立ったはいいが、「ムウジカ」チームの出発を待つ間に、寝不足と熱中症でなんと気を失うという失態を演じてしまったのである。

世之介が意識を取り戻したのは主催者事務所裏に作られた救急用テントの中だった。朧《おぼろ》げに意識が戻った時、世之介はチームメイトのことを気遣って、「僕に構わず、出発して下さい」と、うわ言のように言ったらしい。

みんなが心配して参加を取りやめ、ベッドの周りで自分を見守っていると思っていたのである。だが、実際には「ムウジカ」のダンサーはもちろん、後輩に無理なシフトでバイトさせた石田でさえ、担架で運ばれていく世之介を隊列から見送ると、無情にもそのまま大通りに踊り出してしまったらしい。

カーニバルが無事に終わり、夕方、浅草の居酒屋で行われた打ち上げで、世之介はその事実を知らされたのである。踊り切った高揚感のまま、ビールジョッキをぶつけ合う宴会の片隅、世之介だけがいつまでもサンバサークル部員たちの情のなさを嘆いていた。

ただ、サンバカーニバルでは気絶してしまったが、この数日で世之介にとって喜ばしいこともあった。帰省までには無理かと思われていた仮免&本試験に見事合格したのである。

「お前、またサンバカーニバルのビデオ見てんの?」

銭湯から戻った加藤が声をかけてくる。相変わらず世之介はクーラーのある加藤の家に入り浸りである。ちなみに、最近バイトで多少の貯金ができた世之介は、もう少し学校に近い場所所への引っ越しを考えている。となれば今の部屋にエアコンをつけるよりも、あと一ケ月暑さを我慢してエアコン付きの部屋を探せばいい。となると、あと一ケ月どうすれば加藤のアパートから追い出されずに済むかだけを考えて暮らせばいい。

床に寝転んだまま、「お帰りなさ〜い」と明るく迎える世之介に、「サンバなんて恥ずかしいとかなんとか言いながら、結局出たかったんじゃん」と加藤が笑う。

「そういえば、明後日《あさって》から実家に帰るんだろ？」

浅草の大通りで軽快なテンポに合わせて腰をくねらす「ムウジカ」の踊りを、心底興味なさそうに眺めていた加藤が訊いてくる。

「帰るけど、二週間したらここに戻ってくるよ」

練習はさぼっていたくせにカーニバルに出られなかったことがよほど悔しいのか、ビデオを見る世之介の目が恨みがましい。

「来るなって言っても来るんだろ。それよりそのビデオ、いい加減にやめてくれよ。その音楽聴いてると、夢にまでお前が出てくんだよ」

「俺、夢の中では踊れてる？」

「は？」

「スタート前に気絶なんかしてない？」

往生際の悪い世之介に加藤が呆れたとばかりに立ち上がる。夕方から浴槽で冷やしているスイカの加減を見に行くらしい。

「なぁ、加藤、千春さんのことだけどさぁ。やっぱりあれ、祥子ちゃんの作り話じゃないかと思うんだよ。……ほら、例の高級娼婦の件。……俺がいつも千春さんのことばっかり気にしてるから、祥子ちゃんも嫉妬したっていうか……」

床で自転車漕ぎ運動をしながら世之介は喋っている。浴室からスイカを抱えて出てきた加藤が、「またその話かよ」と舌打ちをする。

「……バイトも休みでやることないのは分かるけどさ、毎日毎日サンバカーニバルのビデオ見るか、千春とかいう女の話するか、生産性ないねえ、お前は」

「生産性？　ないない、そんなもん」

「そんなにその女のことが気になるなら、直接、会って確かめればいいだろ？　なんならバイトで貯めた引越資金で一晩買ってみろよ」

「うわっ。お前、すごいこと言うな。俺はそんな目であの人のこと見たことないぞ」

「嘘つけ。いつも寝言で値段交渉してんじゃねぇか」

「……嘘？」

慌てる世之介の体をスイカを抱えた加藤が跨ぐ。

「嘘って、やっぱり交渉するつもりだったんだ」

高級娼婦という職業がいったいどんなものなのか、世之介も世之介なりに調べてはいる。入学以来、入ったこともなかった学校の図書館で利用者登録までしたのもそのためで、エミール・ゾラの『ナナ』という小説も借りた。

《貧しい労働者家庭に育った娘ナナはその肉体の魅力で女優から高級娼婦となり、上流階級の紳士たちの心を奪っていく。男たちはナナに溺れ、財産や地位を抛《なげう》って次々と破《は》綻《たん》していった。しかし放恣《ほうし》を極めるナナの人生の先に待っていたのは、懶惰《らんだ》の果ての悲

惨な死でしかなかった……。》

というやけに丁寧なあらすじを先に読んでしまったせいで、まるで千春まで非業の死をとげてしまうように思え、実際にはなかなか読み出せずにいる。

「なぁ、加藤、この本なんだけど、やっぱ、お前が先に読んでくれないか」

真っ二つに切ったスイカをスプーンでシャクシャクと掬《すく》って食べる加藤に、世之介は『ナナ』を投げ出した。

「俺、このスイカ食ったら出かけるからな」

加藤があっさりと話を変える。

「どこ行くの？　もう十一時過ぎてるぞ」

「どこって……、ちょっと散歩」

「あ、散歩なら俺もついてく。暇だし」

「いいよ、来なくて。ここで高級娼婦の小説でも読んでりゃいいだろ」

「だから読めないんだって、怖くて」

加藤に勧められたわけではなかったが世之介も台所から自分のスプーンを持ってくる。

「俺さ、あの人、本来はそういう女じゃないと思うんだよ。もしかすると背後にヤクザなんかがいて、無理矢理やらされてるんじゃないかな」

シャクシャクとスイカを食べ始めた世之介を無視して加藤が部屋を出て行こうとする。

「ちょっと待てって、俺も行くって」

「だから、来るなって」

世之介はスイカとスプーンを持ったまま加藤のあとを追う。

「それ、持ってくのかよ？」

「まだ食い終わってないし、散歩だろ？」

意見するのも面倒だと思ったのか、加藤が何も言わずに玄関を出ていく。

夜道を歩き出した加藤のあとを世之介がスイカを食べながらついていく。加藤の背中に、「千春さんってさ……」と話しかけてみるが、返事はない。三分ほど歩くと加藤がとつぜん立ち止まり、「俺さ、女の子に興味ないって前に言ったよな？」と訊いてくる。

「ああ、聞いた聞いた」

「そしたら、お前が、『そんな同級生初めて会った』って。『じゃあ、何に興味あるんだよ』って訊いただろ？」

「はぁ、そんなこともありましたねえ」

「俺さ、男のほうがいいんだよ」

あっさりした口調だったが珍しく加藤が緊張している。

「あ、そうなの？」

「あ、そうなのって……、そんだけ？」

逆に加藤のほうが驚いている。

「あっ……。もしかして、俺が寝てる間に悪戯《いたずら》とかした？」

「しないよ。俺、お前のこと、まったくタイプじゃないし」

「……って、それもヒドくねぇか」

「……とにかくさ、そういうことなんだよ。だから、今後もし付き合いにくいんだったら、それはそれでいいから」

加藤がまた歩き出す。

「あっ……。それって、もしかして遠回しにもう泊まりに来るなって言ってる？」と世之介は慌てた。

「じゃなくて……。っていうか、少しは動揺とかしないわけ？」

「してるよ。クーラーなくなりそうなのに」

「そんだけ？」

「うん」

「とにかくそういうことだから」

「分かったって。……とにかくお前んちには泊まってもいいんだよな？」

世之介の言葉に心底呆れたように加藤が振り返る。

二人の前には鬱蒼と樹々が茂った公園がある。園内のライトが幻想的に樹々の葉を照らしている。

「あのさ……」

呑気《のんき》にスイカを掬う世之介の前に加藤が立ち塞がる。

「……まぁ、いいや。……とにかく俺はそういう人間でそういう人間が夜な夜な一夜の刺激を求めて集まってくるこの公園に、今、俺は来てるわけ」

微妙に苛々《いらいら》してきたらしい加藤の背後に真っ暗な公園がある。

「え、ここ、そうなの？」

さすがに世之介も面食らう。

「そうだよ」

「じゃあ、俺が一緒じゃ、まずいじゃん」

「だから、まずいよ」

苛々を超えて加藤はほとんど怒っている。

「……じゃあ、俺はそこのベンチに座って待ってるよ」

てっきり帰ると思っていたらしい加藤の傍らを世之介がスイカを掬いながら園内へ歩いていく。呆気にとられて加藤は声も出ないらしい。

「待ってるって……」

「邪魔しないから。ほら、早く行っといで」

園内に入った世之介は一番近いベンチに腰かけた。やはり座ったほうがスイカは食べやすいらしい。

このように加藤のアパートでうだうだと過ごしているうちに、世之介の夏休みも半分が過ぎている。帰省するという予定でもなかったら鈴虫が鳴き始める頃まで、世之介はクーラーの効いた加藤の部屋にこもっていたに違いない。

ということで、世之介、初めての帰省の日である。

眠そうな顔で世之介が地元空港のビルを出てくる。肩には大きなバッグをかけている。ちなみに中には大理石でできた時計が入っている。四ケ月前に東京へ持って行った物を再び持ち帰ってきたのである。

空港ビルを出て市内へ向かうリムジンバスに乗り込む間際、世之介はふと空を見上げた。今日も暑くなりそうだなと何気なく首を動かしただけらしいが、目に飛び込んできた真っ青な空と雄大な夏雲にとつぜん目頭を熱くしている。懐かしい夏空だったのである。しかし不粋な世之介は日射病かと不安になっている。サンバカーニバルの出発前に気絶したせいもある。

市内までリムジンバスで向かう。市内で路線バスに乗り換える。世之介の実家は市内から車で一時間ほどかかる。地元でも「田舎」と呼ばれる土地である。一時間ほどバスに揺られて、世之介は地元の地元に着いた。バスの中では熟睡していた。寝ぼけた目を擦りながらバスを降り、とぼとぼと世之介が実家への道を歩く。次の瞬間、世之介はとつぜん自分の足元を確かめた。他人の靴を間違えて履いているような気がしたらしい。

世之介は辺りを見回した。見慣れた故郷の風景なのにどこか違和感がある。つい四ケ月前まで毎日歩いていた道である。自分の道と呼んでもいい。

あれ、こんなに狭かったか？

四ケ月前と同じ高さのはずなのに道を囲んだ石塀が低い。世之介はまた自分の靴を確かめている。いつも履いている汚れたスニーカーである。しかし道も石塀も子供の頃に落ちた溝も、そして駄菓子屋の間口も何もかもが小さく見える。

ちなみに世之介の身長は高校二年の夏で止まっている。東京での四ケ月で急に伸びるわけもない。

世之介はほとんどふらふらしながら実家へ向かった。豆腐屋の前で日向ぼっこしていた葛井のおばちゃんが、「あら、世之介が東京から帰ってきた」と声をかけてくる。

「あ、おばちゃん、こんにちは」

その声に店から顔を出した豆腐屋のおじさんが、「世之介、お前、ちょっと垢抜《あかぬ》けたな」とからかう。

「あ、おじさん、こんちは」

急な坂道の上に長年暮らした世之介の実家が見える。道や石塀や落ちた溝より、もっと小さくなったように見える。

そうか。俺、今東京で暮らしてるんだ……。

ふとそんな言葉が世之介の口からこぼれる。世之介は空を見上げた。夏空である。この夏空がこんなに青かったことにも、ここの蝉がこんなに騒がしかったことにも、世之介はその時初めて気がついた。

飛行機の中ではスチュワーデスの動きばかりに目を奪われていたくせに、懐かしい実家を前にしてとつぜん襲ってきた郷愁を単純な世之介は自制できない。ほとんど涙をこぼさんばかりに玄関を開け、「ただいま！」と奥へ声をかけた。

玄関に入った途端、懐かしい匂いがする。すり減った上がり框《かまち》も、下駄箱に置かれた脱臭剤も、四ケ月前にここから出て行った時と変わらない。

四ケ月前、荷物は重かったが新しい何かが始まる予感をヒシヒシと感じながら世之介はここから出て行ったのだ。

いよいよ世之介が感極まった頃、「おかえり」と奥から母親の声がした。下駄箱の脱臭剤から視線を転じればエプロン姿の母が立っている。世之介としては心の中で、「お母さん、僕を立派に育ててくれてありがとう」ぐらいのことは言いたい気分である。しかし感極まる息子を一目見た母親が、「遅かったねぇ、どこ寄り道してたのよ。祥子さん、もう来てるわよ」と叱りつける。

「どこも寄り道なんて……」

そこで言葉が途切れた。

「……え？　今、祥子さんって言った？」

頓狂な声を上げる世之介の前に母親の背後からひょっこりと祥子が顔を出す。

「しょ、祥子ちゃん……」

「おかえりなさい」

「な、なんで？……く、来るの明日じゃなかった？」

「ええ……。話すとちょっと長くなるんですけど、スカイメイトってあるじゃないですか？」

相変わらずマイペースな祥子が口を開く。俺もそれで帰ってきたし」

「飛行機の学割でしょ。知ってるよ。

「でしょ。私、それを知らなくて……。学校のお友達に教わったんですけど、そしたら急に腹が立ってきましてね。私だって学生なわけですからスカイメイトになれるはずじゃありませんか。それを普通料金で買わされたなんてちょっとヒドいと思いません？私、そういうあこぎなご商売をなさる方は許せないんですの。それですぐに出入りの業者に変更をお願いしたんですけど、明日の便は席を取るのが難しいらしくて、急遽《きゅうきょ》、今日になったんですの」

祥子の憤慨を前に郷愁も感慨も世之介には今や遠いものである。疲れ果てたような世之介からバッグを受け取った母親が、「経済観念のしっかりした立派なお嬢さんじゃない」と感心している。世之介は、「違う！」と心で叫ぶが、その気持ちは母親には伝わらない。

「それなら電話くれればよかったのに」

今さら何を言っても無駄なのだが世之介も往生際が悪い。

「そうなんですけど、キャンセル待ちで今朝から並んでたものですから」

「キャンセル待ちまでして、スカイメイトにしたの？」

「あら、節約は大切なことじゃないの」

母親がもっともらしく横から口を挟んでくる。

なんだかんだと言い合いながらも、四ケ月ぶりの居間である。なぜか祥子が冷たい麦茶を運んでくる。この辺りで世之介にも大方の事情が分かってくる。

今朝、祥子は運良くキャンセル待ちで早朝の飛行機に乗れたらしい。すぐに旅行会社に電話してホテルの予約も入れたという。飛行機代が割引でもホテル代が一泊分増えるのだから、ここで矛盾に気づけばいいのだが、祥子は嬉々としてスカイメイトの割引率の高さを強調する。

空港からホテルのバスに乗った祥子がチェックインしたのが午前十時頃、プールやカフェや土産物屋を一通り見て回ったらしいがすぐに退屈したという。そこで先に着いたことを連絡しておこうと世之介の実家に電話をかけてきた。

出たのは母親で、もちろん最初は祥子の話（世之介が東京からガールフレンドを連れてきた！）に驚きはしたのだが、息子のガールフレンドがわざわざ東京から来ているのであればホテルで一人寂しくさせているのは可哀想である。

「すぐにうちにいらっしゃいな」

丁寧な自宅周辺の地図までホテルにFAXしたらしい。

まだ会って数時間のはずが、なんだか妙に祥子と世之介の母親は打ち解け合っている。どちらかと言えば世之介がお客さんに近い。

「親父は何時頃帰るの？」

そのせいか世之介の口調も不機嫌である。

「七時には戻るでしょ。……あ、祥子さん、お砂糖はそっちじゃなくてオレンジ色の引き戸の中だから」

「はーい！　あ、ありました。それにしてもこの流し台の窓からの景色いいですねぇ」

「高台にあるから海まで見えるでしょ」

祥子と母親は機嫌がいい。

「東京でどんな暮らししてるんだ、とか訊かないわけ？」

思わず尋ねた世之介に、「あんた、加藤くんってお友達の家に入り浸ってんだって？　それにサンバクラブなんかに入って、肝心な発表会の日に倒れたそうじゃない」と母親が応える。

東京での一人息子の暮らしぶりはすでに祥子から聞いてしまったらしい。

四ケ月ぶりに帰省した感動も消え、世之介たちは父の帰りを待っている。一応、久しぶりなので、今夜食卓には世之介の好物ハンバーグが並ぶ予定である。しかし台所に立つ祥子と母がますます意気投合したようで世之介としては我が家ながら居心地が悪くて仕方ない。

ただ、発見もあった。運転手付きの車で移動して、クルーザーでのパーティーを海水浴だと勘違いしている祥子だが、料理が上手い。ハンバーグはもちろん、父用の煮付け作りなんかも母の指示を受けながら手際良くこなしている。

台所に立つ二人を眺めていても腹が減るばかりである。世之介は所在なく二階の自室へ上がった。

四ケ月前と何も変わっていない。ここで寝たら、明朝、寝ぼけて高校へ登校してしまいそうなほどである。ベッドに寝転んでいるうちに、世之介はうとうとしてしまった。どれくらい眠っていたのか、「おう、帰ったか」という父親の声で起こされた。

「ああ、ただいま」

目を擦りながら声を返すと、「メシ、できたってよ」と四ケ月前とまったく変わらぬことを父親が言う。

「ああ、すぐ下りてく」

こちらも四ケ月前とさほど変わらない。

ドアを閉めようとした父親がふと立ち止まり、「……お前、まさか、あの子にヘンなことしたんじゃないだろうな」と振り返る。眉間に深い皺が寄っている。

「ヘンなことって？」と世之介は大あくびした。

「だから……、妊娠させたとか」

「へ？」

本気で訊いているらしい。

「冗談じゃないよ。ただの友達だって」

「ほんとだな？」

「ほんとだよ」

世之介が口を尖らせる。実際、やましいところはまったくない。

安心したらしい父親はドアを閉めると、「お母さん！　世之介、太ってないって」とおそらく夫婦間の暗号らしい報告をしながら階段を下りていった。

開けっ放しの窓から夜風が吹き込んでいる。その夜風が扇風機の羽根にからみついている。世之介が部屋を出ると、階段の下から祥子が顔を出していた。

「世之介さん、ごはんですわよ」

「うん」

「あのね、お食事のあと、お父様たち行きつけのカラオケスナックに連れてって下さるんですって」

「スナックって、そこの『さち』？」

「お父様ね、世之介さんが大学生になったら一緒にお酒を飲みに行くのが夢だったんですって」

「親父が言ったの？」

「いいえ、お母様がこっそり教えて下さったの。……私、そういう感動的な場面にご一緒させて頂けて幸せですわ」

あくまでマイペースな祥子である。世之介はそんな祥子の肩を押すように食卓へ向かった。食卓では、「世之介、東京の女の子っていうのは言葉遣いがきれいだなぁ」「ほんとねぇ」と妊娠疑惑の晴れた世之介の両親が機嫌良くビールを飲んでいる。

●

冷蔵庫にワインは冷えていなかった。ワインのあった場所に冷製ポタージュスープのパックが置いてある。自分で買った覚えはないから相方が買ってきたのだろうが、ここ数日で何度も開けているはずなのになぜかまったく気づかなかった。

幸い、段ボールにまとめ買いしているサンセールが一本残っていたので冷製ポタージュスープのパックを奥に押し込んでポケットに入れた。すでに七時を回っている。相方が来るまでには冷えないだろう。マンションの一階にあるコンビニで氷でも買ってきておいたほうがいいかもしれない。

三年ほど前に購入したこのマンションのベランダからは新宿の夜景が一望できる。抽選で最上階を購入できたのも運が良かった。早朝のジョギングで顔を合わせるようになった深川さん夫妻は一階下の住人なのだが、彼らの話では一階違うだけで通り向かいのマンションの排気塔が邪魔になり、ちょうど新宿の高層ビル群が見えないらしい。

マンションを購入したのは、地価も底を打ち、金利も低い時期だった。新宿から地下鉄で二駅目にある六十平米の２ＬＤＫが五千万円台で買えたのだからいい時期に買えたのだと思う。

大学を卒業後に就職した中堅の広告代理店で八年働いた。時計、車、香水など主にラグジュアリー系の商品を担当し、その人脈から当時新創刊された雑誌の広告担当として引き抜かれた。そこで四年働いて独立し、現在は小さな広告代理店をやっている。

マンションを購入したのは会社が軌道に乗ったこともあるし、大学四年の頃から付き合っている相方が急に体調を崩して長い入院生活を経験したせいもある。心臓に異常が見つかったのだ。

若い頃からお調子者というか滅多に弱音など吐かない奴だったが、病室のベッドで声を殺して泣かれた時には、思わず「何があっても、俺が面倒見るから」と言っていた。

もしかするとあれが自分にとってのプロポーズだったのかもしれないと今になって思う。幸い、術後の経過は良好で三ケ月ほどで退院したあとは、お互いにこの時の話は敬遠しているが、毎週末ここのベランダで馬鹿話をしながらワインを飲んでいる時など、ふとした瞬間にこの時の会話をお互いに忘れてはいないのだと感じることがある。

相方が自分の部屋で動けなくなったと連絡を受けた時、「すぐ救急車を呼べ」と言った。そのあと自分でも１１９番に連絡を入れ、搬送された病院へ駆けつけた。しかし悶《もだ》え苦しむ相方に面会することは許されなかった。

興奮していたせいもあり、十五年近くも付き合っているのだと正直に医者に伝えた。それでも医者は気持ち悪そうな顔をするだけで、家族でもなく、妻や婚約者にも見えない者には面会する権利がないの一点張りだった。

すでに病院のほうで相方の家族にも連絡を取っていた。二時間後、血相を変えて駆けつけてきた相方の母親に多少状態が安定した頃、「こういうことがあるから早く結婚しろっていつも言ってるのよ」と愚痴をこぼされた時には、「あいつ、モテますからね」というなんとも間の抜けた返答しかできなかった。

病状や状況も知らされず、ひとり病院の廊下で頭を抱え込んでいた時のことを未だにふと思い出すことがある。ときどき看護師たちが廊下を通ったのでどうにか正気は保っていたが、もしも誰も見ていなければ、あの場で床に蹲《うずくま》り、ガタガタと震え出していたかもしれない。

ワインを冷やす氷を買いに一階のコンビニへ下り、しばらく雑誌コーナーで立ち読みしていると、ふと昼間の出来事が蘇った。途端に雑誌に集中できなくなる。

今日の午後、青山のカフェで打ち合わせをした。相手は長年付き合いのある飲料水会社の広報の女性で来月開かれる新商品発表パーティーの打ち合わせをしつつ、最近彼女がはまっているというベトナムの話なんかを聞いていた。

窓際に座っていたので通りを行き交う人たちの姿が見えた。ベトナムで知り合ったという彼女お気に入りの画家の話を聞いていた時だと思う。なんとなく視線を向けた表の通りを見覚えのある若い男がすっと通り過ぎたように見えたのだ。

「あっ」と思わず声を上げたのはいいがそれが誰なのか思い出せない。名前を思い出せないというよりも、いつどこで会った奴なのかも分からなかった。

「何?」

話を途中で遮られ、彼女もすぐに表通りへ目を向ける。

「知ってる奴が通ったような気がして……」

表通りに目を向けたまま答えた。もちろん若い男はすでに視界から消えている。

「仕事関係の人?」

「じゃなくて、もっと若い奴」

「またぁ、タイプの子が通っただけじゃないの?」

彼女はしばらく表通りを眺めていたが近寄ってきたウェイターに紅茶用のお湯を頼む。

「……タイプの子で思い出したけど、最近おたくのご夫婦、うまくいってんの?」

「うち? 相変わらずだよ」

「この前、奥さんが浮気したって怒ってたじゃない」

「ああ。あんなのもうとっくに……。というか、この年になってまだモテると思ってるところが奴の哀しいところでさ」

「何言ってんのよ、お互い男盛りじゃない」

「この場合、女年齢で考えてもらったほうが」

「あ、そうか。……あ、でも待って、私だってアンタたちと同じだけど、私はまだまだ」

「って、奴も言うわけ」

「なるほどね。私も自分で言うのはいいけど同じ年の女が同じこと言ってたら、ちょっと哀しく感じるかも」

「でしょ？」

その後会話はベトナムの話に戻り、今度休みを合わせて一緒に行こうと約束した。カフェを出る時にはふと見かけた見覚えのある若い男のことなど頭の中から消えていた。

コンビニで氷を買って部屋へ戻ると総菜をベランダのテーブルに運んでいる相方の姿があった。「早かったな」と声をかけると、「また伊勢丹の総菜かよ」と文句を言いながらも皿に移してある鴨を一切れ口に放り込む。

「大阪出張だったんだろ？」

台所でワインクーラーに氷を入れながら尋ねた。

「あ、そうそう。やっぱり今回の現場からお前んちの実家だったスーパー近かったよ」

と相方が言う。

「実家って言っても、もう売り払ってるからな。別の店になってたろ」

「スーパーはスーパーだよ。近所の人に訊いたら改装されてシャレた横文字の名前がついてるけど、未だにみんな『丸萬《まるまん》』って呼んでるってよ」

大手建設会社に勤務している相方は大きな案件があると日本全国を飛び回る。最近では日本だけでなくアジア諸国へ出向く機会も多い。仕事柄、相方が頻繁に出張した先は必ず再開発され、数年後には新しいスポットとして世間の注目を浴びる。ここ数年まったく帰省していないが、相方が頻繁に出張しているところを見ると、生まれ育ったあの地区もかなり様変わりしているはずだ。

ワインクーラーを抱えてベランダへ出るといつの間にか寝室で着替えてきたらしい相方がジャージ姿で椅子に腰かけていた。

食事をするには多少薄暗いが夜風を浴びながらここでのんびりする時間が、今なによりも幸福に感じられる。

「まだ冷えてないぞ」

早速ワインを開けようとする相方に声をかけた。煙草をくわえた顰め面で、「いいよ。喉渇いてんだよ」とオープナーをコルクに差し込む。

箸を忘れたことに気づいて立ち上がった瞬間だった。何がどう作用したのか分からないが、今日の午後青山のカフェで見かけた若い男が誰に似ていたのか思い出した。

「あ……」

思わず動きを止めたからか、コルクを抜いていた相方が腕に力を込めたまま、「え？

何？」と素っ頓狂な声を出す。

「いや、別に……」

とりあえず声は返したが蘇った記憶は、あっという間に鮮明になる。あの時ぼんやりと眺めていた表通りを通った若者は、大学一年の頃に仲が良かった世之介に似ていたのだ。ただ、あれから二十年も経った今、世之介が当時の姿のままで通りを歩いているわけがない。

「おい、どうしたんだよ」

相方がコルクを開けながら首を傾げている。

「いや、実は今日さ、青山のカフェで丸野さんとお茶してたんだけど、表の通りを若い男が通ったんだよ。それが……」

話しているうちになぜか笑いが込み上げてくる。

「何笑ってんだよ、気味悪いなぁ」

「いや、大学一年の頃だけど仲の良かった友達がいてさ」

「男？」

「そう。同じ大学で、たしか……、あ、そうだ、あいつ、人違いして俺に話しかけてきたんだよ」

人のベッドで寝ていたくせにさも床で寝ていたようなふりをする世之介の姿や、夜の公園のベンチでスイカを食べている姿が思い出される。

「……世之介って名前だったんだけどさ、考えてみれば、俺、あいつと一緒に車の免許も取ったんだよ」

「一人でニヤニヤすんのやめてくんないかな。気味悪いって」

「ごめん……」

相方に注いでもらったワインを飲み始めても笑いが込み上げる。

「……その世之介って奴なんだけどさ、当時、年上の女に一目惚れしてて、それが高級娼婦っていうか、ほら、当時、バブル真っ盛りだったろ？　とにかくそんな女に世之介が惚れちゃってさ。寝言で値切ったりするんだよ。あ、そうそう。同じ時期、すげぇ金持ちの女の子から逆に惚れられて……、あいつ、浮き輪持ってその子の兄さんが所有してるクルーザー乗ったんだって」

相方がつまらなそうにしているのは分かっているのだが、溢れ出してくる言葉が止まらない。

「お前がそんなに楽しそうに大学の頃の話するの、初めてだな」

「そうかな？」

「そうだよ。俺らが知り合ったのが大学四年の終わり頃だっただろ？　その頃からお前いつも言ってなかった？　『うちの大学つまんねぇ、面白い奴なんて一人もいねぇって』」

「そうだっけ？」

「ああ、言ってたよ」

「そうか……。じゃあ、当時は分かんなかったんだな」

「何が？」

世之介と出会った人生と出会わなかった人生で何かが変わるだろうかと、ふと思う。たぶん何も変わりはない。ただ青春時代に世之介と出会わなかった人がこの世の中には大勢いるのかと思うと、なぜか自分がとても得をしたような気持ちになってくる。

「なぁ、早く箸とってきてくれよ。腹減った」

相方の声に頷いてまた思い出し笑いをしながら台所へ向かった。ベランダで男二人が囲む小さなテーブルからは、すぐそこに新宿の夜景が広がっている。

●

「ちょっと、あんた、ほんとに大丈夫なの？」

窓からぬっと顔を車内に突っ込んだ母親が世之介の一挙手一投足に口を出している。世之介は世之介で、「大丈夫だって！」と答えはするのだが、教習所で使っていたのと車種が違うため、キーを差すのにも戸惑っている。

「祥子ちゃんを乗せてるんだから、ほんとに気をつけなさいよ」

サイドミラーの調整ボタンかと思い、世之介が押したところが窓の開閉ボタンで危うく母親の首が挟まりそうになる。

助手席では祥子が……、と言いたいところだが、祥子はなぜか後部座席である。

「私、助手席だと酔いやすくて、それにこっちのほうが運転手の方とお話ししやすいんですの」

まだ恋人同士ではないが、世之介初のドライブに後部座席に座ることはない。

「あの、先にエアコンだけでもつけて頂けません？」

昨夜、世之介は帰省したことを高校の同級生に電話で知らせた。地元の大学に進学している栗原という男である。夏休みで退屈するのは東京でも地元でも同じらしく、「世之介、戻ってきてんの？　だったら明日一緒に海行こうぜ。ジローと小池にも連絡入れとくから」ということになったのだ。

四ヶ月前まで四人で買ったエロ本を回し読みしていた仲なのに、なんと三人が三人とも大学生になって彼女ができたらしい。それぞれがそれぞれの車で恋人を連れてくるという。

「お前は？　東京で彼女できた？」

栗原の質問に世之介は、「いや」と答えそうになったが、台所では祥子が母親と食後のスイカを食べている。

「彼女っていうか、東京から友達来てる」

「男？」

「いや、女」

「え？　そうなの？……じゃあ、もう言ってもいいのかなぁ」

栗原がなんだか回りくどい言い方をする。

「何だよ、言えよ」と世之介はせっついた。

「うん……、じゃあ、言うけどさ、今、ジローが付き合ってんの、大崎さくらなんだよ」

「え⁉」

「バイト先が一緒だったらしくて。ほら、お前も行ったことあるだろ、ザッツっていうピザ屋」

あるよ。ありますよ。あるどころか、大崎さくらと一緒に行ったことがある。


「すぐそこに海があるのに、どうしてわざわざ車で行くんですの？」

ミリ単位でルームミラーを調整し続ける世之介に焦《じ》れて後部座席から祥子が声をかけてきた。

「そこの海なんて岩ばっかりで泳げないよ」

「世之介さんのお友達と、その彼女の方たちもご一緒なんでしょ？」

「そう。一緒。俺たちも入れて総勢八人。それより出発するよ。いい？」

「ええ。十五分前から待ってますわ」

世之介がいよいよサイドブレーキを下げ、ブレーキペダルから足を離す。待ちくたびれた母親はすでに車庫から姿を消している。ゆっくりと進み出した車が薄暗い車庫を出て、急な坂道を下りていく。教習所の車よりブレーキが利き過ぎるのか、軽く踏んだだけでガクンガクンと二人の体が前後に揺れる。

「なんだか緊張しますわ」

「あ、ごめん」

「世之介さんの同級生の方々って、みなさん面白い方々なんでしょ？」

「あ、そっち」

「え？　他にどっちがありますの？」

世之介は祥子を無視して運転に集中することにする。急な坂道を下りた車は集落の狭い路地を進んでいく。教習所でもLクランクは得意であった。集落を抜け、県道に入る。出発までは手間取ったが、走り出してしまえば全てがスムーズに流れていく。

「世之介さんのお友達も、みなさん車でいらっしゃるんでしょ？」

「みんな自分の車だって。ほら、東京と違ってみんな自宅に駐車場あるからさ、すぐに買っちゃうみたいだよ」

海沿いの県道を走りながら、ああ、これがドライブなんだと世之介は思う。生まれて初めて車を運転している自分は誇らしいが、できれば同行者には助手席に乗っていてほしい。

「祥子ちゃん、暑くない？」

「ええ。快適です」

「音楽かける？」

「あ、ここにお父様がスナックで歌ってらした石川さゆりの全曲集がありますけど」

「やめてよ。人生初のドライブなのに」

「じゃ、渥美二郎にします？」

スピードを上げた車が県道を滑るように走っていく。世之介は人生初の追い越しを試みた。追い越したのは通学で使っていた路線バスである。

初ドライブ。思いのほか快調である。

待ち合わせした亜熱帯植物園前の広い通りにはすでに三台の車が並んでいた。強い日差しの中、栗原たちがガードレールに腰かけて話し込んでいる。世之介が一番後ろに車をつけると、すぐにみんなが寄ってきた。

「遅《お》せぇよ」

真っ先にやってきた栗原が、そう言いながら後部座席の祥子に目を向ける。

「こんにちは、俺、栗原です」

「ごきげんよう。私、与謝野祥子と申します。本日はお招き……」

「まぁ、いいからいいから」

世之介は慌てて外へ出た。煙草をくわえた小池が、「久しぶり」と声をかけてくる。世之介は、「おう」と応えながら目でジローとさくらを探した。栗原と小池の彼女らしき女の子がガードレールに腰かけたまま、世之介に会釈する。

「ジローは？」と世之介は栗原に訊いた。

「一番前の車」と栗原が顎をしゃくる。

世之介は熱いアスファルトの上をゆっくりと白いカローラに近づいた。一瞬、迷い、助手席ではなく運転席のほうへ回るとジローとさくらがルームミラーで近づいてくる世之介を見ていたのが分かる。

世之介は運転席のドアを叩いた。すぐに窓が開き、「おう」とジローが顔を出す。助手席にはさくらがいる。白いポロシャツに日が当たり、少し日に灼けたさくらの顔がきらきらしている。

「久しぶり」

世之介はさくらではなくジローに言った。しかし、「おかえり」と応えたのはさくらである。

「うん……。あ、えっと、お二人のこと、栗原から聞いてるから。あのピザ屋でバイトしてんだって？　じゃ、あの水みたいな珈琲淹《い》れてんだ？　ははは」

世之介の冗談にやっとジローの表情が緩む。

「東京で小沢とかと会ってる？」とジローが話題を変える。

「小沢の奴、派手なスーツ着てマスコミ研究会とかやってるよ」

「あいつ、テレビのアナウンサーになりたいって言ってたもんな」

「え？　そうなの？」

背後から笑い声が聞こえ世之介は振り返った。見れば、栗原と小池の彼女が祥子となにやら話をしている。


それぞれの彼女を助手席に乗せた車が三台と、なぜか後部座席に祥子を乗せた世之介の車が、半島の突端にある海水浴場に到着したのは十一時を回った頃である。高校時代からよく使っていた「小浜屋」という海の家の、砂浜が一望できる桟敷に陣取り、女の子たちが更衣室に向かうと、「なぁ、お前、祥子ちゃんと喧嘩でもしてんの？」と栗原が世之介に訊いてくる。

「なんで？」

バスタオルを巻いて海パンに着替える世之介は首を傾げた。

「だって助手席に乗ってないし」

「助手席だと酔いやすいんだって」

世之介が分かりやすいほうの理由を告げると、栗原は「ああ」と納得した。

栗原と小池の彼女が社交的な人たちで新参者の祥子も楽しそうである。「カップル同士でドライブなんて、私、初めての経験ですわ」などと後部座席で喜んでいた。

海パンに着替えた世之介たちは海の家の足洗い場で女の子たちを待った。女の子たちが着替えた順に階段を下りてくる。普段フリルのついたダボッとした服を着ていることが多いので分からなかったが、祥子の胸がわりと大きいことに世之介は今さら驚いた。ちなみにワンピースの水着にもちゃんとフリルはついている。

栗原と小池の彼女は高校からの友人らしい。二人は色違いのセパレーツの水着で最後に下りてきたさくらだけが白いビキニ姿である。

世之介はわざとさくらを見ないように、「砂浜が熱いから海までダッシュな」と子供じみたこと言い、祥子の手を取って日を浴びた砂浜を駆け出した。「熱い、熱い」と悲鳴を上げながらも祥子は懸命についてくる。世之介が波に飛び込むと、よせばいいのに真似をして、早速高い波に呑まれて溺れそうになる。慌てて世之介が引き上げたのだが、そんな二人を波打ち際でみんなが笑って見ている。

みんながビーチボールで遊び出すと、世之介は一人沖に浮かぶブイまで泳ぎ出した。中間地点まで泳いで海面に体を浮かべてみる。瞼の上に太陽を感じる。灼ける胸を濡らす海水が心地いい。立ち泳ぎしながら砂浜のほうへ世之介が目を向ければ、ゆらゆらと揺れる水面の向こうにビーチボールを追うみんなの姿が見え、白いビキニのさくらがこちらに手を振っている。

はて？

祥子はどこかと探してみれば誰よりも必死にビーチボールを追っていた。世之介はさくらに手を振り返した。濡れた肩に沖からの風が当たる。

海の家でかなり遅い昼食をみんなでとった。クルーザーでのキャビアも美味しかったが、世之介には泳いだあとの素うどんとおにぎりのほうがいい。

さっきまで真上にあった太陽は背後の山に隠れ始め、砂浜を駆け回る子供たちの背中を哀しげなオレンジ色に染めている。

食事を終えると少し肌寒くなる。それぞれがバスタオルやシャツを羽織って砂浜に戻る。遠くの岩場までみんなでゆっくりと歩き出せば、自然とそれぞれの間隔が広がっていく。世之介はみんなからかなり離れてさくらと歩いた。さくらの濡れた太腿《ふともも》にはTシャツの裾が張りついている。

「祥子さんって、明るいよね。付き合ってもう長いの？」

「付き合ってるっていうか……」

言葉を詰まらせた世之介に、「祥子さんが世之介のこと好きなんでしょ？」とさくらが口を挟んでくる。

「ほら、彼女、ちょっと変わってるから」と世之介は答えた。

「何それ。私だって世之介と付き合ってたんですけど」

世之介の顔を覗き込んできたさくらの胸元に思わず目がいく。

「そっちこそ、ジローなんだ？」と世之介は話を逸らした。

なぜかさくらの表情からすっと笑みが消える。

「ジローから告白されたの？」

「いいじゃない。私たちの話は」

さくらが波打ち際の海藻を飛び越える。

「うまくいってるんでしょ？」と世之介は訊いた。

「もちろん」

さくらは微笑んだが、世之介の知っている笑顔ではない。

「それより祥子さんってほんとに世之介のこと好きなんだろうね」

「そう？」

「だって世之介の同級生に好かれようと一生懸命じゃない」

思わぬさくらの言葉に世之介は前を歩く祥子に目を向ける。

「いつもあんな感じだよ。マイペース」

「世之介って相変わらず鈍感ねぇ。普通、年頃の女の子は紫外線の強い海で、祥子さんみたいに男の子たちと一緒になってあんなに遊ばないって」

改めて眺めてみれば女の子たちの中でなぜか祥子の肩だけが誰よりも赤く日に灼けていた。

「なんか、世之介と祥子さん、すごく似合ってる」

さくらが呟く。前を歩く祥子たちがつけた足跡が波に消される。

「似合ってる？」

「だって、世之介、私と付き合ってる頃より、よく笑ってるもん」

「あ、それは誤解。彼女といると笑うしかないって状況が多いだけだって」

「ほら、今だって、そんなに楽しそうに祥子さんの話するじゃない」

「そうかな？」

世之介たちの視線に気づいたのか、祥子がとつぜん振り返り、「世之介さん、あっちの海の家にさざえの壺焼きあるんですってよ！」と大声で叫んでくる。

「え！　まだ食うの⁉」

呆れて叫び返した世之介の声が波音だけが高くなった夕方の砂浜に響く。


すっかり恒例となってしまった世之介家族＋祥子の四人での夕食である。もちろん祥子はホテルに滞在しているのだが、朝ごはんから晩ごはん、ちなみに風呂も世之介のうちで済ませて毎晩ホテルへ戻る。

「祥子ちゃん送る前に、この水羊羹《みずようかん》、初野のおばさんちに届けてよ」

沢庵《たくあん》でお茶漬けをかき込む母親に、「方向、逆だよー。面倒だって」と食後のトコロテンを啜りながら世之介が応えている。

帰省当日と二日目までは食卓にも祝いの雰囲気があったのだが、こう何日も続くと世之介はもちろん、客である祥子でさえあまり客扱いしてもらえていない。

「あんたが今食べてるトコロテン、初野のおばさんが持ってきてくれたんだからね」

「えー、じゃあ食わなきゃよかった」

「なんなのよ、その言い方、憎たらしい」

世之介と母親の口論など慣れたもので父親は居間へ移って野球を見ている。父親と違って慣れているはずもないのだが、祥子も親子喧嘩などどこ吹く風で沢庵をボリボリ噛みながらお茶漬けを啜っている。

「いいじゃありませんか、世之介さん。散歩がてら行きましょう。私もお付き合いしますわよ」

「あんたじゃなくて、祥子ちゃんがうちの娘だったらよかったんだわ」

「分かったよ。行くよ。行けばいいんだろ……」

母親だけでも面倒なのに祥子まで味方にされると、世之介に勝算があるわけもない。食事を終えた世之介と祥子は仲良く家を出た。風呂上がりの首筋に、夜風がひんやりと心地好い。

「せっかくだし、海のほうにちょっと行ってみる？」

「あら、すてき」

「海っていっても、ビーチじゃなくて岩場だよ」

「あの防波堤のほうでしょ？」

防波堤へ向かう途中に初野のおばさんの家はあった。開けっ放しの玄関で、「おばさん、水羊羹ここに置いとくからね」と世之介が不精をすると、「あんた、ガールフレンド連れてきたんだって？」とおばさんが奥から出てくる。

「東京でモテちゃってさ」

祥子は外で待っているので言いたい放題である。

世之介と祥子たちは急な下り道を海へ向かった。低い防波堤まで時間はかからない。

二人は低い防波堤を乗り越えて岩場に出た。

月明かりで青く輝く岩場の景色を祥子が「きれいだ」と頻《しき》りに褒めるので、世之介はまるで自分が褒められているような気になり、祥子の手を引いて突端まで出ることにした。

「うわぁ、私、夜の海をこんなに間近で見るの初めてですわ」

世之介が見つけてやった平らな岩に腰かけた祥子が遠く微かに見える水平線に目を向ける。月明かりを浴びた祥子の髪が沖からの夜風に流れる。

海水浴場でさくらが言った「世之介の同級生に好かれようと一生懸命じゃない」という言葉を世之介はふと思い出した。

足元の岩で砕ける波を覗き込む祥子の横に、世之介は一度大きく背伸びをしてから腰かけた。小さな岩なので、どうしても尻と尻とがくっつき合い、少しでもバランスを崩すと祥子の尻に押し出されそうになる。世之介はサンダルの鼻緒が指の間に食い込むほど踏ん張った。

「そう言えば、さくらが祥子ちゃんのこと褒めてたよ」

「さくらさんが？」

祥子がこちらを向くので二人の顔が近い。足元の岩の間で波に揺れた海水がチャポンチャポンと間抜けな音を立てている。

「俺の同級生たちに気遣って一緒になって遊んでくれたろ。ほら、バナナボート乗ったり、飛び込み台まで泳いだり」

「あら、気なんて遣ってませんわ。ボートも飛び込み台も私が提案したんですもの」

あっけらかんと応える祥子に多少感傷気味だった世之介も返す言葉がない。

心地よい夜風。目の前には月明かりを浴びた海。雰囲気はいいのだが、この雰囲気に二人の会話がついていかない。

「……だ、だよね。さくらの考え過ぎだよね」

世之介は照れ笑いした。だが、一緒に笑い出すかと思った祥子がとつぜんガクンと項《うな》垂《だ》れる。音が出るほどである。

「ど、どうした⁉」

あまりの分かりやすい反応に慌てた世之介は祥子の顔を覗き込んだ。

「世之介さんって、ちっとも女心が分かってらっしゃらないのね」

「え？」

「私だって女ですから、世之介さんが昔の恋人と仲良くされてたら悲しくなりますわよ」

「別に仲良くなんかしてないよ。……あ、でも、そんな気持ちにさせてたんだったら謝る」

「私、悲しいって意思表示したんですのよ……」

「……ごめん、気づかなかった。……いつ？」

「『あっちの海の家にはさざえの壺焼きがある』って大声で叫んだじゃないですか。あの時はさすがに私も……」

「え？　あれ？　分かんないよ〜。微妙だよ〜……。俺、てっきり祥子ちゃんが本気で食べたがってるんだと思ったし」

「私、貝はアレルギーなんですのよ！」

「あ、ごめんって」

横にいる祥子が世之介にはいつもより小さく見える。

「世之介さん……、私、世之介さんの地元に来てよかったですわ」

「ほんと？　俺も最初はどうなるかと思ったけど、結構楽しいよ」

水平線の上にぽつんと星が光っている。

世之介は微かに震える手を祥子の肩に置いた。徐々に指先に力を込める世之介の腕の中、もう待ち切れないとばかりに、まるで頭突きでもするかの勢いで祥子が頭を世之介の肩にのせる。

「イタッ」

「あら、ごめんなさい」

「だ、大丈夫」

沖を二艘《そう》の船が通っていく。スピードが速いので漁船ではないが並んだライトが美しい。

「俺さ、もうさくらのこと好きじゃないよ」

「ええ。分かってますわ」

「でも、さっき……」

「カマかけたんですわ」

「え、そうなの？」

「なんか、気持ちいいですわね。こうやって二人で海眺めてると」

「祥子ちゃん、キス……、していい？」

返事がない。

世之介は我慢できずに抱きついた。

「祥子ちゃん……」

祥子を抱いた腕に力を込めるが祥子が抱き返してくることはない。

「あの……、こんな時になんなんですけど」

代わりに妙にさめた祥子の声が聞こえてくる。

「何？」

「……そこに、今、船が着きましたわ」

「船？」

「ええ。そこに……。ほら、みなさんが下りてらっしゃる……」

近くに漁港はあるがこんな時間に漁へ出ている船などない。あったとしてもこんな岩場に接岸するはずもない。世之介は祥子がまた妙なことを言い出したと思いながら振り返った。月明かりが岩場を青く照らしている。きょとんとした祥子の視線の先へ世之介は目を向けた。

「え？　ええ⁉」

祥子がまた意味不明なことを言い出したわけではなかった。

「え？　あれ……、何だ？」

少し離れた岩場に奇妙な形をした小型船が停泊していた。月明かりを浴びた船は今にも沈みそうなほど古く、汚い。船の上に無理やりベニヤで作った小屋を建てたとでも言えばいいのか、とにかく見たこともない形で、その一部が開かれ、確かに祥子が言う通り、船から人がぞろぞろと岩場に降りてくる。

「あの方たち、何ですの？」

小型船から岩場に飛び移ってくる男たちを眺めながら祥子がまったく状況にそぐわない呑気な声で訊く。

「し、知らないよ」

あまりにもとつぜんのことで世之介もどう対処していいのか分からない。その間にも下船した人たちが岩を摑み、足場の悪い岩場をこちらへ向かってくる。二十人以上はいるだろうか、ボロ着を身につけた痩《や》せこけた体が青い月明かりを浴びている。

「と、とにかく逃げよう」

世之介は慌てて祥子の肩を摑んだ。あまりにも焦ったせいか、立ち上がろうとした足元で岩がぐらつき、前のめりに倒れ込む。

「あの方たち、この辺りの方じゃないみたいですわね」

あくまで呑気な祥子が呟く。

「と、とにかく逃げよ」と世之介はまた言った。「……な、難民だよ。ボートピープル」

「難民？」

ここでやっと状況を把握したらしい祥子が世之介の腕を強く摑む。

「た、たぶん。……と、とにかく町に戻って誰かに……」

「お、お待ちになって！　ちょっとあれをご覧になって、赤ん坊を抱いたお母さんがいらっしゃるの」

「い、いいから。早く！」

「待って、待って！　だって、赤ん坊がぐったりしてる！」

気がつけば、近寄ってきた人たちの足音や鼻息が聞こえるほどになっている。這うようにして大きな岩の凹《くぼ》みを最初に渡ってきた若い男が手を取り合っている世之介と祥子に気づき、ビクッと動きを止める。男の背後から次々と岩を登ってくる他の男たちもまた、先頭の男と同じようにその場で動きを止める。

距離は数メートルまで迫っていた。世之介は立ち上がろうとした中腰のまま、いつでも祥子を抱え上げられるようにその腋《わき》の下に手を入れていた。

岩に這いつくばるように動きを止めた男たちの中から、誰よりも痩せ細った女性がぐったりとした赤ん坊を腕に抱き、ふらふらと歩き出てきたのはその時である。

乱れた長い黒髪が沖からの風で浅黒い女の顔に張りついている。女は顔に張りつく髪を振り払うこともなく、世之介たちが理解できない言葉でずっと呟いている。叫ぼうとしているのに力が出ていないような声である。前へ足を出すのが精一杯なのに、最後の力を振り絞り、腕の中でぐったりとした赤ん坊を世之介たちに見せようとする。

途中、背後の男たちから何度も怒声が上がった。しかし女は浴びせられる声を無視して、世之介たちに近づいてくる。足元で大きく砕けた波の飛沫が赤ん坊を抱いた女と世之介たちの間で高く上がる。

「世之介さん、赤ん坊が……、赤ん坊が……」

気がつけば、しっかりと抱きしめていた祥子が世之介の腕の中でそう繰り返している。

「赤ん坊を助けてくれって。そうでしょ？　そうなんでしょ？」

近寄ってくる女に祥子がほとんど泣き声で尋ねる。

「世之介さん、捕まったらどうなるの？　あの赤ん坊、助かるの！　ねぇ、どうなるの！」

祥子の叫び声に世之介は、「し、知らないよ」と叫び返した。その瞬間、赤ん坊を抱いた女性が不安定な岩を踏み、危うく倒れそうになった。世之介は思わず女の前へ出た。そしてよろけた女の腕からぐったりとした赤ん坊を抱き取った。

女の顔が涙でぐっしょりと濡れている。もう声にもならない声で必死に何か言っている。世之介が無言で頷くと、逃げてくれとでも言うように女が世之介の背中を押す。突然、辺りが真昼のように照らされたのはその時である。いつの間にか岩場の向こうに二艘の巡視船の姿があった。

揺れる船の上から太陽のような二つのライトをこちらに向けている。強いライトの中、慌てて男たちが輝く岩場を逃げ惑う。巡視船の拡声器から潰れた怒声が聞こえるが、波と風に千切《ちぎ》れて世之介の耳には入ってこない。

巡視船から制服姿の男たちが岩場に飛び移ってくる。その動きがあまりに機敏で、逃げ惑う男たちがスローモーションのように見える。

その時、世之介の足元で痩せこけた女が蹲った。全て諦めたようにしゃがみ込み、もう声も出ない口を広げて、「逃げて、逃げて。赤ん坊を助けて」と世之介に身振りで示す。

腕の中の赤ん坊が軽かった。ぐったりとした細い腕が汗ばんだ自分の腕に触れる。死んではいない。ぐったりとしているが赤ん坊の体温が世之介の胸に伝わってくる。

無意識に世之介は巡視船の男たちから逃げ出した。片手で赤ん坊を抱き、もう片方でほとんど叫び声を上げている祥子の腕を引いた。

子供の頃からいつも遊んでいた場所である。ライトが届かなくても、どの岩を踏んで渡ればいいかは分かる。背後から男たちの怒声が追ってくる。大きな岩の隙間を飛び越えた瞬間、すっと祥子の手が離れた。飛び移った岩で振り返ると祥子が足を取られて倒れている。

「祥子ちゃん！」

世之介は赤ん坊を両手で抱いたまま叫んだ。足元で波が砕け、大きな飛沫が二人の間で高く上がる。

「逃げて！　お逃げになって！　私はいいから、早く！　赤ん坊を助けて！　逃げて！」

砕ける波の音を掻き消すように祥子の叫び声が岩場に響く。世之介は祥子の元に飛び戻ろうとしていた足を踏ん張った。祥子の背後で男たちが次々に捕らえられている。蹲った赤ん坊の母親を飛び越えて制服姿の男たちが追ってくる。

「早くお逃げになって！」

祥子の叫びに世之介は我に返った。すぐに方向を変えて駆け出した。岩から岩へ飛び移るたびに、腕の中の赤ん坊の細い腕が大きく揺れる。

「待ちなさい！　待て！」

男たちの声に混じって、「逃げて！」と叫ぶ祥子の声が背中に聞こえる。世之介は思わず足を止めた。男たちに抱え上げられた祥子が力なくその腕を振り払おうとしている。

「君たちは日本人か？」

祥子を支えている男が立ち止まった世之介に向かって叫ぶ。

「ちょっと待ちなさい！　何してるんだ、お前らは！」

世之介は赤ん坊を抱いたまま祥子の様子を見守った。腰が抜けてしまっているのか、祥子は立ち上がれないでいる。さっきまで真っ暗だった防波堤の向こう側がいつの間にか煌々《こうこう》とライトで照らされて、白い防波堤を赤いパトカーのライトがクルクルと照らしていた。世之介は逃げ場を探した。しかし町へ戻る以外、どこにも向かう場所がない。防波堤を町のほうから警官たちが飛び越えてくる。

「君たちは、ここであいつらを待ってたのか？」

男の問いかけに世之介は力なく首を横に振った。声を出そうとするのだが喉が焼けつくように熱くて出てこない。

「どこに逃げるつもりなんだよ。とにかくそこで待ちなさい！　今、そっちに行くから」

足元の岩がグラグラと揺れているのかと思ったが、震えているのは世之介の膝である。

「安心しなさい！　私たちが責任を持ってその赤ん坊を預かるから。君が連れて逃げたところでどうにもならんだろ！」

男の説得を聞きながら世之介は足音のする背後を振り返った。防波堤を越えてきた警官たちが腰の拳銃に手を当て、数メートル離れた岩の陰から様子を窺《うかが》っている。

「君たちは、たまたまここにいたのか？」

男の質問に世之介は擦《かす》れる声で、「はい」と頷いた。

「いいか。よく聞けよ。その赤ん坊はすぐに私たちが病院に連れて行く。母親ももちろん一緒に連れて行く。心配するな。君もこの辺の住人なら大村にこういう人たちが一時保護される施設があるのを知ってるだろ？　病院で手当を受けたらそこで保護する。とにかく落ち着くんだ。いいか？　そっちに行くぞ。じっとしてろよ」

男の声を世之介は黙って聞いていた。何を言われているのかは分かるのだが言葉が言葉として耳に入ってこない。

男が腕を離すと祥子の体がぐにゃりと岩場に崩れ落ちた。

「祥子ちゃん！」

思わず叫んだ世之介の声にぐったりとしていた祥子が、「世之介さん……」と涙ぐむ。

男は一歩一歩足場を確かめるようにして世之介のいる岩場に移ってきた。男の首筋を幾筋も汗が流れている。男が世之介の前に立つと背後の岩陰に隠れていた警官たちがあっという間に二人を囲んだ。防波堤の向こうには騒ぎを聞きつけて集まってきた町の人たちの頭が並んでいる。男が赤ん坊を渡すように促すが、腕の震えが止まらず、うまく赤ん坊を渡せない。

九月　新学期

九月になっても一向に涼しくならない。すでに十時間以上も寝ているくせに、まだ眠れるんじゃないかと汗臭い枕に顔を押しつけているのが世之介である。これが三日ぶりの睡眠であるならば話も分かるが、地元から戻って以来、気分が悪くなるほど世之介は寝てばかりいる。カーテンの隙間からはもう淡い西日が差し込んでいる。

世之介が布団から手を伸ばして確かめた目覚まし時計のアラームは、午前七時半にセットしてある。

七時半って……。

自分でセットしておきながら、さすがの世之介も呆れてしまう。今朝、六時近くまでテレビを見ていて、その一時間半後に起きられるわけがない。ただ一応学校に行こうという気持ちだけはあって、馬鹿みたいにアラームをかけてしまうところが虚《むな》しい。

とにかくここ二週間ほど世之介は毎日こんな状態である。朝方までバラエティ番組を見て、起きられないのは分かっているくせに、朝七時半に目覚ましをかける。案の定（十時間以上も）寝過ごしてしまう。

あ～あ、今夜もまた眠れないんだろうなぁ……。

頑張って一日徹夜すれば元のリズムに戻るのだろうがその気力はない。逆に、どうすれば連続で二十時間眠れるだろうかと考えてしまう。

十時間も眠れば腹は減るからメシは食う。ただ遠くへ行くのが面倒なのでマンション一階にあるちゃんぽん屋の定食ばかり食っている。毎日通うものだから、定食につく漬け物が月曜はしば漬けで、火曜がたくあんで、水曜きゅうりの浅漬けだと一週間分覚えてしまった。

世之介はまた汗臭い枕に顔を埋めた。途端、玄関でチャイムが鳴る。どうせ新聞の勧誘か何かに違いない。布団から出るのも面倒臭い。

「世之介！　俺だよ、加藤。いるんだろ？」

聞こえてきたのは加藤の声である。世之介は加藤のアパートに入り浸っていたが、加藤がここへ来たことはない。

「加藤？」

世之介がグズグズしていると加藤が郵便の差し込み口から覗き込もうとする。

「いるよ。ちょ、ちょっと待てって」

布団から這い出し、背中をボリボリと掻きながら世之介は玄関へ向かう。ドアを開けると真新しいポロシャツを着た加藤が涼しげな顔で立っている。

「お前、今起きたの⁉」

世之介が口を開く前に加藤がズカズカと部屋へ押し入ってくる。

「なんか濁ってるな、ここの空気」

加藤はスーパーの袋を提げている。目敏《めざと》く見つけた世之介が、「何、それ？」と早速手を出す。

「たこ焼きだよ。駅前のスーパーの前に屋台出てたからさ」

「寝起きで、たこ焼きかぁ」

食べるくせに文句は言うのである。

「お前、最近何やってんの？　新学期始まってんのに学校来ないし、バイトも夏休みからずっと休みっぱなしなんだろ？」

加藤が遠慮もなく世之介の布団を踏んで、テレビの前の唯一床が見える場所に腰を下ろす。

「もしかして心配して、たこ焼き買ってきてくれたわけ？」

不満だったわりに、すでに世之介はパックを開けている。

「迷惑してんだよ。お前のせいで」

「なんで？」

「お前さ、祥子ちゃんと長崎でなんかあったわけ？」

世之介はたこ焼きに爪楊枝《つまようじ》を刺したまま動きを止めた。

「分かりやすいな。何があったんだよ？」

「もしかして祥子ちゃんがお前んとこ来たの？」

「祥子ちゃんじゃなくて、睦美ちゃんって、ほら、祥子ちゃんの友達で。前に四人で下北行った時の俺の相手。……彼女から毎日電話あるんだよ。長崎から戻って以来、祥子ちゃんが尋常じゃないくらい塞ぎ込んでるって。何か、理由を知らないかって」

世之介はたこ焼きを口に運んだ。一個目からたこが入っていない。

「たこ、入ってないよ」

「え？」

「だから、たこ！　一個目に入ってないってどういうことだよ！」

「な、なんだよ、機嫌悪いな……」

逃げるようにトイレに立ち、トイレが汚いと文句を言いながら出てきた加藤の話によれば、祥子もまた長崎から戻ってきて以来、ほとんど部屋から出ないような生活を送っているらしい。心配した睦美が様子を見に行ったのだが、何を訊いても「うん」とか「はぁ」とか溜息のような返事しかしないという。

「祥子ちゃん、そうとう参ってるらしいぞ。睦美ちゃんの話だと、あの祥子ちゃんが台所から紅茶運んできた時、砂糖を忘れたらしいんだけど、たったそれだけのことで、『私なんて、お客様に紅茶も出せない駄目な人間なんだわ』って泣いたらしいからな。睦美ちゃんもさすがに気味悪いって。……お前さ、向こうで祥子ちゃんに何したの？」

たこ焼きを頬張《ほおば》る世之介の背中を加藤が足で押す。爪楊枝の先からたこ焼きがぽとりと布団に落ちる。

「何すんだよ……」

「あ、ごめん。ほら、ここにティッシュ」

「俺も泣くぞ！」

「は？」

「俺なんか、たこ焼きもまともに食えない人間なんだって……、俺もここで泣くぞ！」

顔を覗き込む加藤から世之介は目を逸らした。この二週間じっと我慢していた何かが「お客様に紅茶も出せない」と嘆いたという祥子の言葉で、どっと溢れそうになる。

「どうしたんだよ？　何があったんだよ？」

訳が分からぬらしい加藤が珍しくあたふたしている。

結局、巡視船の男たちにぐったりとした赤ん坊を渡したあとの記憶が、世之介にはほとんどないのである。警官たちに連れられて岩場から防波堤を越え、町へ戻ったはずなのだが、その時横に祥子がいたのか別々に歩かされたのかさえ覚えていない。気がついた時にはパトカーの後部座席に座らされていた。夜だというのにやけに窓の外が明るく、気がつけば見知った近所の人たちがパトカーの窓に顔を押しつけていた。そこでふと我に返った世之介は、「あの、祥子ちゃんは？」と運転席の警官に尋ねた。ルームミラー越しに、「前の車に乗ってるよ」と警官が応える。前の車の後部座席に婦警と並んで座っている祥子の後頭部があった。

パトカーの中では無線機から早口でいろんな指示が流れていた。いきなり横の窓ガラスが割れるほど叩かれたのはその時で、驚いて世之介が顔を上げると血相を変えた母親の姿があった。あまりにも強く窓ガラスを叩くものだから、世之介は、「すいません。母です」と横の警官に告げた。

「ああ、お母さん」と呟いた年配の警官が世之介側の窓を開けてくれる。

「ちょ、ちょっと、あんた、な、何したのよ？」

ほとんど悲鳴に近い声だった。世之介には母親の声が遠かった。

「お母さん、落ち着いて下さい。とにかく署に向かいますが事情をお聴きするだけですぐにお返しできると思いますから」

母親の迫力に気圧された警官が必死に窓を閉めようとする。

「な、何やったのよ……。なんで初野のおばさんちに水羊羹持ってって、こんなことになってるのよ……」

母親も動転していたのだと思う。この一言でパトカーを取り囲んでいた近所の人たちがこっそりと笑っていた。

パトカーはゆっくりと防波堤沿いの道を走り出した。前には祥子が乗ったパトカーがある。世之介はエアコンの効いた車の中で急に体が冷えるのを感じた。それもそのはずでTシャツが海から上がってきたように汗で濡れていた。急激に冷えていく体の中、さっきまで赤ん坊を抱えていた腕だけがまだ燃えるように熱かった。やけに軽かった赤ん坊の重みがいつまでも世之介の腕に残っていた。

取り調べの最中、祥子との関係を訊かれたことは記憶にある。

「お前のガールフレンドか？」

「いいえ。でも、そうなりそうだったんです……」

結局、世之介は数時間で解放された。

あの夜、祥子はホテルへは戻らずに世之介の実家に泊まったらしい。朝方自宅へ戻った世之介は父親に背中を押され、客間で寝ている祥子の様子を見に行った。そっと開けた襖《ふすま》の向こうで祥子は泣き疲れて眠っていた。

翌日、祥子は東京に戻ることになった。母親が作ってくれた朝食も二人には石ころを口に運んでいるようだった。

空港へ向かうバスの中でもほとんど口をきかなかった。

「……ごめん、せっかく来てくれたのに」

「世之介さん……」

じっと足元を見つめていた祥子が擦れた声で世之介を呼ぶ。

「何？」

「あの時、あのお母さんの目、見ましたよね？　あのお母さん、本気で私たちを信じてましたよね。私たちならあの赤ん坊を救ってくれるって。だから決死の覚悟で赤ん坊を私たちに託したんですよね？」

　世之介もじっと自分の足元を見つめていた。今、顔を上げて祥子を見れば、涙が溢れそうだった。

「私たち、あのお母さんを裏切ったんでしょうか？　私たち何の役にも立てなかったんですよね？　あの赤ん坊……」

「赤ん坊は……、ちゃんと病院に運ばれて」

「ほんとに？」

「……運ばれてるよ」

　次第に互いの声が鼻声になる。前の席には東京ディズニーランドをどのように回ったほうが効率的かと楽しげに計画を練るカップルが乗っていた。


　心配して来てくれた加藤に海岸での顚末を全て話したせいか、それとも郊外型の居酒屋で加藤に奢ってもらったビールで熟睡できたせいか、次の朝、世之介は目覚ましもかけずに八時前にすっきりと目を覚ましていた。一限目の授業には間に合わないが、ゆっくりと支度をして出かけても二限目の「スポーツ総合」には余裕で間に合う。

　後期授業はバスケットである。鈍った体を鍛え直すのにちょうどよかった。ちなみに世之介が通う大学のキャンパスは都心の市ヶ谷と郊外の多摩校舎がある。本来、体育の授業は多摩校舎で行われるのだが、クラスに数人だけクジで当たると市ヶ谷校舎の体育館で受けていい。授業選択の際、都心から電車で二時間もかかる多摩校舎など嫌だと世之介もみんなの雰囲気に呑まれてクジを引き、見事当選者となったのだが、よくよく考えてみれば都心から一時間半の田舎に暮らしているわけで、バスを使えば都心の校舎へ出るより多摩校舎のほうが断然近かった。

久しぶりに電車に揺られて学校へ来ると狭いキャンパス内の様子がどこか違った。夏休みを終えた途端、学校全体がシンと静まり返って見える。世之介は閑散としたキャンパス内を歩きながら、自分もしばらく学校へ足が向かなかったように誰もがそれぞれの夏を過ごし、その余韻がまだ続いているんだなぁなどとまるで他人事のように納得した。

授業が行われる体育館にはすでにジャージに着替えた倉持の姿があり、「世之介！世之介！」と早速駆け寄ってくる。この倉持には余韻に浸るような夏休みがなかったらしい。

「何やってたんだよ。田舎からはもうとっくに戻ってたんだろ？　もし今日この授業で会えなかったら、今夜辺り、お前ん所に訪ねていこうと思ってたんだぞ」

体育館の隅でジャージに着替え始めた世之介に倉持が一方的に話しかけてくる。

「電話しても出ねえしさ。部屋にいたんだろ？」

着替え終わった世之介は丸めたシャツをバッグに突っ込んだ。コートでは架空のボールですでにバスケットを始めている学生たちがいる。

「急用でもあった？」

世之介はスニーカーの紐を結びながら尋ねた。

「……急用ってほどでもないんだけど、っていうか、急用って言えば急用なんだよ、これが」

「どっちだよ？」

世之介が靴紐を結び終えたところで担任教師が現れ、コートに集まるように笛を吹く。立ち上がり駆け出そうとした世之介の肩を倉持がグッと掴む。

「この後、ちょっと話あんだよ。昼飯奢るからさ」

「Bランチとうどん」

「そんなに食うのかよ」

「なんだよ、話って？」

コートに駆け寄りながら世之介は尋ねた。

「あのさ、あの……ちょっと言いにくいんだけど、あいつがさ」

「あいつって、阿久津唯？」

「そう。あいつが、あのさ、あの、なんていうか、妊娠したって」

「え⁉」

大声を上げた途端、世之介の足がもつれる。倉持も支えてくれればいいものを世之介の声に驚いて自分だけ立ち止まるものだから、勢い余った世之介はそのまま転んでしまった。

汗まみれになった顔や髪やついでに首から胸の辺りまでを、世之介と倉持は体育館脇の掃除用水道の水で洗った。体育の授業が終わり、倉持に早く話の続きを聞きたいのは山々だが、学食で落ち着いて話したほうがいいような気もして、互いに妙な距離を取っている。

妊娠騒動。

テレビドラマではよく見るが、実際に巻き込まれるのは世之介初である。体を拭いて服を着替えると、どちらともなく学食のある校舎へ向かった。

「Bランチとうどんだったよな？」と倉持。

「そう」と世之介。

その先が続かない。互いに無言のまま学食に入り、食券を買う長い列に二人は並んだ。

「Bランチとうどんだったよな？」

「だから、そうだって」

「俺、Cランチにしようかな」

「なぁ、阿久津唯がそう言ったのか？　間違いないの？」

結局、待てない世之介である。

「そうなんだよ。あいつがはっきりと。自分でも調べたし、病院でも診てもらったって」

　倉持のほうも待てないらしい。

「……俺、どうしたらいいのか分からなくてさ」

「阿久津唯にはなんて言ったんだよ？」

「まだ」

「まだって？」

「だからまだ何も言ってない」

「阿久津唯に目の前でそう言われたんだろ。で、なんも言ってないってなんだよ？　普通なんか言うだろ」

　声を殺した世之介の質問にしばし記憶を遡《さかのぼ》っていた倉持が、「いや、やっぱり何も言ってない」と心細い声を出す。

「……あいつもさ、言うだけ言うと、とにかく私は決めたからって、さっさと出て行っちゃったんだよ」

「決めたって何を？」

「だから産む？　のかな？」

　さすがに呆れた世之介が声を上げようとした時、チケット売り場の順番がくる。倉持の話によれば、いつもコンドームはつけていたという。ただ、「いや、もちろん極力つけるようにはしてたってことで」などと付け加えるのでどこまで信じていいのかは分からない。

「俺も、正直、こんな事態初めてだから、何をどう悩んでいいのか分からないっていうか……」

本当に悩んでいるのかいないのか、倉持がそう言って薄い味噌汁をずるずると啜る。

「……あいつもさ、俺と同じような気がするんだよ。ほら、なんていうか、こういう場合、やっぱりほら、すぐに中絶？　するとかなんとか言うのは、なんかこう人非人みたいな感じがするからさ、それであいつもとりあえず『私は決めたからね』なんて無理に言ってんじゃないかって」

「阿久津唯がそう言ったの？」

「いや、だからそう素直に言えないから、変化球で……」

「変化球で子供産むわけ？……ところでお前はどうなんだよ。お前の気持ち」

「俺の気持ち？　いや、だからそれは」

「お前、一浪しているとはいえ、まだ十九歳だろ」

「あ、それなら先週二十歳になった」

「うそ？　おめでと」

「ありがと」

ちなみに妊娠したことは誕生日に聞かされたらしい。

「二十歳って、大人だよな」と世之介。

「まあな」と倉持。

この辺で互いに話が逸れていることにお互い気づく。

「で、お前の気持ちはどうなんだよ?」

話を戻した世之介に、「ふむ」と項垂れた倉持が、「真面目に答えるけど笑うなよ」と前置きしてから、「あいつといると、なんか自信が持てるんだ。別に何言われるってわけでもないんだけど、こんな俺でも何かできるんじゃないかって、そんな気持ちにさせられるんだ」としんみりと続ける。

「結婚とか考えてるわけ?」

「別れたくないとは思ってるよ。でもこれが結婚となると話がでか過ぎて、先週、大人になったばかりのおいらとしては……。まぁ、生まれたら生まれたで、いいのかなぁ」

茶化そうとする倉持になぜか世之介はイラッとくる。海岸で抱いた赤ん坊の重みが腕に蘇ったらしい。

「赤ん坊って必死なんだぞ。必死で生きようとするんだからな」

「へ?」

「とにかく、二人でよく相談したほうがいいよ。お互い腹割ってさ」

「……あ、うん」

食べ終えた食器を返却口に戻して二人は学食をあとにした。しばらく無言だった倉持がふと口を開いたのはお濠沿いの遊歩道を駅に向かって歩いているときである。

「やっぱ、こんなに若くして人生決めちゃうって馬鹿だよな」

世之介は、「俺には答えられないよ」と素直に応えた。

「俺なんかが、頑張れんのかな？」

「お前次第だろ。どちらにしろ応援するよ」

「世之介って、もっとおちゃらけてる奴かと思ってたよ。正直に言うと、お前に相談したらこんなこと笑い飛ばしてくれて、ちょっとは俺も気が楽になるんじゃないかと思ってたんだよな」

入学式の帰り道、二人で歩いてきた道だった。ほんの五ケ月前、「三年になったら早稲田の転入試験受けようと思ってんだ」と倉持が言った場所である。


ホテルの従業員ロッカーで制服に着替えた世之介はスタッフの休憩室へ顔を出した。約一ケ月ぶりの職場復帰である。ちらほらと新人スタッフの顔もあり、壁際のテレビの前でサンバサークルの先輩、石田が熱心に競馬新聞を読んでいる。

「おはようございま〜す」

「おう、お前、生きてたの？」

「生きてますよ。夏休み、実家に帰ってたんで」

「カーニバルの時にぶっ倒れて、そのあと音信不通だから、みんな心配してたんだぞ」

「そのわりには誰からも連絡なかったですけど……」

「みんな、シャイなんだろ」

「シャイな人たちにあの衣装は着られないでしょ」

「それより、また時給上がるらしいぞ」

「ほんとっすか。また⁉」

「一律七十円ずつだって」

「すげえ。もしかして俺ら、その辺のサラリーマンより高給取りですよね」

「馬鹿言うなって。その辺のサラリーマンがボーナスで何百万もらってると思ってんだよ。所詮《しょせん》バイトはバイト。この時給につられて就職しなかったら行く末はあれだぞ」

石田が顎をしゃくった先に呼吸をするのも不愉快そうな主任の姿がある。この主任とにかく性格が悪い。八四年のロサンゼルスオリンピックでふらふらになりながらも完走した女子マラソンのアンデルセン選手にも小言を言いそうだと噂されている。

週末である。ルームサービスは朝方までひっきりなしに続く。一本数万円のワインが何本も運ばれていく。一般的な価格の十倍はする料理が出来上がるたびに世之介もワゴンで部屋へ運ぶ。食事が終わったという電話が入れば、すぐに食器を片付けにいく。ほとんどの客は皿や食器を廊下に出しており、まるで作った料理をナイフやフォークでグチャグチャにしただけのような大量の食べ残しをまたワゴンに載せて調理場へ運ぶこともある。

調理場のゴミ箱にはついさっきまで旨そうな料理だったものが残飯として増え、ポリバケツのビニール袋を換えても換えてもすぐに満杯になる。この作業をするたびに、世之介は大量の残飯が詰まったゴミ袋がこのホテルの胃袋のように思えてならない。客たちの残飯を都心にひょろっと建ったビルが平らげていく。ビルはますます成長する。ときどき世之介にはこの怪物のゲップが聞こえる夜がある。

朝の五時過ぎにバイトを終えて、世之介は眠い目を擦りながらホテルをあとにした。土曜の朝なので地下鉄のホームにはどこかで遊んでいたらしいサラリーマンやOLたちが酔い疲れた表情で、それでも夜の余韻を引き摺って、煌々と照らされたホームのあちこちに立っている。男たちの顔には脂が浮き、女たちの化粧は崩れている。

地下鉄から私鉄に乗り換え、花小金井に着くまでの間、世之介はシートで熟睡した。花小金井駅からは自転車でマンションへ向かう。普段でも長い道程だが疲れた体には自宅から「戻ってくるな」と言われているような気さえする。

それでもスピードが落ちれば力を振り絞ってペダルを踏んで小金井街道を北上する。とりあえず家へ辿り着きさえすれば、明日は日曜日、丸一日寝てそのまま月曜日まで眠りこけられる。いつもの交差点を左に曲がって、一階のちゃんぽん屋の看板が見えた辺りで違和感はあった。いつもと変わらぬ光景なのだが、ちゃんぽん屋の前に黒塗りのセンチュリーが停まっていたのだ。

祥子ちゃん？

世之介はペダルを踏む足に力を込めた。案の定、後部座席に祥子の姿がある。なぜか熱心に編み物をしている。

「祥子ちゃん！」

世之介は窓をノックした。とつぜんで驚いたらしく、祥子が編み棒を構える。

「俺だよ、俺」

世之介だと気づいた祥子が窓も開けずに喋り出す。

「え？　何？　聞こえない」

世之介は窓を開けろとジェスチャーで示した。窓が開いた途端、「……なんですって！」とだけ祥子の声が聞こえる。

「え？　何？」

「もう！　今、言ったじゃないですか！」

「祥子ちゃん、全部、車の中で言うから聞こえないよ」

「あら、そうでしたわ……。ごめんなさい」

「で、どうしたの？　こんな早く」

「ですから、私たちが助けてあげられなかったあの赤ん坊……」

「赤ん坊って、あの⁉」

「そうなんですの！　あの赤ん坊、助かったって。ちゃんとあのあとに病院に連れてってもらえて、極度な脱水症状だったらしいんですけど、順調に快復して、今、大村っていう所の保護センターにいらっしゃるお母様の元へちゃんと戻ってるんですって！」

「本当？　それ、本当のほんと？」

世之介はほとんど涙声になりながら祥子に確認した。祥子も眠れぬ夜、もしくは寝るしかない日々をあれから過ごしていたに違いない。世之介の気持ちはすぐに伝わったようで、「ええ。本当です。よかった……。よかったわね、世之介さん……」と今にも泣きそうである。

「祥子ちゃん……」

「世之介さん……」

堪え切れずに世之介は車の中に上半身を突っ込んだ。無理やり両手を広げると祥子が倒れ込むように抱きついてくる。窓枠で胸が潰れて猛烈に痛くはあったが、それでも嬉しさのほうが強い。

「俺、あれからずっと心配で心配で……」

「私もです。私もあれからずっと心配で心配で……」

祥子の涙が世之介のシャツを濡らす。

「祥子お嬢様、お車の外へ出たほうがよろしいんじゃないですか。それだと横道さんが大変ですよ」

冷静な運転手の声に二人はやっと体を離した。

祥子の話によれば、東京へ戻ってもあの夜のことが忘れられなかったらしい。食事をすれば、あの赤ん坊はちゃんと食べているのだろうか、風呂に入れば、あの赤ん坊はちゃんとお風呂に入れてもらえているのだろうか、そして何より今も無事で生きているのだろうかと考えると、そこが実家のダイニングであろうと風呂場であろうと、声を上げて泣き出していたという。ただ世之介と違ったのは、祥子には行動力があったことである。

居ても立ってもいられない時、世之介はそのこと自体を忘れようとするタイプだが、祥子は逆で、有力者である父親の伝手《つて》を頼って情報を集めたらしいのだ。

祥子の父親の話では、世之介たちが偶然地元の海で遭遇したのはベトナムからのボートピープルたちだったらしい。ベトナムの小さな港を出航してから三週間、ほとんど飲まず食わずで漂流し、潮の流れで世之介の地元の海岸へ命からがら漂着したという。船内で亡くなった人もあったらしい。まだ日本で暮らせるのか、第三国へ出国させられるのかは定かではないが、とにかく現時点では保護センターに隔離されていることはされていて、食べるものにも困らず、体調を崩している者はきちんとした治療を受けているという。

祥子の説明を聞き終わると世之介は改めて、「よかった……」と呟いた。

運転手の勧めで車を降りた祥子は、世之介に連れられて通り向かいの郊外型マクドナルドの店内にいた。まだ朝の七時だというのに店内は子供連れの母親たちで賑わっており、外の滑り台では子供たちが元気良く遊んでいる。

「世之介さん、私ね、今回のことでどれだけ自分が役に立たない人間なのかって分かっ子供たちを眺めながら、「俺だってそうだよ」と応えた。

窓の向こうの子供たちを眺めながら祥子が呟く。世之介も同じように洒落た服を着たような気がしましたの」

貿易論の授業が終わった大教室で世之介はぼんやりと窓の外を眺めている。日差しはまだ強いが窓から流れてくる風は幾分ひんやりとしている。せっかくなのでもうしばらく秋の足音を楽しめばいいのだが、腹が減っては仕方ない。世之介は教室をあとにした。

階段を下りて地下の学食へ向かっていると、「あ！　いた！　世之介！」という悲鳴に近い声が聞こえた。転がるように階段を駆け下りてくるのは倉持である。

「どこにいたんだよ⁉」

約束していたわけでもないのに倉持が憤慨している。

「……貿易論の授業出てたんだろ。手嶋がお前を教室で見たっていうから学食に来るだろうと思って待ち構えてたんだぞ」

「手嶋って？」

一方的な倉持の物言いに世之介はまずそう尋ねた。

「手嶋って、ほら、あ、そうか。お前は知らない奴だ。……そんなのどうでもいいんだよ。このあと授業ないんだろ。ちょっと付き合えよ」

「俺、バイトなんだよ。六時までならいいけど」

倉持が腕時計を確かめる。

「二時間あれば余裕だよ」

「阿久津唯のことだろ？　で、どうなったんだよ？　話ついたの？」

「話は……、なんていうか、平行線のまま産む方向に向かってるっていうか」

「平行線のまま産む方向って……」

「とにかくどっか喫茶店でも行こうぜ。俺、奢るからさ」

外へ出ると、枯れ葉が一枚、世之介の頭に落ちてくる。


「俺さ、どっちみち大学辞めようかと思ってたんだよ」

結局、珈琲代が惜しいからとお濠が見下ろせる遊歩道のベンチに世之介は連れてこられている。途中、自動販売機の前で、「何、飲む？　遠慮せずに好きなの言えよ」としつこく訊くので、「じゃあ、ファンタオレンジで」と世之介は自らボタンを押した。

ベンチに座り込んだ倉持がまず漏らしたのが先の言葉である。

「辞めてどうすんの？」と世之介は訊いた。

「これまでは、まぁ、今、景気いいし、なんかカッコいい、たとえばコピーライターとか、そういう仕事のアシスタントにでもなろうかと思ってたんだけど、こうなるとカッコ良さより堅実な仕事になるっていうか……」

い。

「ほんとに阿久津唯、産むって言ってんの？」

「うん……」

爪先で石ころを蹴りながら頷いた倉持の表情からは、どんな心境なのか伝わってこない。

「無理なら意地張らずに無理って言ったほうがいいんじゃないか？」

世之介の言葉に石ころを見つめたままの倉持が、「別に、意地は張ってないよ」と口を尖らせる。

「……ただなんていうか、こういうもんってさ、ほら、結婚とか妊娠とかのことだけど、もっとこうドラマチックに起こるもんだと思ってたんだよな」

「十分ドラマチックだろ」

「いや、そりゃそうなんだけど……。もっとこうなんていうか……」

「何が言いたいんだよ？」

「要するにさ、なんか何もかもが呆気ないんだよな。こんな気持ちで父親になってもいいもんかって……。普通はもっとこう神聖な気持ちでなるもんだと思ってて」

「ところで、お互いの親には相談したの？」

「まだ」

倉持がまた爪先で石ころを蹴る。蹴ったところで石ころが何か解決策を提示してくれるわけでもない。そして石ころと同じように世之介もまた倉持にかけてやる言葉を持ち合わせていない。

「バアチャン　ヨウタイ　ワルイ　デンワ　クダサイ　ハハ」

世之介が電報を受け取ったのはバイトから戻った翌朝のことである。自宅へ戻ると玄関ドアに見慣れぬ封筒が挟み込まれていた。生まれて初めて電報なるものを受け取ったせいもあるが、世之介は極端に慌ててしまった。鍵もあけずにドアを開けようとし、焦ってポケットから取り出した鍵は落とすし、落とした鍵を今度は爪先で蹴ってしまった。とにかく鍵を拾って玄関を開け、部屋に飛び込むとすぐに受話器を上げた。しかし慌てているせいで忘れるはずもない実家の番号が出てこない。

電報にあるバアチャンというのは市内のマンションで一人暮らしをしている母方の祖母である。若い頃からホテル勤めをしていたせいもあり、明治女のわりにハイカラというか、新しい物好きというか、世之介が小学生の頃に初めて地元に出店したマクドナルドに初めて連れてってくれたのも彼女なら、宅配ピザなるものを入院中の病院に配達させて、やはり生まれて初めて世之介に食べさせてくれたのも彼女である。最近は体調も良いと聞いていたので夏の帰省時にも顔を出さなかった。

世之介はやっと思い出した実家の番号を押した。三度呼び出し音が鳴ったあと、「もしもし」と母親の声がする。母親が病院ではなく、家にいるということは良い兆候である。

「もしもし！　俺、俺！　ばあちゃんが何だって？　もしもし！」

「世之介⁉　あんた電報見た？」

しかし受話器の向こうの母親の声に緊迫感がある。

「見たよ。見たからかけてるんだろ」

「あ、ああ、そう。あのね、お母さん、これから病院に行くから。あんた、今日こっちに戻れる？」

「え？　今日？　そんなに悪いの？」

「えーと、うん。……あ！　お父さん、そっちじゃなくて赤いほうのバッグに入れて！」

受話器の向こうから慌ただしさが伝わってくる。

「も、もしもし？　お母さん？」

「とにかく、ばあちゃんが急にね。お母さん、これから病院に向かうから、あんたもなるべく早く戻りなさい。飛行機代くらいあるでしょ」

母親は返事も聞かずに電話を切った。その慌てぶりからさすがの世之介にも祖母の容態が想像できる。世之介はとりあえず部屋の中を見渡した。ただ、何からどう手をつけてよいのか分からない。まず飛行機のチケットの確保。銀行に行って金を下ろして、それに身支度。頭の中では次々と計画が立つが、まだ握ったままの受話器を戻してもいない。

世之介は東京へ発《た》つ前に祖母に挨拶に行った。その時、祖母から、「みんなには秘密だけど、八人いる孫たちの中で、ばあちゃんは世之介が一番好き。あんたはいつもどっか抜けてるけど、その分、欲がなくてよろし」と褒められた。

世之介は照れ臭くもあったので、「欲あるよ。ばあちゃんに好かれて、遺産、狙ってるし」と憎まれ口を叩いた。しかし祖母は「ばあちゃんの遺産を狙う程度の欲なら可愛いもんよ」とケラケラと笑っていた。

気がつくと、世之介は受話器を握り締めたまま床にしゃがみ込んでいた。チケットの予約や身支度などすぐにでもやらなければならないことは多いのに、祖母との思い出が浮かんできて身動きがとれない。

世之介は一度大きく深呼吸して１０４で全日空の予約カウンターの番号を訊いた。教えられた番号にかけた途端、急に涙が込み上げ涙声になる。

「すいません、ばあちゃんが死にそうで。長崎までの今日の便で空席ありますか？」

相手にしてみれば気味の悪い予約客である。しかし予約係の女性はとても親身に世之介に応対してくれた。

十月　十九歳

祭壇に飾られた遺影で、世之介の祖母は花飾りのついた帽子を被っている。薄紫の帽子とサングラスの色を合わせたのだろう、薄く色のついたサングラスの奥にある目はまるで小さなイルカが二匹泳いでいるように見える。

まさか自分の葬式に「紫雲の間」があてがわれることを知っていて、こんな紫尽《ず》くめの写真を撮ったわけでもないのだろうが、静かに微笑む祖母の写真は多くの花々に囲まれて世之介にはとても晴れ晴れとして見える。

すでに深夜一時を回っている。がらんとした斎場にひとりぽつんと座っているのが世之介である。ついさっきまで和室の控え室では母を含む娘たちの口論が賑やかに続いていた。

「なんでこんなに大きな会場にしたのよ？」

「あれ決めろ、これ決めろって、次から次に言われるから頭が真っ白になったんじゃないの！」

「お姉ちゃん、いつもそうじゃない！」

「だったら、あんたが決めればよかったのよ！」

さすがに今は静かになっており、仮眠している夫たちを気遣って貸衣装の返却時間を相談するこそこそした声しか聞こえない。

実際、百五十名収容の「紫雲の間」は世之介の祖母の葬儀には大き過ぎた。第一次世界大戦が勃発《ぼっぱつ》した一九一四年生まれで享年七十二。女学校を出たあと、何か思うところでもあったのか、当時としてはかなりの晩婚で、小さな貿易商を営んでいた祖父と結婚したのが二十九歳の頃である。その後祖父が兵隊に取られる前に二人、復員後に二人と終戦を挟むように四人の娘たちを産み、育て上げた。

さっき世之介が供えたばかりの線香がもう燃え尽きようとしている。新しい線香に代えようと、世之介が立ち上がる。背後に人の気配がして振り返ると、「なんだ、世之介かぁ……」と清志が立っていた。

「あ、清志兄ちゃん。今、着いたの？」

「結局、最終に乗れなくてさ。福岡行きに乗って、その便もすげえ遅れちゃって」

「福岡から汽車？」

「いや、タクシー」

「福岡から？　いくらかかんの？」

「五万円ちょっと」

整然と並んだ簡易椅子の間を清志が歩いてくる。

「ばあちゃん……」

遺影をじっと眺め、溜息をつくように清志が呟く。

「世之介、お前、間に合ったの？」

「うん。ぎりぎり」

清志は線香を手向《たむ》け、とても長く手を合わせている。

「ばあちゃんの顔、見る？」と世之介は尋ねた。

「あ、ああ。それより、スーツなんか着てるから、どこのおっさんかと思ったよ」

「そりゃ、俺だって葬式には喪服くらい着るって。ただこんなデカい会場選んじゃったから、経費節減でお袋から昔の学生服着せられそうになったけどね」

「お前なんか、まだ学生服で十分なんだよ」

わざとでもなかったが棺桶のふたを開ける前にそんな話をして笑い合った。祖母の顔はとても小さく、とても穏やかである。そっと手を伸ばした清志がその頬に触れ、「……ばあちゃん、ありがとね」と呟く。そして、「やっぱ、ばあちゃん、美人だな」と世之介に微笑む。

「今だからお前に教えるけど、ばあちゃん、俺のことが孫の中で一番出来がいいって褒めてくれてたんだぞ」

祖母の頬を撫でながら清志が言う。

「嘘？」

「そんなに驚くことないだろ」

「だって俺にも同じように言ってたもん。孫の中で世之介が一番いいって」

「嘘だろ？」

「ほんとだよ。『あんたはいつもどっか抜けてるけど、その分、欲がなくてよろし』って」

「俺には、『清志は面倒見がいいから将来絶対に出世する』って」

二人で棺桶を覗き込む。心なしか祖母がほくそ笑んでいるように見える。

「……ばあちゃん、やるねぇ」

清志が小母《おば》たちの元へ挨拶に行くと、また奥の控え室が賑やかになる。

「あら、おかえり」

「ばあちゃんの顔、見た？」

「何も食べてないんでしょ？」

「ほら、ここにおにぎり」

就職せず、小説家になるなどと言い出した清志を一時期は親戚一同で心配していたくせに、こうやって本人が戻ってくると、まず腹の具合が心配らしい。

世之介は棺桶のふたを閉めた。新しい線香に火をつけて供え、椅子に戻る。一人になると会場の広さが際立つ。

数時間前に行われた通夜には祖母の友人たちが数多く参列してくれた。それでも百五十名収容の会場にはあちこちに空席が目立ち、途中で係員が後方の椅子をまとめて撤去していた。

母親からの電報を受け取った一時間後には世之介は羽田空港に向かっていた。空港でチケットを受け取り、ギリギリで搭乗口に走り込んだ。もしかすると最後の乗客かもしれないと心配したのだが、ちょうど搭乗口が開いたばかりで長い行列ができていた。機内に乗り込み、座席に着くとやっと気持ちが落ち着いた。

しかし飛行機がなかなか離陸しない。まだ搭乗していない乗客を待っていると何度か機内アナウンスがある。出発時間を過ぎても機体はぴくりとも動かず、十分が過ぎ、十五分が過ぎる。乗り遅れそうな乗客を待ってやるのはとても親切な対応だと世之介にも分かる。自分がその立場ならありがたいとも思う。だがすでに機内にいる客の中にも今の自分のように一刻一秒を争っている者だっている。早く飛び立ってくれと祈っている者もいる。

普段レストランで態度の悪い店員に当たっても世之介は苦情を言うことがない。どちらかと言えば、そんな店に入った自分に運がなかったんだと考える人間である。なのに、

「遅れてる奴なんて放っとけよ！　俺だって急いでるんだぞ！」

なかなか飛び立たない飛行機の機内で、気がつくと世之介はシートベルトを外して立ち上がっていたのである。

一瞬、機内に冷たい空気が流れた。しかしみんな苛々していたくせに賛同してくれる

者はおらず、慌てて駆け寄ってきたスチュワーデスから丁寧に詫びられ、シートベルトを締めるようにと諭されただけだった。

シートに腰を下ろした途端、どっと嫌な汗が噴き出た。周りの乗客たちが冷たい視線を世之介に向ける。その瞬間さっきまでの楽観が吹き飛んだ。遅れている奴など置いていけと叫んだことで祖母の死を引き寄せてしまったような気がして血の気が引いた。

結局、祖母は一度も意識を取り戻さぬまま、夜も明けぬ午前二時過ぎに息を引き取った。その瞬間を、間の悪い世之介は病室から離れた一階待合室の自動販売機の前で迎えてしまった。みんなの飲み物をまとめ買いしている時である。

父に背中を押されて病室に入ると、祖母を取り囲んだ母を含む四姉妹が、「かあちゃん！　かあちゃん！」と幼子のように泣き叫んでいた。

世之介は、「ばあちゃん」と背後から声をかけた。心のどこかで、世之介に気づいた母親が気を利かせて場所を譲ってくれると思っていた。しかしこの時の母は母でなく、ただの娘で、近寄った息子に気遣うこともなく、「かあちゃん、かあちゃん」と痩せ細った祖母の手を必死に撫で続けるだけだった。

四姉妹に取り囲まれた祖母に別れを告げると世之介も伯父や他の従兄弟《いとこ》たちが待つ廊下へ出た。祖母の枕元で幼い子供のように泣きじゃくる母親をどう受け止めてよいのかも分からなかった。自分と祖母の関係がひどく浅く感じられた。いや、逆に母親と祖母の関係が思った以上に深かったことに今さらながら驚かされた。

廊下では伯父たちがその夜の干潮時間が何時頃かなどと小声で話していた。

結局、夜が明けるまで、世之介は一人で祭壇の線香を取り替えていた。ときどき控え室から伯父や伯母が現れて、「世之介も少しは寝といたほうがいいよ。明日も一日大変なんだから」と声をかけてくれるが世之介は席を立たなかった。せっかく帰ってきたのに最期を看取《みと》ってやれなかった罪滅ぼしのつもりもあったのである。

しかしさすがに廊下の窓から朝日が差し込んでくると、ちょっと目を閉じていただけのつもりがすでに線香一本が燃え尽きているようになっていた。葬儀場のスタッフがちらほらと顔を出すようになった時には、さすがに起き出した伯母や伯父にあとを任せて、仮眠室の布団で気絶するような眠りについた。

午前十時からの葬儀まで三時間ほど眠った。母親に叩き起こされて喪服に着替え、清志と受付をやった。中途半端に寝たのがいけなかったのか、ついうとうとしてしまい、何度も清志に足を踏まれながら。

従兄弟全員で担いだ棺桶は拍子抜けするほど軽かった。「軽ッ」と思わず声を漏らした世之介の足を横にいた清志がまた踏みつける。

火葬場に着くと伯父たちは控え室で持参した酒を飲み始めた。二時間ほどかかるというので清志と外へ出た。火葬場の煙突から白い煙が上がっており、しばらく二人で見つめていると、「世之介、『焼き場の少年』って写真、見たことあるか？」と清志が訊いてくる。

「『焼き場の少年』？」

「そう。原爆が落とされたあとにアメリカの従軍カメラマンが撮った写真」

清志の話ではその写真には大きな穴で火葬される犠牲者たちを直立不動でじっと見つめている少年の姿が写っているという。少年はぐっすりと眠り込んだ幼子を背負っている。しかしこの写真が撮られたあと、火葬していた男たちが少年に近寄り、背中からその幼子を下ろして目の前の炎の中に横たえたらしい。幼子はすでに死んでいたのである。少年は長い間その炎を見つめていた。強く嚙み締め過ぎて、少年の唇から真っ赤な血が流れていたという。

野菜の行商トラックが流すアナウンスが外から聞こえている。祖母の葬儀からすでに数日が経っている。葬式が終わったのだから東京へ戻ればいいものを憔悴《しょうすい》した母親が何も言わないのをいいことに、世之介はまだずるずると実家に残っている。

アナウンスの音量が一段と高くなり、買い物に出てきた近所のおばさんたちの声がする。昨夜遅くまで、世之介は傷心の母親が祖母の写真を整理するのを手伝った。それまでアルバムにも張らず、「名菓ひよ子」や「カステラ」の箱に入れてあった写真の中から祖母の写ったものだけを選び出し、年代別に祖母専用のアルバムを作ったのである。母親は写真を一枚手にするたびに何かを思い出すようでさめざめと泣いていた。

世之介が電話の音で再び目を覚ましたのはすでに昼過ぎであった。誰もいないらしく、一階で電話が鳴り続けている。出るつもりもなく、世之介は布団を抜け出した。一階のトイレへ向かっているると、途中で電話も鳴りやむ。しかし世之介が電話の前を通った途端、また鳴り出した。寝起きでかなり切迫した尿意だったが、とりあえず世之介は電話に出た。

「もしもし、あの、私、大崎さく……」

「さくら？　どうしたの？」

「世之介、まだいたの？　どうしたのって、おばあちゃんのこと聞いたから」

「それでわざわざ」

「うん。……大変だったね」

さくらは、「つらかったでしょう」とか、「ご愁傷様でした」とか、「お悔やみを」とか、そんな言葉は使わずに、ただ「大変だったね」と言った。なぜかその言葉がすとんと世之介の胸に落ちてくる。

「今朝、聞いたのよ。だからお葬式にも行けなくて」

「いいよいいよ。そんなの」

「私、世之介のおばあちゃん大好きだったのよね」

さくらと付き合っていた頃、何度か市内にあった祖母の家に遊びに連れて行ったことがある。祖母は必ず夕飯をご馳走してくれ、「世之介、映画に連れてってやるお金もないんでしょ」と小遣いまでくれた。さくらも祖母とは気が合うようで世之介抜きで編み物を習いに行ったこともあるという。

「お葬式にも行けなかったから、お参りさせてもらえないかと思ってるんだけど」

「お参りって、墓？　まだ納骨してないよ」

「あ、そうか」

「伯母さんちでもよかったら連れてくけど」

「伯母さんちって？」

「ほら、清志兄ちゃんって俺の従兄がいたの覚えてる？」

「あの楽天家のお兄ちゃんでしょ」

「そう。あの楽天家が今じゃ小説家志望だからね」

「小説家？」

「絶望するんだって、これから」

この辺りで世之介は足踏みを始めた。トイレに向かう途中だったのである。

「ごめん、俺、ちょっと小便」

「え？」

「とにかく、あとでかけ直すから！」

股間を押さえて、世之介はトイレに駆け込んだ。

近所のスーパー前のバス停でさくらが到着するのを待っている間に世之介は顔見知り

のおばさんたち六人から声をかけられた。

「あれ、世之介くん、東京じゃなかったの？」と近況を多少理解しているおばさんもいれば、「大きくなったねぇ。どこの高校に行ってるの？」と時間が止まったままのおばさんもいた。

世之介がバス停に着いて最初に来たバスではなく、さくらは二本目のバスでやってきた。市内からのバスは一時間に二本しかないので、三十分ほど待っていたことになる。

「着いたら電話するって言ったのに」

「清志兄ちゃんの家、ここからすぐだから先に来てたほうが早いと思って」

世之介が通り向かいにある坂道を指差す。数年前までは牛小屋だった場所に小さなハンバーガーショップができている。

「世之介、いつまでこっちにいるの？」

すぐに答えようと思ったのだが肝心な「帰る日」を決めていないことに今さら気づく。

「学校とか大丈夫なの？」

「大丈夫だよ。バイト先にもちゃんと連絡してきたし」

坂道の突き当たりが清志の実家である。家を出る前に電話をかけていたので勝手に中へ入る。

「おばさん！」

世之介が声をかけると、「あら、世之介？　今、おばちゃん洗濯物取り込んでるから勝手に入ってよ」と二階の物干し台からおばさんの声が落ちてくる。

「清志兄ちゃんは？」

「清志は葬式終わってすぐ帰ったよ」

「絶望してたぁ？」

「え？　何？」

玄関を上がったすぐの部屋に祖母の仏壇は置かれている。部屋には蛍光灯もついておらず、薄暗い部屋の中で遺影の祖母が微笑んでいる。おじさんが枕にでもしていたのか、くの字に折られた仏壇用の座布団を足で伸ばし、世之介は「どうぞ」とさくらの足元に押し出した。部屋には煮魚と線香の匂いが混じり合っている。

仏壇の前に正座したさくらがおもむろに香典袋を取り出すので、世之介は慌てて、「そんなのいいよ」と遮った。

「なんで？」

「なんでって……」

世之介は思わず、「なんでって、俺らまだ子供だろ」と言いそうになったのだが、考えてみれば、「まだ子供だ！」と胸を張れる年齢でもない。さくらは世之介を無視して香典を漆塗り風の盆に載せた。

「いつもこうやってんの？」

蠟燭《ろうそく》に火をつけるさくらに世之介は訊いた。

「香典のこと？」

「そう」

「ヘン？」

「いや、ヘンじゃないけど」

世之介は誰かの葬式などに一人で参列したことがない。というよりも親戚以外で身近な人が亡くなったこともない。親戚の場合は両親も一緒なので香典のことなど考えるわけもない。

さくらはかなり長い時間、目を閉じて祖母の遺影に手を合わせていた。あまりにも長かったので、さすがにもういいんじゃないの？　と世之介が声をかけようとした時、二階から大量の洗濯物を抱えたおばさんが家中を揺らすような足音で下りてくる。

「あら、ごめんなさいね。世之介が友達連れてくるっていうから男の子だとばっかり思ってて。すぐにお茶淹れるわね」

洗濯物を足元にぶちまけたおばさんが慌てて台所に向かおうとする。

「あの、すぐ帰りますから」

さくらの言葉に、「ほんとにいいって。俺ら、もう行くって」と世之介も続けた。

「あら、そう？」

「その前になんで男だったらお茶なしで、女の子だったらお茶ありなわけ？」

世之介も妙なことにこだわる。

「車で送ってやろうか？」

バス停までの坂道をおりながら世之介はさくらに訊いた。

「ほんと？　じゃあ、そうしてもらおっかなぁ。前はバスでここまで来るくらい、なんともなかったのに、最近車ばっかりだから疲れちゃって」

「車で迎えに行こうかって訊いた時、『いい』って断るから。……ジローの車で送ってもらうのかと思ってたし」

「ジロー、今週いないのよ。ゼミの合宿だって」

「あいつ、もうゼミに入ってんの。うちは三年からだよ」

「理系だからじゃない。なんか人工衛星と自分たちが作った機械で交信するんだって」

「へぇ」

へぇ以外、何も言葉が出ない。

さくらを連れて実家へ戻り、誰もいない家から車の鍵を持ち出した。どうせ使う予定もないだろうが、とりあえず「車借りる　すぐ帰る」とだけメモを残す。

車に乗り込んで、ギアのチェック、シートの位置、ルームミラーやサイドミラーの調整などを慣れぬ手つきで世之介が行っていると、「ねぇ、東京でも運転してるの？」とさくらが心配そうに訊いてくる。

「ぜんぜん。車欲しいんだけどさ、車庫代が高くて。うちみたいな田舎のほうでも三万とかだからね。都心だと十万とかあるらしいよ」

「そういう話、聞くとさ、なんで東京に生まれなかったんだろうって思わない？　だって東京に家があったら、その時点で億万長者だよ」

「そうだけど、家売ったら住むとこないじゃん。別のを買おうとしたって、それが高いんだし」

「そうだけどさ」

世之介はやっと準備を終えて車を車庫から出した。車庫代無料のわりには敷地が広いので出し入れしやすい。

「祥子ちゃんとレンタカーでドライブとかしないの？」

「しないしない。祥子ちゃんなんてレンタカー屋に黒塗りの車で乗り付けてくるようなタイプだし」

県道へ出ると海沿いの道を車は市内へ向かった。平日午後の県道は空いており、気持ちがいいくらいに景色が流れていく。防波堤と水平線。昔は退屈で仕方なかった風景も改めて見ると贅沢《ぜいたく》な風景である。こういう風景を眺めに東京では数十キロの渋滞に耐えてドライブに出かけるのである。もちろんバイト先の高層ホテルの窓から眺める東京の夜景も圧巻だが、どちらが美しいかと問われたら、世之介はこちらのほうがいいような気がする。

ふと、東京生まれの倉持なんかはこういう景色を見たことがあるのだろうかと思う。いや、見たことはあってもこういう景色を退屈だと思ったことがあるだろうか。贅沢とはどちらのことを言うのだろうか。

「世之介って、このあと何か予定あるの？」

しばらく黙り込んでいたさくらがふと口を開く。

「予定？　ないない、そんなもん」

「だったらさ、このままちょっとドライブに行かない？」

「……いいけど」

「何？」

「いや、こういう感じでいつもジローとドライブしてるんだなぁと思って」

「というか、ドライブしかしてないんだけどね」

「どういう意味？」

「だって東京みたいにデートスポット多くないし」

言われてみればそうかもしれない。さっき県道からの水平線と東京の夜景を比べたが、水平線では遊べないけれども、東京の夜景にはその明かりの数だけ遊び場があるわけだ。

ほとんど信号にも引っかからずに世之介は気分良くハンドルを握っている。父親の車なのでお気に入りのテープは積んでいないがＦＭラジオぐらいはついている。ただ市街地から離れるにつれて、その電波が入りにくくなる。残されたのはスーパーの安売り情報をやっているAMラジオしかない。

ドライブに誘ったわりにさくらがあまり口をきかない。

「トイレ、大丈夫?」

相手が無口だとトイレを我慢していると考えてしまうのも情けないが、言い出しにくいだろうと思って世之介は声をかけた。

「大丈夫」

「もしかして腹減った?」

「世之介は?」

「俺は昼飯たっぷり食ったから平気だけど。さくらが腹減ってんなら、どっかドライブインでも入る? 俺、まだオムライスくらいなら食えるから」

世之介の問いかけにさくらは応えない。応えないところを見れば、腹は減っていないのだろうと世之介は再び運転に集中する。

「ねぇ、東京楽しい?」

「東京? 楽しい?」

世之介は首を傾げた。楽しい生活というのをイメージしてみようとしたが、まずそれが浮かんでこない。

「……楽しいっていうよりは、なんか忙しい」と世之介は笑った。

「ってことは楽しいってことじゃない」

「そうかな？」

「そうだよ。私なんて退屈でしょうがないもん」

さくらの顔を見ようとしたが、その瞬間割り込む車があって顔を動かせない。

「この前ジローとドライブしてる時に、ふと想像してたんだよね。ジローが運転する車の助手席に私がいて、後ろでは息子たちが兄弟喧嘩してんの」

さくらが誰もいない後部座席に目を向けたのがルームミラーで世之介にも見えた。

途中、地元では有名な甘味処《かんみどころ》で世之介たちはかんざらしを食べた。ちなみにかんざらしとは冷たい湧き水で仕込んだ白玉をシロップで食べるものである。子供の頃、世之介も両親に連れられてきたことはあるが、子供の頃に来た場所に自分でハンドルを握って来るというのは感慨深いものがある。

また国道へ出て南下した。海岸線に沿った道からは延々と水平線が見え、いくら走っても景色に変化がない。さっきまで水平線と東京の夜景を比べて、水平線を眺めるのも一興だと思っていたくせに、カーブを曲がれば出てくる同じ景色に世之介は早くも退屈さを感じている。

「ねぇ、フェリーで向こうに渡ってみない？」

さくらがとつぜん言い出したのは道沿いに立てられたフェリー乗り場の看板が背後に流れた時である。

「……いいけど、渡って、今日中に帰れんの？」

「まぁ、今日中には無理かな」

「無理なら、どうすんの？」

「何が？」

「寝る所」

「ああ」

「ああって……」

さくらも本気で言ったわけではないらしい。ただ、フェリーの看板が目に入り、ふと口にしただけらしい。

「なんか、このまま帰りたくないんだよねぇ。……あ、これ、深い意味ないからね。一緒にいるのが世之介じゃなくて、真紀ちゃんでも、お父さんでも言ってるから」

「分かってるよ。そんなの」

「ごめんごめん」

「じゃあいいよ。行く？　渡る？」

「え？　ほんとに？」

「自分が言い出したんだろ」

「いや、そうだけど。でも、どこに泊まるのよ？」

「ラブホテル。俺、まだ入ったことないんだよね」

「さらっと言うねぇ」

遠くにフェリー乗り場が見えてくる。

「どうすんの？　渡るの？　渡らないの？」

フェリー乗り場は近づいてくる。

「せっかくここまで来たんだし、行こっか。でもラブホテルには泊まんないからね」

「なんで？」

「なんでって……、ジローに言えるわけないじゃない」

「言わなきゃいいだろ」

「あれ、世之介、まだ私に気があるんだ」

「ないよ」

「私、無理だからね。万が一、世之介とラブホテルなんか入って一緒に寝ても、たぶん笑い出すって」

「笑い出すって、なんだよ」

「あ、ほら、そこ左！　駐車場じゃなくてターミナルのほう！」

さくらの言葉に世之介は慌ててハンドルを切る。

フェリー乗り場には数台の車が停まっている。駐車場の係員の話では前のフェリーが出たばかりなので次は一時間後になるという。車の中で待つしかない。

「世之介って、もうずっと東京にいるつもりなの？」

「そんなのまだ何にも決めてないよ」

「じゃあ、いつ決めるのよ」

「いつって、そりゃ就職活動する時じゃないの」

「じゃあ、どんな会社に就職しようと思ってるわけ？」

「そんなのまだ決めてないよ」

「じゃあ、いつ決めるのよ」

「だから就職活動する時」

海が日を浴びてきらきらしている。

対岸の島までは三十分ほどの短い船旅である。世之介は寒がるさくらの手を引いて甲板に連れ出した。確かに潮風は冷たかったが、淡い夕日に染まった遠い風景や船体に削られて立つ白波はいくら眺めても飽きない。

「付き合ってた頃、もうちょっと金があれば、こうやっていろんなとこ行けたのにな」

風できれぎれになりながら世之介が言う。

「よく言うよ。ヒマさえあればベッドに押し倒してたくせに。……それにお金がないからこそ楽しい時期ってのもあるんじゃないの」

フェリーが対岸の島に到着する頃にはすでに日も落ちていた。

かなり大きな島である。だが民家は疎らで、道を間違えて山道に入り込めば街灯もない。たまに照明がついているのはラブホテルだけである。レストランとは言わないまでも食堂くらいあってもよさそうだがなかなか見当たらない。

「家に電話しなくていいの」

真っ暗な山道を走っているとさくらに訊かれた。

「いいよ。子供じゃあるまいし」

「じゃなくて、車。勝手に借りてきたんでしょ？」

「あ、そうだ……。あ、でも大丈夫。置き手紙してきたから」

「『車借りる　すぐ帰る』って書いたんでしょ？」

「あ、そうだった。……それよりさくらはいいの？　ほんとに今日帰れないよ」

「さっきフェリー乗り場から電話した。世之介といるって言ったら、お母さん、なんて言ったと思う？」

「よろしく伝えといてね？」

「まぁ、近いかな。お母さんはジローくんより世之介くんのほうが明るくて好きだって」

「ほらな。お母さん、見る目あるよ」

「何が『ほらな』よ。肝心の私はジローのほうがいいんだから」

さくらと話しているのが世之介は楽しい。もっと言えば、話していなくても楽しい。昔の彼女。さくらとしか付き合ったことがないから当たり前なのだが「昔の彼女」というものを、生まれて初めて持ったのだとふと世之介は気づく。

「あそこに何かあるよ」

さくらが指差す方向にぽつんと明かりがついている。ハンバーグ屋らしい。

「助かった。あそこでなんか食おうよ。俺、死にそう」

やっと見つけ出したハンバーグ屋で世之介はジャンボチーズハンバーグとライス三杯を平らげた。三杯目のライスを食べる時にはおかずもなくなり、テーブルにあった塩をふりかけて完食した。

「相変わらず、よく食べるよねぇ」

さすがにさくらも呆れたようで、昔から世之介と食事をしているとまるで自分まで食べられてしまうのではないかと思ったなどと大袈裟なことを言っていたが、そういう自分もペロリと特大ハンバーグを平らげていた。

食後の珈琲とケーキを楽しんでレストランを出たのが夜の十一時過ぎである。すでに島内は寝静まり、犬の遠吠えしか聞こえない。

レストランの近くに古い教会があった。せっかく来たのだから見に行こうということになり、二人で薄暗い階段を上がった。煉瓦《れんが》造りの小さな教会で鍵はかけられていたが、月明かりを浴びた窓のステンドガラスは美しかった。高台の教会からはちらほらと明かりの灯った港が見下ろせた。

教会をあとにして再び車に乗り込むと、「ほんとにどうすんだよ?」と世之介は心配になってきた。分かっていたこととはいえ、ハンバーグを食べてしまうと、翌朝六時のフェリーの始発時間まで何もやることがない。

「ほんとはラブホテルに泊まるつもりでいたんだろ?」と世之介は訊いた。

「いいじゃない。朝まで港の岸壁に車停めて時間潰そうよ。水平線からの日の出なんてきっときれいだよ」

「マジで言ってんの?」

世之介は縋《すが》るように尋ねたが、さくらの決心は固そうである。とりあえず岸壁まで移動した。月明かりに照らされた海が広がっている。エンジンを停めるとラジオも消えて、岸壁に打ちつける波の音だけになる。

「あれ、今日って二十三日だよね?」

とつぜんさくらが呟いたのは世之介がクッションを枕にしようと後部座席に手を伸ばした時である。

「そうだっけ?……あっ」

「だよね? 明日、世之介の誕生日じゃない?」

ここ数日バタバタしていたせいで日にちの感覚がなくなっていた。

「そうだ。明日、俺の誕生日だ」

「やだ、忘れてたの?」

腕時計を見るとちょうど十二時を回っている。

「あ、おめでとう」

一緒に腕時計を覗き込んださくらが慌てて言う。

「ありがと」

「十九歳だ」

「だな」

自分が十九歳にならないとは思っていなかったが、あまりにも唐突だったので世之介はぽかんとしている。もちろんこれまでも十五歳になり、十六歳になり、十七歳になって十八歳にもなってきた。ただこれまでは毎回みんな（たとえばクラスメイトたちとか）と一緒に年を取る感覚があった。だが、なぜか今回の十九歳だけは夜の海を前にした見知らぬ土地の岸壁にいるせいか、たった一人で十九歳になったような気がしてならない。

「さくらって誕生日まだだよな？」

「うん、二月だもん。……何、どうしたの？」

せっかくの誕生日なのに浮かぬ顔をした世之介をさくらが気遣う。

「どうしたってこともないんだけど」

世之介は眼前の海に目を向けた。波頭が月明かりを浴びてまるで生きているように見える。

「あ、そうだ」

さくらがとつぜん何かを思い出したように後部座席へ手を伸ばす。がさごそと紙袋から何か取り出す。

「何？」

「……あ、あったあった」

さくらが取り出したのはフェリー内の売店で買ったロールケーキである。

「え？　まだ食うの？　あんなにでかいチーズケーキさっき食ったくせに」

「バースデーケーキの代わり。ロウソクないけど」

さくらがロールケーキをダッシュボードに置く。「ハッピーバースデーの歌でも歌う？」と言うので、「いいよ」と世之介は断った。不思議なものでバースデーケーキだと言われれば売店のロールケーキもそう見えてくる。

「なんかさー、もう高校生じゃないんだなって思っちゃうね」

なぜかロールケーキを眺めてさくらがしみじみと呟く。

「そう？」

「世之介とこうやってると楽しいんだけど、何かが終わったんだなって、しみじみ思う」

「……明日、東京に帰ろうかな」

気がつくと、世之介はそう呟いていた。そして東京に「行く」ではなく、初めて「帰ろう」と言ったことに自分で驚く。

午後の学食は、授業をさぼったり、昼休みから延々とお喋りしている学生たちで混み合っている。世之介もまた退屈な授業を抜け出して次の授業まで時間を潰しているのだが、時間を潰すのも退屈になる。かといって他にやることもない。

久しぶりにサンバサークルでも覗きに行こうかな。

世之介は潰された時間が渦をまく学食をあとにした。

学生会館のサロンへ向かうと、ここでも退屈そうなサークルメンバーが顔を並べている。中に石田の姿もあり、世之介を見つけた途端、「あれ、お前、いつ帰ってきたんだよ」と声をかけてくる。

「先週、帰ってきました」

ほとんど幽霊部員である世之介を迎えるメンバーたちの目は冷ややかである。が、世之介は気にせずみんなの元へ近寄った。

「主任が、『横道の奴はいつからシフトに入れるんだ』って怒ってたぞ」

「来週から入りますよ。昨日の夜、主任にも電話しときました」

「それより珍しいな、お前がここに顔見せるなんて。もしかしてサンバサークル唯一の一年生になったんで少しは責任感が出てきたわけ？　お前、ヒマなんだったらメンバーの勧誘とかしろよ。興味ありそうな友達とかいないわけ？」

一方的に石田に責め立てられ、世之介は一瞬、加藤のことを思い浮かべた。夏にはクーラー目当てに毎日のように泊まりに行っていたが、現金なもので涼しくなってからまったく連絡をしていない。

「なぁ、誰かいないの？　このままじゃ、ほんとにサンバサークル廃部になっちゃうぞ」

不安がる石田の気持ちは理解できるが、基本的に何事にもさめている加藤がサンバに興味を示すはずもない。

「……いやぁ、誘えそうな奴、いないっすねぇ」

と首を傾げた瞬間、世之介は今になって石田の発言に気になる部分を見つけた。

「今、石田さん、俺が唯一の一年だって言いました？」

「ああ」

「阿久津唯と倉持は？」

「お前知らないの？　あいつらサンバどころか、もう大学も辞めたらしいぞ」

「え？」

「そうだよな？」

石田が背後の部員に声をかける。みんなは興味なさそうに頷いている。

結局、世之介は四限の授業は受けずに倉持の実家へ向かった。高田馬場から地下鉄に乗り換えて一駅。世之介が暮らす西武新宿線の駅とは違い、この辺りの地下鉄の駅はまさに住宅地の地下にとつぜん駅が造られた感じで、改札を抜けて階段を上がるとスーパーや商店街や自転車置き場があるわけでもなく、とつぜん何の変哲もない民家が並んでいる。

歩道に立てられた地図を眺めながら世之介は改めてアドレス帳を開いた。アルファベットのインデックスがついているのだから、きちんとKのページに書けばいいのだが、不精ゆえに「倉持」の住所は一ページ目のAのページに乱暴な字で書き込んである。

番地を確かめると駅からさほど離れていない。ただ目印になる建物がない上に狭い路地を進みながら何度も右折左折しなければならない。

「二本目を右。すぐに左で、三つ目の右、その先の突き当たりを左」

地図を離れた世之介は道順を小声で繰り返しながら歩き出した。古い民家が建ち並ぶ界隈である。豪邸というわけではないが垣根や石垣に囲まれた家々は小さな門があり、小さな庭があり、サッシ戸にはなっているが縁側のあるところも多い。

辿り着いた倉持の家も他の家と同じように低い椿《つばき》の垣根がある品の良い造りの家である。

建て付けの悪い門を抜けて引き戸の玄関の前に立つと、世之介は小さな庭のほうへ首を伸ばしながら、「ごめんくださ〜い」と声をかけた。

すぐに玄関脇の小窓から、「は〜い」と母親らしき女性の声がする。

「あの、横道と言いますが、一平くん、いらっしゃいますか?」と言い終わらぬうちに玄関の引き戸が開けられた。

「一平のお友達?」

母親の問いかけに世之介は、「はい」と頷いた。

倉持の母親は小柄で痩せた人である。目尻の深い皺で優しそうに見える。花でも生けていたのか、片手に濡れた菊を一輪持っている。

「部屋にいると思うんだけど……、一平ちゃん！　お友達がいらしたわよ！」

母親が廊下の奥に声をかける。薄暗い廊下だがよく磨かれて黒光りしている。

「お上がりになる？」

母親の勧めで世之介が玄関へ一歩踏み込んだ時、「世之介？　なんだよ、いきなり」と黒光りする廊下の奥から倉持が現れた。昼寝でもしていたのか、髪には寝癖をつけ、スウェットのパンツに手を突っ込んで遠慮なくボリボリと尻を掻いている。

「いや、ちょっとさ。最近、会ってなかったから」

本当は「学校辞めたんだって？」と単刀直入に訊きたかったのだが、やけに上品そうな母親がニコニコと微笑みかけてくれるので申し訳なくて言い出せない。

「まぁ、とりあえず上がれよ」

「おじゃまします」

実際、黒光りした廊下はツルツルと滑るほど磨き上げられている。廊下を先へ進んでいくと、「一平ちゃん、ケーキあるから取りにきなさいよ」と母親が声をかけてくれる。

倉持の部屋のドアには「面会謝絶」というプレートが張られていた。「馬鹿じゃないの？」と世之介が指で弾《はじ》くと、張った本人もすでに忘れていたらしく、「ああ」と興味なさそうに応える。

倉持の部屋は西日の差し込む六畳ほどの洋室である。洋室というよりは洋間と言ったほうがいいような古い造りで窓枠などアーチ状になっている。

倉持がさっきまで寝ていたらしいベッドに改めて寝転ぶので、世之介は勉強机の椅子に腰かけた。机の棚には教科書ではなくレコードがずらっと並んでいる。

「何、やってんだよ」

とりあえず会話の糸口を摑もうと、世之介はそう言ってベッドを蹴った。花柄のタオルが巻かれた枕を抱えた倉持が「独身最後の里帰り」と苦笑いする。

「お前、ほんとに学校辞めたの？」

「辞めた」

「阿久津唯も？」

「ああ、辞めた」

「ってことは、マジでお前ら……」

「そう。籍入れて仕事とアパート探して」

「親父さんやお袋さん、なんて言ってんだよ？　賛成してんの？」

「親父は口きいてくんないし、お袋は二度気絶した。救いは唯の母親が協力的なところかな。あいつんち母子家庭なんだよ。で、とりあえずあいつんちで生活しないかって言われてる」

ベッドに寝転んだ倉持の姿はどう見ても勘当寸前の息子には見えない。

「じゃあ、阿久津唯の実家で暮らすわけ？」と世之介は訊いた。

「とりあえず最初はそうなるだろうな。だってアパート借りるにしても金はかかるし、その前に仕事見つけなきゃなんないし」

「まったく焦ってるように見えないけど」

「焦ってるよ！　もう焦り過ぎて、何から手つけていいか分かんないんだって」

倉持はそう言って枕を抱き直した。

倉持の話によれば、とりあえず阿久津唯を両親に会わせることは会わせたらしい。まだ阿久津唯の腹が目立たないので二人とも平静を保っていられたようだが、その後ほとんどこの件についての話し合いはなされてないという。倉持の私見では、父親は無視していればこの話自体がいつの間にか消えてなくなると思っているようで、一方、母親のほうも、花を生けたり、たとえば世之介のように遊びに来た息子の友達にケーキなんかを出したりしていれば嵐は去ると思い込んでいる節があるという。

「両親の態度は分かったけど、お前自身はどうなんだよ」

いつまでも親への愚痴が続きそうだったので世之介はこの辺りで口を挟んだ。

「俺自身？　そんなの決まってるよ。仕事見つけて、あいつと子供を育ててく」

まだ枕を抱いたままだったが倉持の口調はきっぱりとしたものである。その瞬間、世之介は自分が何のためにここへ来たのかが分からなくなった。

学生会館のサロンで石田から二人が学校を辞めたことを知らされて、確かに何か思うところがあって遥々やってきたのだが、ここに着くまでその肝心な「何か」が何なのか、まったく考えてこなかった。二人を止めようとしたのだろうか。もしくは急に置いていかれたような気がして焦っただけなのだろうか。倉持は来週には阿久津唯の実家へ引っ越すという。

「俺になんかやれることある？」と世之介は訊いた。

「金貸してくれよ」と倉持が半分本気で半分冗談っぽく即答する。

「そんなにないけどバイトで貯めた金あるからいいよ」

「マジで？　お前だけだよ。俺の味方になってくれんの。一生恩にきる」

こちらはほとんど冗談っぽい。

結局、何をしに来たのか自分でも分からぬまま、母親の手作りケーキを食べ終えると世之介は倉持の家をあとにした。そのまま帰るつもりだったが不完全燃焼な感も否めず、気分転換に新宿で映画でも見て帰ることにした。

新宿駅へ出て歌舞伎町へ繋がる地下街のそば屋でカツ丼ともりそばを食べた。そば屋のわりに白と黒を基調にした洒落た造りで壁一面が鏡張りである。カウンター式のテーブルではおそらく夜の街にこれから出勤する人たちが、なぜか一つずつ椅子を空けてずらりと並び、黙々とそばを啜っている。そんな客たちの顔が目の前の鏡にずらりと映っている。入口から見ると、全ての客たちがまるで自分と一緒にそばを啜っているように見える。

カツ丼ともりそばのセットを食べて世之介は歌舞伎町の映画街へ向かった。途中本屋に寄って「ぴあ」を立ち読みしたが面白そうな映画がない。

ハチ公物語なんて見ても仕方ないしなぁ。

などと思いながらもせっかく来たのでとりあえず映画街へ向かっていると、公衆トイレの前にいかにも今田舎から出てきましたというおばさんが立っている。もちろん農作業着を着ているわけではないが、とってつけたようにセットされた髪型や手にした風呂敷が、流行の店が並ぶ地下街の通路で完全に浮いている。

なんとなくおばさんを眺めながら通路を歩いていると女子トイレからハイヒールでコツコツと床を鳴らして出てくる女がいた。長い髪に隠れて、その横顔はよく見えなかったが、世之介は思わず足を止めた。

千春さん？

とつぜん立ち止まった世之介に背後から歩いてきたおじさんがぶつかり、「あ、すいません」と謝った世之介の声に振り返った女は紛れもなく片瀬千春である。世之介に気づいた千春が、「あれ？」とでもいうように首を傾げる。

「こ、こんにちは。横道です、横道世之介」

思わず千春に駆け寄ると、「あ、ああ。久しぶり。千葉のマリーナで会って以来？」と千春も微笑んでくれる。

「……どうしたの？　一人？」

千春に訊かれ、慌てた世之介は、「いや、あのハチ公を」と訳の分からぬ返事をした。横にいた田舎っぽいおばさんがなぜか千春のそばに寄ってくる。

「母なの。東京に出てきてて」

世之介の視線に気づいた千春が少し面倒臭そうに教えてくれる。

「初めまして」と世之介は千春の母親に頭を下げた。

「ちーちゃんのお友達だか？」

母親の質問に、「後輩よ。後輩」と千春が面倒臭そうに応える。どう見ても千春と横に立つおばさんが親子には見えない。田んぼ道に千春が立っているくらい、地下街に立つおばさんには違和感がある。

世之介があまりにもじろじろと眺めていたせいか、「世之介くん、このあと時間ある？」と千春が話を変えた。

「時間？　ありますあります」

「これからお母さんを駅まで送るんだけど、そのあとごはんでも食べようよ」

「ほんとですか？　はい」

たった今、カツ丼ともりそばを食べたばかりだったが世之介は即答した。

「じゃあさ、あそこの喫茶店で待っててよ。お母さん送ったらすぐに戻るから」

「はい」

千春は一方的にそこまで話すと母親の背中を押した。

「千春がお世話になって。よろしくねえ」

とつぜん母親が深々と頭を下げるので、世之介は慌ててしまい、「いえ、そんなに知り合いじゃないんです」と応えてしまった。きょとんとした母親の背中を、「もう、いいから」と千春が改めて押す。

「最後の最後になって、東京のお友達に会えて、母ちゃん良がったあ」

まだ話し途中の母親を千春が半ば無理やり歩かせる。

「じゃあ、そこで待っててね。すぐだから」

「はい」

「それじゃあ、ここで」

頭を下げる母親に世之介も深々とお辞儀した。混み合った地下街の通路を二人が歩いていく。髪を靡《なび》かせて歩いていく千春と違い、母親の歩調は覚束《おぼつか》なく、駅から歩いてくる人たちに何度もぶつかりそうになる。そのたびに母親の腕を取る千春の横顔は、世之介の前にいる時とは明らかに違い、急かす素振りも見せずに優しそうである。

二人の姿が見えなくなるまで見送ると世之介は千春が指定した喫茶店に入った。しかしあいにく満席である。レジの前に置かれた椅子には三人も客が待っている。世之介は諦めて外で千春を待つことにした。

十一月学祭

教室の窓の外は高い秋空である。窓ガラスに触れるように伸びたイチョウの葉が色づき、今にも風に吹かれて落ちそうである。終了時間を気にして早口になった教授の講義を聞きながら、窓際の席で揺れる葉に合わせて幸せそうに頭を揺らしているのが世之介である。

「頭揺らすなよ。黒板見えないだろ」

いきなり後ろからペン先で背中を突かれ、世之介は振り返る。一瞬、突いた男は何か言い返されると警戒したが、世之介は楽しげに頭を揺らしながら、「ごめんねえ」と笑顔を見せる。

「な、なんだよ、気味悪い……」

男のそんな言葉にも世之介は無頓着である。リズミカルに頭を揺らしながら姿勢を戻す。誰が見ても気味が悪い。授業終了のチャイムが鳴った。鳴った途端に教授がテキストを閉じ、学生たちもバタバタと席を立ち始める。

「で、松井、結局どうすんだよ、週末の合同コンパ」

世之介の背中を突いた男が隣の男に声をかけている。

「相手、どこの子たちだっけ？」

「だから大妻の子たちだって」

「行く！　行きます！　学校がこれだけ近いんだから大妻の子と付き合うのが一番なんだよな、俺たちは」

背中でそんな会話を聞いていた世之介が振り返る。

「悪いなぁ、俺、今週末デートなんだよね」

「は？」

「お前、誰？」

二人が同時に世之介を睨む。

「今週末、千春さんとデートの約束をしている横道世之介です」

呆気にとられる二人を残して世之介は立ち上がる。イチョウの葉のように今にもぽとんと落ちそうなほどリズミカルに頭を振りながら。

機嫌良く教室を出ると、「おい、世之介！」と背後から声がかかった。やけにごわごわした白いセーターを肩にかけている石田が怖い顔で近づいてくる。

「石田先輩、こんちは！」

「何がこんちはだよ。昨日から練習始まってんだぞ」

「練習？　何の？」

「サンバだよ。他にお前と何の練習するんだよ、俺が」

「ああ。サンバか」

「新入部員の募集も兼ねて学祭で踊るって言ったろ」

「あ、そうでした……」

「今夜も学生会館のサロンでやるから来いよ」

「え!? あんなとこで？」

石田のあとについて世之介は階段を下りた。

「ところで石田先輩」

「ん？」

「そのセーター、羊一頭、背負《しょ》ってるみたいですよ」

「何言ってんだよ。これ、流行ってんだぞ」

「そうなんすか？」

やけにもこもこしたセーターだが、洒落者の石田が流行っているというのだから、きっと流行っているのに違いない。

「それ、いくらくらいするんですか？」と世之介が訊く。

「買うの？」

「値段によります」

「やめてくれよ。お前とお揃いなんてかっこ悪いよ」

石田がぴょんと最後の数段を飛び降りる。

「じゃあ、一日千円で貸して下さいよ！」

世之介も石田を真似して飛び降りた。しかし運動不足のせいか、着地した途端に膝ががくんと笑ってしまう。

「どこに着てくんだよ？　汗かかない場所ならいいぞ」

石田にそう言われ、世之介は、「汗？」と首を捻《ひね》る。しばし悩んでから、「汗……」と今度はニヤリと微笑む。

「なんだよ、気味悪いな。やっぱ貸さねえ」

さっさと外へ出ていった石田を世之介が追う。秋の日差しを浴びたキャンパスから薄暗い学生会館へ入っていくと、エントランスからすぐのとても目立つ場所でサンバサークルの部員たちが円になっている。

副代表の清寺由紀江が二人に駆け寄り、「ちょっと石田ぁ、このスケジュールじゃ、本番に間に合わないよ」といきなり予定表らしき紙を突きつける。背後に立つ世之介にも気づいたようで、「あら、あんた珍しいじゃない」とますます表情が険しくなる。

「清寺さん、眼鏡替えました？」

ご機嫌を取るように世之介は尋ねたのだが、「替えたわよ。半年前にね」と冷たい。

「世之介くんさぁ、そのいい加減な感じ、ますます石田に似てこない？」

清寺の言葉に、「やめてくれよ」と石田が慌てて否定する。

「……そんなのどうでもいいのよ。とにかくこのスケジュールじゃ無理だって」

清寺の突き出す紙を石田が面倒臭そうに受け取り、「どうせステージでやるわけでもないだろ」と呟く。

「ステージじゃなくて、どこでやるんですか？」と世之介は訊いた。

「キャンパスを練り歩くんだよ」

石田がさも当然とばかりに答える。

「練り歩く!?」

かなりの大声だったのだが世之介の動揺は完全に無視されている。二人はスケジュールについて相談を始めている。世之介は誰か味方がいないかと他の部員たちを見渡してみたが、誰も目を合わせてくれない。

仕方なく世之介はその場を離れ、どこかジメジメした感じの男たちが囲む窓際のテーブル席へ移動した。男たちの中に体育の授業で一緒の奴がいたので、「ここって何のサークル？」と尋ねると、「映研」とそいつが答える。

「あーあ、俺もこっちにすればよかったぁ。文化的な匂いするし」

「映画好きなんだ。最近見た映画は？」

「この前、見ようとしたのは『ハチ公物語』」

「ハチ公？　じゃあ一番好きな映画は？」

「『トップガン』」

この辺で映研の部員たちまで世之介から目を逸らす。

いいんだ。いいんだ。

世之介は心の中で呟きながら日当りのいい場所に置かれたソファにドカッと座った。

先週のことである。満席で入れなかった喫茶店の前で世之介は母親を見送りに行った千春を待っていた。五分過ぎ、十分が過ぎる。千春は戻ってこないが店から出ていく客はおり、入口脇の椅子で待機していた客たちも順に呼ばれて入っていく。

こんなことなら素直に列に並んでおけばよかったと後悔し、改めて並ぼうかとも思ったのだが、入店できた客がいれば、そのあとに続いて増えた客もおり、今さら並んでも五、六組いる列の最後尾には変わりがない。

千春が現れた時に客の列に並んでいるのと、外で待っているのとでは、どちらがスマートか、世之介なりに考えて結局外で待つことにした。

千春が戻ってきたのは世之介が喫茶店の前に立って三十分も過ぎた頃である。危うく自分が千春と待ち合わせをしたという幻覚を見ただけではないかと信じ込みそうになる寸前であった。

地下通路を慌てることもなく歩いてきた千春が、「入れなかったの？　なーんだ、せっかく一緒に珈琲でも飲もうと思ってたのに」と言う。

まるで一緒に珈琲を飲むこと自体を諦めたような言い方だったので、世之介は慌てて、

「喫茶店は他にもありますから!」と声を裏返してしまった。

「そりゃ、そうだけど……」

世之介の迫力に千春が一歩後ずさる。

「私、あんまり新宿詳しくないんだよね。世之介くんは？」

「いや、俺もそんなには……」

「いつもどの辺で遊んでんの？」

「どの辺って言われても……」

この時世之介の頭に浮かんだのは校庭で缶蹴りをする幼い自分の姿である。仕方なさそうに歩き出した千春を世之介も追って歩く。

「この階段から出たところにプリンスホテルあったよね？　西武線の駅に繋がってる。ホテルのラウンジでいいんじゃない？」

「ありますあります。ホテルあります。西武線の駅に繋がってるホテルあります！」

「なんで二回繰り返すの？」

首を傾げる千春の後ろで世之介は無理に表情を硬くして、「別に深い意味はありません」と生真面目に応えた。

実際ホテルのラウンジは空いていた。案内されたのは大きな絵が飾られた壁際のL字型のソファ席である。席に着いた世之介が落ち着きなく周囲を見回していると、注文を取りに来たウェイターに千春がカモミールティーなるものを注文する。世之介はてっきりカクテルか何かだと早合点して、「じゃ、僕はジントニックで」と注文してしまった。

ウェイターは無表情だったが、「昼間っからそんなもん飲むんだ？」と千春が大袈裟に驚く。

引くに引けず、「はい。落ち着くんで」と世之介はますます状況を悪くした。

「誘っといて悪いんだけど、私、今日そんなに時間ないんだよね。お茶飲んだら、ちょっと行かなきゃいけないとこあって……。世之介くんとお酒飲むの、楽しそうだけど」

「あ、いえ。大丈夫です。いつも一人で飲んでますから」

「そうなの？　じゃあ、いつか一緒に飲もうよ」

「ほんとですか⁉」

災い転じて福となすこともある。嚙みつくような世之介の確認に千春も思わず頷いていた。

「いつ？　いつにします？」と世之介。

「いつって……、今、決めるの？」

「じゃあ、いつ決めます？」

「い、今でもいいけど」

「じゃあ、今週末は？」

「今週末……。い、いいけど……」

「じゃあ、土曜日」

「ど、土曜日ね」

そこまで話を詰めると世之介は全力を使い果たしたようにぐったりとした。喫茶店の前で千春を待っている間、彼女が来たら何かをやらなければならないと思い込んでいて、それが何かは分からなかったが、こうやって週末の約束を取り付けた途端、すべてをやり終えたような達成感があったのである。

「ところで祥子ちゃんとはうまくいってるの？」

届けられたジントニックを世之介がちびちびと飲んでいると千春に訊かれた。

「最近、会ってないです」

「そうなの？」

「あの、千春さんは祥子ちゃんの兄さんと……」

「勝彦さん？　私も最近ぜんぜん会ってない」

千春がタバコに火をつける。

「私って結局何やりたいんだろうね？……自分でも分からなくなるんだよね。知り合い方が知り合い方だし、世之介くんに嘘ついても仕方ないから話しちゃうけど……」

吐き出した煙を眺める女を世之介は眺めている。千春はそこまで言うと黙り込んでしまう。

ラウンジのあちこちでタバコの紫煙がライトに照らされていた。少し離れたテーブルにテレビで何度か見たことのある大学教授がおり、教え子なのか、若い女の子に囲まれて竜宮城にでもいるような笑みを浮かべている。

「私さ、東北の田舎で育ったんだよね。ド田舎ってわけでもないけど、駅前のボウリング場が唯一の五階建てビルって感じの所。そこで高校卒業まで過ごして……」

「モテたんでしょうね?」

世之介は思わず口を挟んだ。今ではさらさらの長い髪を掻き上げながら物憂げにタバコをくゆらせている千春も、数年前まではこの髪をおさげにして自転車で学校に通っていたかと思うと、それだけでそんな言葉が思わず漏れた。

「どうだろう……。でもきっとモテてたんだろうね。中学でも、高校でも、入学するとすぐに上級生の男の子たちが私の顔を見にきてたし」

その辺の女が口にすれば聞いていられない自慢話だが、不思議と千春の口から出てくると実際迷惑だったんだろうなと思われる。

「……でも、なんか違うなって思ってたんだよね。なんて言えばいいのかな、狭い町の中で好きな人を見つけて、結婚して、幸せになって……、そうじゃなくて、私、元々闘争本能が強いんだと思う。何かが欲しいんじゃなくて何かを捨てたいんだと思うのよ」

千春がそこでまた黙り込む。かといって世之介にこの沈黙を破るほどの甲斐性はない。千春が吸いかけのタバコを灰皿で消し、細い手首の腕時計を見る。

「そろそろ行くね。週末また会えるもんね」

約束をしたのだから当然の言葉なのだが世之介は千春の言葉に立ち上がる気力も失うほどの幸福感を味わった。伝票を取ろうとした千春を、「いや、ここは」と慌てて制した世之介だったが、「いいよ。私が誘ったんだし」と引かない。

「でも……」

「じゃあ、今度奢ってよ」

伝票を持って千春は慌ただしく出ていった。一人残された世之介の頭の中には、奢ってよ＝完璧なレストラン＆バー＝「ポパイ」購入という方程式が浮かんでいた。


週末はあっという間に訪れた。千春とのデートのためだけに、世之介はこの一週間を過ごしたと言っても過言ではない。

デート当日、世之介はバイトから朝八時過ぎに帰宅した。夜のために少しでも長く寝たほうがいいとすぐに布団に入ったのだが、いや寝る前にもう一度コースの確認をしておいたほうがいいと考え直し、付箋《ふせん》の張られた「ポパイ」と「ブルータス」を開いた。

予約したレストランは東京タワーが見えるイタリアンである。あいにく窓側のテーブルは取れなかったが、予約した席からも首を伸ばせばライトアップされた東京タワーの先っぽが見えることは電話で確認済みである。注文するワインはすでにメモに書いて財布に入れてある。長い名前だが六本木への電車の中で暗記すればいい。

ちなみに待ち合わせたのは土曜日夜七時の六本木アマンド前である。世之介が電話で待ち合わせ場所を指定した時、千春は少し笑ったが他にめぼしい場所も思いつかないのだから仕方がない。

レストランを出たら六本木の裏通りにある洞窟のような造りのバーに行く予定である。もちろんその先についても考えなかったこともないのだが、ここは焦り過ぎるとせっかくのラックを逃してしまうような気がして、敢えて流れに任せることにしている。とはいえ流れに任せるにしてもアマンドとWAVEしか知らないのでは話にならないので、都内ラブホテルマップなるものを世之介は購入している。もちろんバーから近いものを二つ、三つすでに調べ上げてある。

幸せな一週間である。世之介としてはすでに千春相手に大恋愛を演じ終えた感もある。世之介は待ち合わせ場所に一時間も早く着いた。時間潰しにWAVEに寄り、スティングの新譜などを試聴した。心を落ち着けるためである。ちなみにこれも予定通りである。

アマンド前に到着したのは待ち合わせの十分前。これも予定通り。週末の午後七時前、アマンド前には大勢の人たちが立っている。待ち人が来て早々に夜の六本木に消えていく人もいるが、そのたびに世之介は心の中でニヤけてくる。やってくるどの女性も千春に比べれば見劣りがするからである。交差点を走り抜けていくフェラーリやポルシェがなんだか平凡な車に思えてくる。

いよいよ、頭上の時計が七時を差した。世之介は身だしなみを整えた。

五分が過ぎ、十分が過ぎる。

新宿地下街での経験があるので世之介もまだ余裕である。「ごめんねぇ」と慌てもせず歩いてくる千春の姿がまだまだ簡単に想像できる。

ただ二十分が過ぎた頃、歩いてくる千春の姿に多少靄《もや》がかかってきた。六本木に他にもアマンドが存在するような気もしてくる。

時間は無情である。三十分を過ぎる。

世之介が来た時にいた待ち人たちはすでに全員いない。もちろん全員を覚えていたわけではないが、千春が来たらどんな顔をするだろうかと楽しみにしていた同年代の男たちはそれぞれの相手と夜の街に消えている。

とりあえず連絡を入れてみようかと世之介は近くの公衆電話に目を向けた。だが、どの電話ボックスも空いていない。数人並んでいるボックスもある。

遠くのボックスまで行ってもいいが、その間に千春が来ると困るので交差点からは離れられない。身動きとれずに立ち尽くしている間にまた時間が過ぎていく。

次第に予約したレストランのことが心配になる。ただでさえ東京タワーの先っぽしか見えないのに、これ以上遅れたらそれさえ見えなくなる可能性もある。その時ちょうど通り向かいの電話ボックスが空いた。横断歩道の青信号が点滅している。世之介は人ごみを掻き分けて横断歩道を渡った。渡りながらもこの瞬間に千春が来るかもしれないと何度もアマンド前を振り返りながら。

間一髪テレホンカードを手にした男より先に世之介は電話ボックスに駆け込んだ。アドレス帳を出して番号を押す。今、向かっている途中で留守電に変わるだろうと思っていたのだが、ブツッと音がして、「もしもし」となぜか千春の声がする。

「も、もしもし？　あの、横道ですけど」

「あ、世之介くん？　良かったぁ。家のほうに電話したんだけど、もう世之介くん出かけたあとだったみたいで……」

世之介はごくりと唾を飲んだ。先っぽだけしか見えない東京タワーが見る見るうちに萎《しお》れていく。

「あのね、風邪引いちゃったみたいで今日行けそうにないの。ごめん、ほんとにごめん」

風邪ならば仕方がない。受話器の向こうから咳《せき》も聞こえる。が、まるでコントのような咳である。

「あの、俺なら大丈夫です。無理しないで下さい……」

それで精一杯である。

受話器を置くと世之介は呆然と電話ボックスを出た。足元がふらつく。相手が来ないという状況は、「ポパイ」にも「ブルータス」にも書かれていない。

●

スターバックスで珈琲を買い、エスカレーターへ向かっていると、「チーちゃん」とディレクターの前原に声をかけられた。すでに三時を廻《まわ》っていたが、この時間に昼食をとってきたようで最近少し出てきた腹をさすりながら駆け寄ってくる。

「最近、メタボ腹でさ」

前原が自嘲《じちょう》気味に腹をさするので、「ポロシャツって目立つらしいですよ。それに十一月なのに寒くないんですか」と応えてエスカレーターに乗った。

「スタジオ、暖房強くて暑いんだよね」

二人を乗せたエスカレーターが音もなく上がっていく。ここ六本木ヒルズはどこが一階なのか分かりづらい。地下にいると思っていれば、その先に日を浴びた車寄せがあるし、じゃあこの上が二階かといえば、そこに正面玄関があったりする。もう五年もこのビルのラジオ局に通っているが、ゲストを出迎えるたびに相手がいったいどこの玄関にいるのかが分からない。

「そこのリーマン・ブラザーズの看板、あれ撤去しないのかな？」

おそらく一階にエスカレーターが着いた時、そう言って前原がエントランスの外を指差した。倒産のニュース以来、何度となくニュース番組内で映し出された社名の入ったプレートの前で記念撮影している人たちの姿がある。

この局で毎週日曜日の午後に放送される十五分番組のパーソナリティーを務めるようになって五年になる。基本的にはリスナーからの電話相談に応えるのが十分間、そして相談内容に見合った曲をかけ、時には臨時ニュースを読むこともある。元々はある有名な女性DJの産休時期の代役だった。しかし根っから闘争心が強いのか、相談相手をメッタ斬りにする語り口が受けたようで、結局別枠で新番組を作ってもらった。特に若い女性のリスナーに人気があって「貪欲《どんよく》に、でも浅ましくない生き方」というキャッチフレーズが好評らしい。

スタジオのあるフロアまで上がると、応援スペースの窓から手に届きそうな東京タワーが見える。東京タワーのライトアップの仕方が変わったのはいつ頃からだっただろうか。高校を卒業して上京した当時は今のように全体を浮かび上がらせるようなライトではなく、オレンジ色の小さな電球がタワーの形をかたどっていたはずだ。

珈琲を持ってミキサー室に入るとＡＤの岡本が簡単な台本を持ってきた。台本と言ってもすでに五年もやっている番組なので、曲のあとに入る通販商品へのコメントだけだ。今月は洗顔クリームを紹介している。

「これ、私も使ってるんだよね」とまだニキビの残る岡本に言うと、「片瀬さんって、肌きれいですよね」とさらりと褒めてくれる。

「岡ちゃん、出世するよ」

「そうですか？」

「そういうの、どこで覚えるわけ？」

「そういうのって？」

「女の褒め方」

「またぁ、そういう意地悪言う。実際きれいじゃないですか、片瀬さんの肌」

台本で岡本の頭をポンと叩いてスタジオへ入った。三十三階の窓からは東京の街並みが一望できる。

ディレクターの前原がミキサー室に入ってくるとすぐに放送時間になる。もう五年も組んでいるので目配せだけでいろんなことが流れていく。一時期この前原と深い付き合いになりかけたことがある。短期留学していたロンドンのアートスクールから戻ったばかりの頃で、前原はまだＡＤだったがすでに妻子があった。

「チーちゃん、いい？」

ヘッドフォンに前原の声が聞こえる。小さく頷くとすぐに番組のテーマ曲が流れ出す。窓の外、ビルの谷間に真っ赤な夕日が沈んでいく。

「こんにちは。片瀬千春です。みなさん、どんな日曜日の午後をお過ごしですか？　みなさんご承知のようにこのスタジオはあの六本木ヒルズにあるんですが、そうなんです、今、世間を騒がせているリーマン・ブラザーズも入っているビルで、さっき入口の所で珈琲を買っていたらリーマン・ブラザーズの社名の入ったパネルの前で、ここに遊びに来ている人たちが記念撮影していました」

そこまで言ってミキサー室を見ると前原が苦笑いしている。

一分ほどの冒頭挨拶を終えるとすぐに電話相談になる。生放送なので電話の相手とも放送時に初めて話すことになる。第一声を聞くまではやはり緊張する。

「さて電話相談のお時間です。このコーナーではみなさんから頂いたお悩みに、私、片瀬千春が首を突っ込ませて頂きます。今日お一人目のお悩みです。もしもし？」

「もしもし」

ヘッドフォンに聞こえてきたのはまだ幼さの残る男性の声だった。

「まずお名前を聞かせて下さい」

「えっと、ユータです」

「こんにちは、ユータさん。年齢とご職業なんて教えてもらっていいですか？」

「えっと、十九で、学生です」

「十九歳の学生さん……。その肩書きだけで悩み多そうだよね」

「そうですか？」

「うそうそ、ごめんね。で、どんな悩みで電話もらえたのかな？」

「あの好きな人がいて」

「だと思った」

「そうですか？」

「ごめん、ごめん……、続けて」

「年上の人なんです。会ってると楽しいんだけど、会えないと不安になるっていうか。自分としては……、こんな風に言うとかっこ悪いんですけど、自分としては彼女といろんなもの見たり、いろんな場所に行ったりしたいんだけど、うまくいかないっていうか」

「彼女が誘いに乗ってくれない？」

「じゃなくて、俺は楽しいんだけど、彼女も楽しいのか不安で」

「自信がないんだ？」

「自信っていうか、たとえば俺は彼女と何やっても新鮮なんだけど、彼女のほうはもうそれを誰かとやったことがあるっていうか、もちろんそんなこと彼女が言うわけじゃないんだけど、そんな風に見える時があって」

「ユータくん、一つだけ先に言わせてもらっていい？」

「はい」

「たとえばユータくんが初めて食べるものを、もうその彼女が食べたことがあるとするよね？　でも彼女にとってもやっぱり初めてなんだよ、ユータくんと一緒に食べるのは」

マイクに向かってそう応えながら窓の外へ目を向けた。すぐそこの東京タワーと重なるようにヘッドフォンをつけた自分の顔が映っている。

ＣＭの最中にニュースが入った。ＡＤの岡本がニュース原稿を持ってくる。ＣＭが明け、早速原稿を読む。

「十七時十三分頃、代々木駅で人身事故のため、ダイヤが乱れている模様です。この影響で山手線内回りは運転を中止、また外回りも一部列車に大幅な遅れが出ています。ちようどお帰りの時間にぶつかりそうですね。みなさんも今後の情報にご注意ください」

前原から合図を受け、懐かしいスティングの曲を紹介する。


「おつかれさまでした」

スタジオを出てミキサー室へ入ると、前原と岡本が少し心配そうな顔を向けた。「チーちゃん、どうかした？」と前原が訊くので、「なんで？」と尋ね返すと、「電話相談のあと、なんだか急に声が沈んで聞こえたから」と言う。

「そうですか？　ごめん、今日これからちょっと約束あるんで、お先です」

二人をやり過ごしてミキサー室を出た。二人の前では平気な顔をしたが、実際にはまだ胸の中がもやもやしている。電話相談で年上の女性を好きになったという大学生からの相談を受けながら何か思い出しそうだった。ただ、その何かが思い出せない。

あの大学生の声が誰かに似ていたのだろうか。同じような相談を前にも受けたことがあったのだろうか。

新進画家の海野と待ち合わせていたのは飯倉の交差点近くにある和食店だったので、六本木ヒルズからのんびりと歩くことにした。海野の絵を初めて見たのは、ある美大のOBたちが催した展示会だった。海野の絵はメイン会場ではなく、一番奥の小さな部屋にかけられていた。以前から世話になっている老舗《しにせ》ギャラリーのオーナー鎌田に誘われて行ったのだが、彼が言うようにメイン会場にある絵はどれも完成度が高く、それが逆に限界を感じさせた。知り合いと話し始めた彼を置いて奥の部屋へ入った。白壁にぽつんとかけられた海野の絵は決して手放しで賞賛できるものではなかったが、自分の限界を超えたところで何かを表現しようとしている気迫のようなものだけは伝わってきた。遅れて入ってきた鎌田に目配せすると、「来た甲斐あったね」と微笑む。

若い頃、目的もなく遊び歩いていたお陰で人脈だけは広かった。資産家の御曹司、医者に、弁護士、芸能人と相手の肩書きを集めるカードゲームをやっているような生活を送っていた。今になってみれば虫酸《むしず》が走るほどの思い出だが、当時はそれが楽しかったのだから自分でも不思議でならない。そして気がつけば娼婦扱いされていた。時代のせいにするのは簡単だし、実際その頃の遊び仲間である程度の人のところに納まって、現在いわゆる「幸せ」な結婚生活を送っている友達も大勢いる。

まさに当時は浮かれていたのだと思う。そんな言葉しか当てはめようがない。そして浮かれ疲れ始めた頃に本間礼という画家と知り合った。肩書きも金も何も持たない男だった。生活力もなく、ただ絵を描くことしかできなかった。

何度も言うが遊び歩いていたせいで人脈だけは広かった。彼の絵を買ってくれる人を探し出すことなど簡単だった。もちろん彼に才能があったのは確かだと思う。しかし才能がある人ほど商才はない。

あらゆるコネを使って彼を様々な人たちに紹介した。時期も良かった。ちょうど日本の景気が悪くなった頃で、彼が描く祭りのあとのような風景画はあれよあれよという間に評判になった。

彼にマネージャーを頼まれて、さほど気負いもなく始めた。何の知識もなかったが本間礼という画家を世に出したという肩書きだけは一人歩きする。若い頃からの飲み仲間だったギャラリーのオーナー鎌田の援助もあって小さなギャラリーを代々木に開いた。第二の本間礼になりたいと願う画家の卵たちが毎日のように作品を持ってきた。遊び歩いていた時間を全て美術の勉強に充てた。すでに二十代半ばを過ぎていたが必死に勉強して夜間の美術大学に入り、本間のマネージャーをやりながら学芸員の資格も取った。少し変わった経歴もあって、昔からの知り合いだった前原にラジオで話してみないかと誘われたのはその頃だ。都内で開かれている展覧会を紹介するコーナーだった。

人生なんて本当にどこでどう転ぶか分からない。それを実感しているからこそ、ラジオで人生相談なんかをやっていられるのだとつくづく思う。相談されても答えを見つけてあげられないが、答えなんて見つからないのだとなら自信を持って言ってあげることができる。

待ち合わせした和食店に着くと、すでに海野はカウンター席でビールを飲んでいた。まだ一つも作品が売れたことのない海野の生活からすれば決して落ち着ける店ではないだろうが、よほど肝が据わっているのか、この道四十年の店主を相手に気後れすることなく笑い合っている。

「ごめん。待った？」

「どうせ迷うからと思って早めに家を出たんですけど、珍しく迷わなかったんですよね」

昼にビールの泡をつけたまま海野が笑う。

海野の隣に座りながら長い付き合いの店主に目配せすると、「大物になるよ、この子」と半ば呆れたように、半ば本気で店主が笑う。

「なんか棘《とげ》あるなぁ」

店主の言葉に海野が大袈裟に応え、拍子に椅子ごと後ろに倒れそうになる。

「ちょっと、もう酔っぱらってんの？」

「酔ってませんよ。まだ二センチしかビール飲んでないですって」

店主に生ビールを注文し、タバコに火をつけた。

「片瀬さんってうまそうにタバコ吸いますよねぇ」

「だって、うまいんだもん」

ビールを運んできた店主が白木のカウンターに置きながら、「うちぐらいだよ、カウンターでタバコ吸わせる料理屋。もっと大事にしてもらわないと」と声をかけてくる。

「今日、ラジオだったんですよ。スタジオは全面禁煙だし、かといって六本木通りを歩きタバコするわけにもいかないでしょ。だからもう、二、三本まとめて吸いたい感じ」

手際良くエビ芋と鱈《たら》の煮付けを小鉢に盛る店主の前で海野と乾杯した。「乾杯するのはまだちょっと早いんだけどね」と釘をさすと、「俺、乾杯が多ければ多いほど、いい作品描けるタイプなんで」と減らず口を叩く。

「で、どうなのよ？　パーティー開いたはいいけど肝心の作品がありませんじゃ、どうにもならないんだからね」

「いいっすよ。今回の」

「上がったの⁉」

思わず嚙みつきそうなほど顔を寄せてしまった。自信ありげに海野が頷く。

「よかったぁ。私、本気で招待状出すの迷ってたんだよね」

「俺、信用ねぇな」

「ちょっと待って、ってことはほんとに乾杯じゃない」

「そうっすよ。ほんとに乾杯ですよ」

「大将！　ごめん、ビールじゃなくてシャンパンある？」

海野が完成させた絵を早く見たいと心から思う。一人の青年が半年という時間をかけて描いた絵を誰よりも早く見ることができるこの仕事がとても贅沢なものに思える。若い頃からずっと贅沢なものに憧れて、やっと辿り着いた贅沢がこれならば、自分の人生、満更でもなかったのではないかとも思う。

店主の料理と辛口の日本酒に心地よく酔って店を出た。食事をしながらも早く海野の新作が見たくてたまらず、店を出るとすぐにタクシーを摑まえた。

作品を仕上げるため清澄白河《きよすみしらかわ》の倉庫街に会社で借りているアトリエに、海野はこの一ケ月ほどこもっている。

「ほんとにこれから行くんですか？　昼間はまだ日が差し込むからいいけど、あそこ夜は寒いっすよ」

タクシーに乗り込むと海野が改めて呆れる。

「アトリエに暖房器具もつけてやらない所属ギャラリーに対する不満？」

「あ、そっか。これで俺も正式な所属アーティストなわけだから本間礼みたいにわがまま言い放題なんだ？」

「本間くんはわがままなんて言わないもん」

「だって、今、アイスランドにいるんでしょ？」

「自費だよ」

「なーんだ。そうなんだ」

元々本間礼は不思議な白を描くアーティストだった。本人曰《いわ》く、あと十種類の白を見つけるための最初の渡航先がアイスランドだと言う。

「それに本間くんはもううちの所属っていうより、各国のギャラリーと契約してるからね。これからは海野くんに稼いでもらわないと」

「あ、芸術家に向かってその言い方はないんじゃないかな」

「何言ってんのよ。私はお金になるんだったら、芸術家だろうが、ものまねタレントだろうが誰だってマネージメントしますから」

呆れたような海野が外を眺める。沈黙の中、ラジオが流れている。

「……先ほどもお伝えしましたが、今日の夕方代々木駅で起こった人身事故の続報が入ってきました。今日の十七時過ぎ、代々木駅の山手線内回りのホームから女性が線路へ転落し、近くにいた二人の男性が女性を助けようと線路へ飛び降りましたが、間に合わず進入してきた電車にはねられるという痛ましい事故が起きました。転落した女性の身元はまだ分かっていないとのことですが、その後の調べで、救助のために線路へ飛び降りた男性は韓国人留学生パク・スンジュンさん二十六歳、日本人カメラマン横道世之介さん四十歳と判明した模様です」

「片瀬さん、着きましたよ」

「え？」

海野の声にふと我に返った。すでにタクシーはアトリエのある倉庫の前で停まっている。慌てて料金を払い、車を降りた。アトリエは古い倉庫の三階にある。旧式のエレベーターで三階へ上がる。

「片瀬さん、どうしたんですか？」

「え？」

「いや、ちょっと様子ヘンですよ」

「そう？……なんかを思い出しそうで、それが出てこないのよねえ」

「あ、年だ」

「失礼ね」

エレベーターを降りると重いドアを海野が押し開け、真っ暗なアトリエに明かりをつける。白く照らされたアトリエの中央に海野の新作が置かれている。幅二メートルを超える大作で、中央に今にも消えてしまいそうな人影だけが描かれている。

かなり長い間、何も言えずに絵の前に立ち尽くしていた。我慢できずに海野が、「どうですか？」とおずおずと尋ねてくる。

文句のない作品だった。消えてしまいそうな人影に、自分まで引き込まれるような気がしてくる。

「この人の手を摑みたくなるよね」

「でしょ？……摑んだら、この人、消えずに残ってくれると思います」

「あなたが描いたんでしょ」

「描いた本人が分からないんですよ」

だだっ広いアトリエに海野の声が響く。

今自分は一人の画家が誕生する瞬間に立ち会っている。そう思うと、一つの作品を前に胸が熱くなってくる。

花小金井駅前に銭湯が営むコインランドリーがある。洗濯機が八台と乾燥機が五台。広くもないが狭くもなく、たとえば覚えたてのサンバのステップを練習するのにちょうどいい。カラカラと乾燥機が回る音でリズムを取って、それをやっているのが世之介である。薄暗い通りにあるので上手い具合にガラスが鏡になるらしい。ただ、こうやって鏡《ガラス》の前で踊ってみると、たしかに石田から叱られるようにどうも世之介の踊りは腰が引けている。

すでにサンバサークルに入って八ケ月、恥ずかしさや照れは捨てたつもりでいるが最後に残った微妙なためらいがこの腰の辺りに出ているのかもしれない。

乾燥機のブザーが鳴ったので、世之介は腰をフリフリ近づいて中の洗濯物を確認した。やはり十分間では乾かない。生乾きのトレーナーが重い。腰をフリフリ、ポケットから百円玉を取り出す。腰をフリフリ、投入し、またカラカラとドラムが回り出すと、腰をフリフリ、体の向きを変える。ガラスに自分を映すつもりが、そこに若い女が立っている。大きなビニール袋を抱えているのだから洗濯しに来たのだろうが、その表情が間違いなく固まっている。

「あ、いや……」と世之介は慌てて踊りをやめた。

中へ入ろうとしている女の腰が引けている。

「あ、あの、すいません。怪しい者じゃないです。ど、どうぞ」と世之介は声をかけた。せっかく抱えてきた洗濯物を持って戻るのも面倒。かといってコインランドリーで踊っている男も不気味。女の表情が世之介にもはっきりと分かるくらいにクルクルと変わる。

「大学のサークルでサンバやってて。今度、学祭で踊るもんだから、ちょっと練習してただけなんです」

見知らぬ人にここまで説明する必要もないのだが、これくらい説明しないと状況を理解してもらえそうにない。

「なんか、いきなりだったんで、びっくりしちゃった……」

女がやっと顔の筋肉の感覚を取り戻したように苦笑する。

「で、ですよね。びっくりしますよね」

苦笑いする女に世之介も追従《ついしょう》笑いで応える。

「前に、ここで泣いてる女の子がいて、その時もびっくりしたけど……。ここってなんかそういう場所なわけ？」

そう言いながら彼女がドンと置いたビニール袋から、男物のトランクスなんかが混じった洗濯物を洗濯機に突っ込んでいく。

「そういう場所というと？」

「だから感情が剝き出しになるような」

「いや、だから僕は大学のサークルでサンバやってて、その練習で……、だから何も気分が高揚して踊ったわけじゃなくて……あの、それに気分的にはこんな所でサンバ踊ってる気分じゃないんですよ、ほんとは」

世之介の言い訳を彼女がなんだかぽかんと聞いている。

「……いや、あの、最近ある人とデートの約束したんですけど見事にすっぽかされちゃって。いや、彼女は風邪で来られなかったんですけど、先輩とか友達とかにその話をしたら八人に訊いて、うち七人が、『それ、すっぽかされたんだよ』って言うし。で、一人だけ『すっぽかしじゃない』って言ってくれた奴も、その日、自分が風邪を引いててサークルの練習を休みたがっていた奴で」

その辺りまでじっと世之介を眺めていた女が、「あ、いいのいいの、私、関係ないから」と出て行こうとする。

「いや、僕も別に話したいわけじゃなくて」

「ほんとにいいから」

怯《おび》えたように女が出て行く。その背中に、「ほんとにサンバサークルに入ってるんですって！」と世之介は叫んだ。

「なんか、楽しいっすねえ！」

サークルで用意した弁当のからあげを口に頬張りながら世之介は興奮した口調で石田の肩を叩いている。学祭の準備スペースになっている学生会館のサロンの一角である。サークルメンバーが弁当を食べる場所にしては狭いので、横に座った石田の衣装の羽根が世之介の首筋をくすぐっている。

「だから言ったろ。踊り出してしまえば、もう人の目なんて気にならないんだよ」

「いやぁ、自分でもこんなに楽しいとは思いませんでしたよ。こんなに楽しいんだったら学校の狭いキャンパス内を邪魔になりながら練り歩くんじゃなくて、浅草のカーニバルで大観衆の中、踊りたかったなぁ」

「お前、貧血で倒れたんだもんなぁ」

「あの時は正直ちょっと助かったって思ってたんですけどね」

午前中、正門から出発してやきそばの屋台などが並んだキャンパスから各種展示場が入っている校舎まで、時に迷惑がられながらも踊りまくってきた興奮が未だ世之介は消えていない。

「午後はどういうコースなんすか？」

余った弁当の争奪戦のジャンケンにも参加しながら世之介は石田に尋ねた。

「体育館でライブがあるだろ？　あの前座を狙ってたんだけど和太鼓同好会に取られちゃったんだよな」

「ええ、そうなんすか」

「だから、まあちょっと休憩して、午前とは逆のコースで回って、正門で終わりって感じかな」

結局、余った弁当のジャンケンに負け、世之介はまた床にしゃがみ込んだ。立てば立ったで背中の羽根が邪魔だが、座れば座ったでかぶり物の太陽が隣の石田の顔を刺す。

「俺、思ったより踊れてますよね？」

「そうだな。ちゃんと腰も動いてるし。それより入部希望者探せよ。このままだと俺らが引退したら廃部だぞ」

学園祭の初日である。学生会館のサロンのあちこちで学生たちの笑い声や怒声が響いている。やきそばのブースで働く学生も、ライブの準備をしている学生も、誰もがいつもの自分とはちょっと違う自分を持て余してしまうほど興奮しているようである。

「あ、いた！　世之介さん！」

ふと聞き覚えのある声が聞こえて世之介は入口の方を振り返った。勢いが良過ぎて、かぶり物の太陽の先っぽがパチンと石田の目元を叩いてしまう。

「痛ッ」

目元を押さえる石田に詫びて世之介は改めて入口を見遣《みや》った。床に散らばった演劇サークルの小道具を跨いで近寄ってくるのは祥子である。

「祥子ちゃん！」

一瞬、発泡スチロールで作られた仏像の頭を跨いでいいのかどうか迷った祥子が結局跨ぎながら、「お久しぶり！　お元気でした？」と手を振る。

「元気だよ。祥子ちゃんは？」

世之介は祥子の元に駆け寄った。長崎でボートピープルと遭遇して以来、一度だけ、祥子があの赤ん坊と母親の状況を教えに来てくれた時を除けば、まったく会っていなかった。祥子の落ち込みようも激しかったし、世之介も世之介で自分の役立たずさ加減が恥ずかしくもあり、なかなか電話できなかったのである。

「どうしたの急に？」と世之介は尋ねた。

「加藤さんに、世之介さんが学祭でサンバを踊るってお聞きしたの」

「加藤？　ああ、最近、会ってないな。どこで会ったの？」

「今、通ってる英会話学校で同じクラスなんですの」

「あいつもたまには連絡くらいくれればいいのに」

「『世之介はエアコンが必要な夏しか連絡がない』って、加藤さんもおっしゃってましたわ。あ、それに最近、加藤さん、恋人ができたらしくて、世之介さんと遊んでるヒマなんてないんですって」

「加藤の奴、恋人できたんだ？」

「今度、紹介して下さいってお願いしたら、『紹介してもいいけどびっくりするよぉ』って、どんな方かしらね」

加藤の恋人となれば男だろうが祥子ならさほどびっくりしないような気もする。

「……ところで今さらですけど、世之介さん、それ、頭に何かぶってますの？　ひまわり？」

「違うよ。太陽」

「ああ、太陽。サンバだから」

「……あ、そうだ。サンバだから太陽だ。……今、気づいた」

サンバサークルの仲間たちが世之介たちをじっと見ている。中にいると分からないが、離れて見るとサンバサークルのブースは思った以上に目立つ。

祥子と簡単な近況を報告し合っていると午後の部スタートの集合がかかった。弁当を食べ終わり、大袈裟な衣装のまま休憩していた部員たちがわさわさと動き出す。

「祥子ちゃん、ごめん、俺、これからもう一踊りあるんだよ」

「私、見てますわ」

「でも、舞台とかで踊るんじゃなくて」

「じゃあ、どこで？」

「どこっていうか、キャンパス内を練り歩くんだよね」

「じゃあ、どこで見てれば一番見えるのかしら？　屋上？」

「屋上からだと外で踊ってる時は見えるけど、校舎の中に入ると……」

「じゃあ、列の後ろからついて行きますわ」

「そうだね。だったらずっと見てられるし」

大きなラジカセを担いだ石田を先頭にサンバサークルのメンバーが整列する。祥子のことを考えて世之介は列の一番後ろについた。音楽が流れ始め、かけ声がかかると、一斉にみんなが腰をふり始める。

サロンで休憩中の学生たちがうんざりしたような、どこか諦めたような目で、派手な行列を見送っている。

「世之介さん！」

「何？」

声をかけられて世之介は踊りながら振り返った。

「このあと、ちょっとお時間ありません？　せっかく久しぶりにお会いしたし、夕食でも一緒にいかがかと思って」

祥子の丁寧な物言いがどうもサンバのリズムと噛み合わない。

「これ終わったら、ちょっと用あるんだよ」

「打ち上げか何か？」

「じゃなくて、倉持って友達の引っ越しを手伝うことになってて」

喋るとリズムが崩れる。かといってリズムを合わせていると喋れない。

「お友達の引っ越しなら仕方ないですわね。じゃあ、また今度にしますわ」

「ごめんね」

夕食の誘いを断りながら世之介は腰をフリフリ賑やかなキャンパスに繰り出した。腰をふるたびに落ちる羽根を拾いながら祥子があとをついてくる。

「で、その祥子ちゃんって女の子と、今、付き合ってるわけ？」

助手席で割れかけた爪を撫でている倉持に訊かれ、世之介はハンドルを握り直しながら、「付き合ってるわけじゃないんだよな」とぼそりと答えた。

倉持の荷物を積んだ軽トラックは山手通りを順調に新居へと向かっている。ただ、学祭でのサンバが終わり、神楽坂の居酒屋で夕方から催される打ち上げを辞退して、倉持の引っ越しの手伝いに来たのはいいが、多少拍子抜けさせられた感も強い。

まず驚かされたのが運ぶ荷物の少なさである。引っ越しと聞いていたので机や本棚などの家具も運ぶと思っていたのだが、倉持がまとめていたのは十個ほどの段ボールだけで、主に衣類が詰め込まれた段ボールは軽く、ほんの十分足らずで軽トラの荷台に積み終わったのである。

ちなみに驚いたのは荷物の少なさだけではない。家にいるというのに一度も顔を出さなかった倉持の父親と、荷物を心配そうに眺めてはいたがいよいよ自立する息子に対して見送りにも出てこなかった母親の、なんと言えばいいのか、ぞっとするほど冷たい態度である。

まだ二十歳になったばかりの一人息子がせっかく浪人までして入った大学を中退し、孕《はら》ませてしまった女の子と二人で新生活をスタートさせるのだから、バンザイ三唱で見送れとは言わないが、それでも荷物をまとめて実家を出ていくとなれば一大事ではあるはずで、上京する際、新劇女優のように泣いた母親や青春ドラマの先生のように肩を叩いてくれた父親の姿がまだ記憶に新しい世之介としては、どうしても倉持が不憫でならない。

「あ、あそこ。あの信号を左な。で、二本目を右」

しばらく黙り込んでいた倉持が力なく前方の信号を指す。

「なんか元気ないな」

「徹夜で荷物まとめたから疲れてんだよ。それより金ありがとな。お陰で引っ越し費用の半分は出せて、どうにか唯のお袋さんにもメンツ立ったよ」

「阿久津唯のアパートが子供不可だからって、無理して二人で住むこともないんだよ。なんで阿久津唯の実家で暮らさなかったわけ？」

世之介の質問に倉持が溜息をつく。

「いくら母一人娘一人とはいえ、2LDKの公団だぞ。襖開けたらお袋さんが寝てんだぞ」

倉持の話を聞きながら世之介はハンドルを切った。

「……でも今度借りたアパートから歩いて一分もかからないんだよ。だから子供が生まれても何かと世話になるとは思うけどな」

「でもさ、子供ができたってことは、時間が経てばほんとに生まれるんだもんな」と世之介は呟いた。自分では真理をついた深い言葉のつもりだったが、現実に直面している倉持には響かない。

「そういえば、仕事見つかったのかよ？」と世之介が訊くと、「あれ、あれ、あのアパートだから電柱の先に停めてくれよ」と言ったあと、「一応な。採用はされたんだけど、一ケ月は試用期間で給料半分なんだよ」と倉持が答える。

「給料半分はいいけど、何の仕事？」

「不動産屋」

「不動産屋って、あの窓ガラスに空き物件のチラシをベタベタ張ってる？」

「じゃなくて、ブローカーだよ」

「ブローカーってなんか胡散《う》《さん》臭いなぁ」

「ちゃんとした会社だぞ。社員六人で小さいけど。今、景気いいみたいだし」

あまりにも壁に寄せ過ぎて運転席のドアが開かない。仕方なく倉持が降りた助手席のドアから出ると、「先に鍵開けてくるから。202号室な」と倉持が外階段を駆け上がっていく。予想はしていたが、共同玄関でないのだけが取り柄の古いアパートである。一番軽そうな段ボールを抱えて世之介は階段を上がった。開けっ放しの202号室を覗き込むと、何もない部屋の真ん中になぜか倉持が立ち尽くしている。

「これ、どこ置く？」

世之介が壁際に段ボールを置こうとすると、「ありがとな」と倉持の涙声がする。世之介は仰天して顔を上げた。倉持が泣いている。

「……世之介、俺さ、頑張るよ。生まれてくる子のためにも頑張ってみる。お前しかいなかったんだよ。引っ越しの手伝い頼めるの。ありがとな。唯と一緒にとにかく頑張ってみるよ」

とつぜん泣き出した倉持の前で世之介は抱えた段ボールを置くに置けない。ただおろおろとするしかない。

十二月　クリスマス

世之介の元へ実家から段ボールが送られてきた。中にはカップ麵などと一緒に青い縞模様の丹前《たんぜん》が入っている。高校の三年間、冬になると世之介が愛用していたものである。両親に隠れてこっそりと吸ってみた煙草の焦げ痕《あと》や、深夜、勉強しながら食べたラーメンの汁の染みもちゃんとついている。送ってくれと頼んだのは世之介である。

「丹前くらい安いんだから、そっちで買えばいいのに、あんな古いのをわざわざ送らなくても」とは母親の言葉である。

たしかに駅前の西友では新品の丹前が安く売られている。しかし丹前というのは不思議なもので、あれば着るが、わざわざ買うほどのものでもない。

段ボールから丹前を取り出した世之介は感触を懐かしみながら袖を通してみた。通した途端、なぜかみかんが無性に食べたくなる。もしやと思って段ボールの中を探ると底に白いビニール袋がある。みかんである。

さすが、お袋である。

先週、世之介はバイト代で安いこたつを買った。古い一軒家の実家とは違い、鉄筋コンクリート造りのマンションで、おまけに頑丈なサッシ戸なのだから、電気ストーブで足りると思っていたのだが、頼りにしていたコンクリートは逆にひどく冷たかったのだ。丹前を着込むと、世之介は真新しいこたつに西洋史の教科書を広げた。明日提出期限のレポートである。

「ギリシャの衰退について、ポリスを絡めて書くこと」

設問のせいか、それとも丹前を着てしまったせいか、急に瞼が重くなる。明日提出なのだから寝ちゃ駄目だと思いながらも、足はあたたかいこたつの中、手を伸ばせば甘いみかんである。気がつけばごろんと横になっている。

みかんを口にくわえたまま、世之介はいつの間にかうとうとしていた。丹前を着て、こたつで寝ているわりに、うとうとしながら見た夢は、最近流行っている『ハートカクテル』の主人公に自分もなったという内容で、スタイリッシュな海沿いのホテルになぜか丹前姿の自分が立っているものだった。

電話の音で目を覚ました時には、ちょうど海沿いの道をオープンカーで気持ち良く走り抜けていた。

世之介は芋虫のようにこたつから這い出て電話に出た。すでに日も暮れており、こたつから漏れるあかりが狭い部屋を赤く染めている。

「もしもし」

世之介の寝ぼけた声に、「もしもし？　世之介？　俺だよ、俺」と声がする。高校の同級生だった小沢である。

駅の公衆電話からかけているのか、背後でけたたましく発車ベルが鳴っている。

「小沢？」

「久しぶりだな。何してんの？」

「こたつで寝てた」

「あのさ、お前、テレビ出る気ない？」

「え？」

「だからテレビだよテレビ。実はさ、うちのサークル関係で、『ねるとん』の出演者オーディションの参加者、集めなきゃならなくなってさ。人気番組だから応募は殺到してるんだけど、なんか地方から上京した男と東京の女って組み合わせで、急に特別番組作ることになったらしいんだよ。で、オーディションがもう明後日あるんだけど、さすがに集め切れないらしくて、各大学のマスコミ研究会に連絡が来てるんだ。ただ、うちほとんど東京出身の男ばっかでさ」

小沢は一方的にそこまで話すと、世之介の反応も気にせず、「オーディション、明後日の木曜だから」と付け加えた。

「もしもし？」

「とにかく詳しいことが分かったら、連絡するよ。ごめん電車来た」

「お、おい、……ちょっと待てよ」

「え？　明後日無理？」

「そうじゃなくて、お前さ、今、『ねるとん』って言った？」

「言った」

「それって、とんねるずがやってるあのテレビ番組？」

「そうだよ。他にあるか？」

世之介は寝ぼけている上に混乱する頭で話を整理した。

「俺がテレビに出られるわけ？」

整理した結果の質問がこれである。

すぐに、「だから－」と小沢が面倒臭そうに話を繰り返す。

「だからそのオーディションに受かったら、俺がテレビに出るってことだろ？」と世之介は尋ねた。これは間違っていないらしく、「そうだよ」と小沢が答える。

「でも先に言っとくけど、お前は無理だと思うぞ。顔とか特技とかでよっぽど目立つ奴じゃなきゃ合格しないって」

小沢にそう言われ、世之介は考えている。たしかに顔はどうってことないし、自慢できるような特技もない。

「とにかく詳しい時間とか場所とか決まったら連絡するから」

小沢は電話を切った。すでに切れたはずなのに受話器の向こうで鳴っていた発車ベルがまだ世之介の耳に残っている。

受話器を置いた時にはすでにテレビに映っている自分の姿を世之介は想像していた。芸能界に憧れたことなど一度もないが、一生に一度くらいテレビに出てみたい気がしないでもない。

中学生の頃、正月に市内の神社へ友達と初詣でに行った世之介は地元のテレビ局の取材を受けたことがある。帰宅すると両親はもちろん、近所の人たちまで、「テレビ見たよ」と家へ押しかけてきた。地元のテレビ局でそうなのだから全国放送などに出た日には……。

そこまで考えて世之介はまたごろんと横になった。考えれば考えるほどオーディションになど受かるわけがないと思えてくる。丹前を着て、みかんを食べている大学生なんかがテレビに出られるわけがない。


百人ほどの男子学生が溢れ返っている。オーディション会場である。用意された席は人数の半分ほどしかなく、残り半分は壁際にずらりと立っている。もちろん世之介も壁際に立たされている一人で、小沢のように図々しく中へ入っていけないので、今にも外へ弾き出されそうな入口の敷居を跨いでいる。

結局テレビには出たかったのである。

「じゃあ、これから十人ずつ別室で審査しますので、名前を呼ばれた方は前に出てきて下さい。えっと、もうこの部屋には戻りませんので、荷物のある人は荷物も持ってきて下さい」

もう三日も寝ていないような若いスタッフがやる気なさそうに声をかける。最初の十人の名前が呼ばれ、だらだらと立ち上がった学生たちが部屋から連れ出されていく。スタッフがいなくなると、そこここで話し声や笑い声が上がるが、知り合いのいない世之介は話す相手もおらず、小沢はどこへ行ったのかと首を伸ばすしかない。小沢はいつの間にか最前列付近に陣取り、どこかの大学の仕切り役らしい男と名刺交換を始めている。

待ち合わせた正面玄関で小沢は苛々しながら世之介を待っていた。相変わらず持ち歩いているらしい分厚いシステム手帳を広げ、派手なスーツ姿だったせいか、一瞬、テレビ局の人と見間違え、世之介は目の前を素通りしてしまった。

生まれて初めてテレビ局なる場所に入る世之介はかなり緊張していたのだが、小沢はそうでもないようで、受付でさらりと用件を告げると、臆《おく》することなくエレベーターに乗り込んだ。

エレベーターはかなり混んでいたが世之介は待ち切れないとばかりに、「なぁ、芸能人とかいるよな」と小沢に訊いた。しかし小沢は恥ずかしそうな顔をするだけで答えてもくれなかった。

十五分ほどぼんやりとライバルたちを眺めながら世之介が壁際に立っていると、さっきの若いスタッフが、「はい、じゃあ次の十人、名前呼びまーす」と戻ってきた。

その最後に世之介の名前があった。混雑した室内を進むよりも廊下に出たほうが早そうだったので、世之介は廊下からスタッフが待つ前の入口ドアへ向かった。

「じゃあ、ついて来て下さいねー」

世之介は他の九人と一緒に、やる気のなさそうなスタッフのあとについて行った。

審査が行われる部屋にはずらっと十脚のパイプ椅子が並んでいる。その前には五人の審査員がいる。きちんとスーツを着た人もいれば、これからテニスの試合に出そうな人もいるのだが、一つ共通していることがあるとすれば、みんなヤクザのような強面《こわもて》である。

名前を呼ばれた順にパイプ椅子に座ると、早速一番目から自己紹介をさせられる。

「早稲田大学三年、ヒキタタダシです」「専修大学二年、クボシンヤです」などなど。

それぞれが学校名と名前を言うと、ヤクザみたいな男たちが一つ二つ質問をする。

「趣味は？」とか、「特技は？」とか、「彼女いないの？」とか。

それに応えて、みんなが、「えっと、趣味は車です。国内B級ライセンス持ってます」とか、「特技は大食いです」とか、実際それがすごいのか、すごくないのか、よく分からない答えを返していく。

中には「甲子園で準決勝まで行きました」という者もおり、その時だけはヤクザたちの間から、「へえ」という声が上がった。

いよいよ自分の番になり、世之介は椅子から立つと学校名と名前を告げた。最後だったせいもあるのだが、審査員の中にはすでにファイルを閉じ、次を待っているような人もいる。

名前を告げると一番怖そうな男が、「特技は？」と訊いてきた。ずっと何と答えようかと考えてはいたのだが、結局何も思いつかなかったので、「特に」と答えてしまった。その途端、また一人ファイルを閉じる。

「特技なし。せっかく来たんだから、何かアピールすれば」と別の男が言う。

不慣れな世之介はもじもじと口ごもってしまう。

「じゃあさ、大学でサークルか何か入ってないの？」

質問者さえ、そこでファイルを閉じ、若いスタッフに次を呼びに行くように目で合図を送る。

「サークル入ってないの？」

「あ、いえ、……サンバを少々」

「え？」

「ですから、サンバを少々」

「サンバ？　踊れんの？」

「……はい」

男の目が、「じゃあ、踊ってよ」と言っている。今さら、「やっぱり踊れません」と言える雰囲気ではない。世之介はとりあえず腰に手を当てた。一回くねらすと、あとは自然と腰が動き出す。しかし音楽なしでサンバはつらい。

この辺りで最後の一人もファイルを無情に閉じた。誰が見ても落選である。

準急電車が西武新宿駅に到着したのは午後四時を過ぎた頃である。久しぶりに祥子との待ち合わせである。しかし約束の時間までまだ二時間もある。世之介は新宿の街をぶらぶらと歩いてみることにした。

目的もなく歩き出そうとすると今年四月に心細い気持ちで上京してきた時のことが思い出された。あの日、西武新宿駅を靖国通り方面へ出たところに七分咲きの桜の木があった。重い荷物を抱えていた世之介はふと足を止めて桜を見上げた。

駅を出て同じ場所に向かうと、やはり桜の木はあった。もちろん花も葉も落ちているが、それでも八ケ月前より少しだけ生長しているように見える。あの日、桜など地元の中学校にも神社にも腐るほど咲いていたはずなのに、こうやってまじまじと桜を眺めるのは初めてだなぁと思ったことを、なぜかふと思い出す。

視線を感じて振り返ると、この寒空に段ボールを敷いて寝ているホームレスの男が枯れ木を眺めている世之介を不思議そうに眺めていた。考えてみれば、ホームレスを世之介が初めて見たのも、ここ東京である。上京してきたばかりの頃は、たとえば駅のコンコースで、たとえば都心の公園で、段ボールを広げた彼らを見かけると、世之介はまじまじと見つめていた。正直、彼らがなぜこんなことをしているのか理解できなかったのである。仕事を見つけて働けばいいのにと単純に思うこともあった。誰か助けてくれる家族はいないのだろうかと首を傾げたこともある。生まれて初めて彼らを間近に見る世之介にとっては彼らの存在が不思議で仕方なかった。

しかしそれも最初の数ケ月のことだった。通学路、バイト先へ向かう道、ある意味どこへ行っても彼らを見かけるようになるにつれ、気がつけばなぜ彼らがこんな生活をしているのかという疑問さえ抱かぬようになっていた。

あれはいつ頃だったか、原宿から渋谷のほうへ歩いていると、小さな児童公園の植え込みにホームレスの男性が一人寝ていた。いや寝ていたというよりも倒れていたのだと思う。もしもその日に上京していたら世之介はきっと声をかけたと思う。なにしろ道端で人が倒れているのだ。しかしその時の世之介は一瞥しただけで通り過ぎた。本当に何も感じなかったのである。

歌舞伎町から靖国通りの地下通路を渡って世之介はJR新宿駅まで歩いた。喉が渇いたのでアルタの地下にあった珈琲ショップでオレンジジュースを飲み、狭い階段を地上に出る。

アルタ前には大勢の人が立っていた。まだ待ち合わせには早いので、祥子がいるわけもないのだが、世之介はなんとなく人ごみの中に祥子の顔を探した。寒風に背中を丸めて立っている人たちを眺めていると、ほんとに東京にはヤンキーが少ないなぁと改めて思う。

あれは加藤と自動車免許の教習所に通っていた頃だったと思うが、実技授業の休み時間に、「東京ってヤンキーいないよな」と世之介は尋ねたことがある。加藤が、「そうかな」と首を傾げるので、「うちの地元なんて繁華街で石投げたらヤンキーに当たるよ」と世之介が笑うと、「東京のヤンキーってオシャレだから目立たないんじゃないの」と加藤に言われた。

言われてみればそうかもしれない。若者がいれば、必ず悪い子は存在するわけで、それが田舎では、ソリコミ、パンチパーマになる。しかし東京では同じ悪い子でも、なぜかソリコミでもパンチパーマでもなく、ジャニーズのアイドルみたいなふわっとパーマになるのだ。

「オシャレはオシャレでも、心はヤンキーだからさ。渋谷とか歩いてると、たまに怖いよ」

加藤の意見を聞きながら世之介は深く頷いた。見た目で分かりやすいだけ、田舎のヤンキーのほうが可愛げがある。

アルタ前からまたぶらぶらとマイシティの横を通って歩いていくと、ほんの数百メートルなのにまったく違った街に来たような印象になる。

甲州街道の高架下には見るからに再開発から取り残されたような急な崖《がけ》があり、崖下に戦後の闇市のような造りの居酒屋が数軒並んでいる。

世之介は高架下をくぐらず、左手の路地へ入った。アルタや伊勢丹が並ぶ新宿通りとは違い、やはりこの辺りも二十年ほど時間が止まっているような場所で、一杯飲み屋や古いパチンコ店に混じってポルノやヤクザ映画専門館があり、右を見れば豊満な胸を揉まれている女のポスター、左を見ればもろ肌脱いだやくざのポスターと、その間を歩くだけでも股間がむずむずしたり、勇ましくなったりと忙しい。

結局、待ち合わせの六時半になっても祥子は現れなかった。アルタ前の混雑ぶりは凄まじく、もしかして到着しているかもしれない祥子を見失う可能性があるのはもちろん、ぼんやりしていると自分まで見失いそうである。

世之介は同じ場所に一分立つと、場所を変えてまた一分ほど立った。まさか祥子が自分と同じ場所を一分遅れで移動していなければ、だいたい三、四分でアルタ前の人ごみをあらゆる角度から観察できる。

待ち合わせから二十分ほど経った時、黒塗りの車が一台停まった。電話で、「その日は運転手の安住さんがお休みだから電車で向かいますわ」と言っていたので、車道はまったく気にしていなかった。

車が停まった時点で間違いなくそうだなと思い、世之介が人ごみを掻き分けて近寄ると、安住ではない年配の運転手が回り込んで開けた後部座席から、たった今絞めたような毛皮のコートを羽織った中年女性が降り立った。

あれ、違った。

世之介はそう呟いて元の位置に戻ろうとした。すると、その女性のあとから祥子が降りてくる。

「祥子ちゃん」

顔を上げた祥子が、「あ、いらした、いらした」と横の女性の肩を叩く。世之介はガードレールを跨いで車道へ出た。

「ごめんなさいね、遅くなって。間に合うように出たんだけど、道が混んじゃって」

祥子より先に横の女性が謝ってくる。たぶん祥子の母親なのだろうが、一応デートの待ち合わせ場所なので、そう信じ切っていいものかどうか世之介も迷う。しかし祥子があっさりと、「私の母ですの。ごめんなさい、今日、どうしてもついてくるってきかなくて」と言う。

「あ、えっと初めまして。横道世之介です」

気づいてはいたが、さも今気づいたように世之介は挨拶した。

「なんだかこの夏はご実家のほうで、うちの祥子がいろいろお世話になったみたいで」

「あ、いえ、いえいえ」

世之介は慌てて首を振った。

一応これからデートの予定だったので、てっきり祥子の母親は挨拶だけして黒塗りの車で帰るものだとばかり世之介は思っていた。しかし挨拶を終えても母親が車に乗り込む気配がない。

「これからお食事なんでしょ？」

なぜか母親が混雑したアルタ前を見渡す。

「……どのレストランに予約してあるのかしら？」

ととつぜん目を見つめられた世之介は、「あ、いえ、予約はしてないんですけど」と慌てた。

「あら、そう！　なんか若い方たちのデートって感じでいいわね。じゃあ、これから一緒に探すの？」

なぜか母親の目がきらきらしている。世之介は救いを求めるように祥子のほうへ目を向けた。しかし祥子にボーイフレンドを救ってやる気持ちなど微塵《みじん》もないようで、「世之介さん、どうします？　何か考えてらした？」と逆に訊いてくる。

「いや、別に……」

実際はさっき見かけた雑居ビルに安そうなお好み焼き屋とパスタ屋が入っていたので、どっちかでいいかなぐらいは考えていた。だが祥子はまだいいにしろ、胸元に大きな薔薇《ば》《ら》のコサージュをつけた母親をそこへ連れて行く勇気はない。

「久保さん、まだどこで食べるか決まってないみたいなのよ。だから、お迎えお願いする時に車のほうに電話入れるわ」

世之介の動揺をよそに、祥子の母親が運転手に告げている。その隙をついて、世之介は祥子の腕を引いた。

「もしかして、お母さんも一緒に来るの？」

驚いている世之介に驚いたような祥子が、「母も、言い出すときかなくて」と謝りはするが、現状打破する努力は見せない。

「とにかく歩き出しましょ。よく考えたら、ここ危ないわよ」

車道に突っ立っている自分たちに今さら気づいたように祥子の母親が言う。

「まだ何も決めてないんだったら、私、行きたい所があるのよ。いいかしら？」

「どこ？」

「三越の裏なんだけど、学生時代にね、お付き合いしてた方と行った天ぷら屋さん、まだあると思うのよ」

歩き出した母子のあとに世之介は黙ってついて行くしかない。祥子の母が大学時代の思い出話をしながら向かったのは老舗らしい天ぷら屋である。暖簾をくぐりながら、

「世之介さんもここでいいかしら？」と祥子の母が訊く。

「あ、はい……」

張り出されたメニューをちらっと見るとコースで三千円もする。三千円のコースで三人だと九千円。財布に一万二千円入ってるからセーフだが、飲み物を頼まれると危ない。

瞬時に計算しながら世之介は母子のあとについて店に入った。幸い、カウンターに三つ空席があった。入ってきた順に座ればいいものを、「私、左利きだから」と祥子の母親に席を譲られ、世之介が二人に挟まれる格好になる。おまけにカウンターにお茶が出

された途端、この母がメニューも見ずに、「おまかせでお願いしますね」と注文してしまう。

刈り上げが清潔な職人さんが、「へいよ」と威勢良く答えたのはいいが、壁に張られたメニューには「おまかせコース」六千円とある。思わず、「あ、俺はお茶だけでいいです。腹一杯なんで」と世之介が言おうとしたとき、「今日はおばさんにご馳走させてね。世之介さんの実家では、この子、毎日美味しいものご馳走になったんでしょ」と祥子の母が言う。世之介は肩越しに祥子を窺った。

「ご馳走してもらいましょ」と祥子。

「いいんですか？」

白々しい。いいも何もすでに持ち金では払えない注文なのである。

「もちろんよ。足りなかったらどんどん頼んでね。世之介さんのお母様、お料理がお上手なんですってね？」

「いや、普通だと思いますけど」

「でも大きなお魚なんか手際良く捌《さば》かれるんでしょ？」

「実家が小さな漁港にあって、それで獲《と》り立ての魚なんかよくもらうんで。俺も高校までは、友達と手漕ぎ船に乗って伊勢エビとか獲ってました」

「まぁ、天然の伊勢エビ？　じゃあ、東京のお料理なんて食べられないでしょ？」

「そんなことないですよ。東京のほうが……」

そこまで言って世之介はふと言葉が詰まった。言われてみれば、確かにうまいものばかり食べていたのかもしれない。最近テレビの旅番組やグルメ番組を見ると、「うまそうだなぁ」と思うようになったが、実家にいる時は一度もそんな風に思ったことがなかった。冷蔵庫を開ければいつも蟹《かに》が入っていたので、「蟹！　蟹！」と騒ぐテレビの若いレポーターたちの気持ちが分からなかったのだと思う。しかし東京での侘《わび》しい一人暮らしを続ける現在、状況は明らかに違ってきている。世之介は皿に載せられた揚げ立ての海老に、「うわっ、うまそっ。いただきます！」と早速箸を突き刺している。

世之介につられるように両側で母子が箸を出す。

「やっぱり揚げ立ては美味しいわねぇ」

「お母様、あれ、何て読むの？　公の魚？」

「あれは、祥子さん、わかさぎでしょ？　ねぇ、お兄さん」

ほふほふと天ぷらを頬張る母子の会話の中、尋ねられた若い職人が、「ええ。わかさぎです」と油に椎茸《しいたけ》を落としながら答える。

「ところで、世之介さん」

「はい？」

「あなた、祥子のこと、どうお考えなの？　今日お会いして思ったけど、私はあなたと祥子、お似合いだと思うわ」

とつぜんと言えばあまりにもとつぜんで、世之介は頬張った二本目のエビを思わず喉に詰まらせそうになる。咳き込む世之介に慌てて祥子の母がお茶を差し出す。

「何も、そんなに驚くことないじゃありませんか。……祥子を実家にまで連れて行っといて」

咳き込む世之介の背中をさすりながら祥子の母が笑う。

連れて行ったというよりは勝手についてきたというほうが正しいのだが、間違いなくあの夏の海岸で、あの事件がなければ祥子にキスをしようとしていたことは確かで、母親に反論するわけにもいかない。

やっと咳が治まって世之介は顔を上げた。

「一度、宅へ遊びにいらっしゃい。うちの人にも私がうまく紹介してあげるから」

世之介はたまらず祥子へ目を向けた。しかし祥子は、まるで別々に来た客のように二種類ある塩のどちらにしようかと真剣に悩んでいる。

三人の皿に揚げ立ての公魚《わかさぎ》が載せられる。手際良く揚げられる天ぷらを世之介は頬張るしかない。

繁盛した店で気がつけば入口付近には大勢の客たちが待っていた。誰かに待たれているると世之介はつい焦ってしまうのだが、祥子と母親の目には待っている客など見えていないようで、天ぷらのあとに出された赤出しとごはんをのんびりと口に運んでいる。すでにかき込んでしまった世之介から見れば、二人とも米を一粒ずつ食べているようにしか見えない。

「ところで、世之介さん、年末年始はご実家に帰られるの？」

お新香をボリボリと噛んでいた祥子の母に訊かれ、世之介は、「はい。こっちにいても、バイトのシフトに入れられるだけですから」と答えた。

「そりゃそうよねえ。お母様たちだって東京で成長する我が子を楽しみに暮らしてらっしゃるんですものねえ」

「そうでもないみたいですよ。実家に帰っても大事にされるのはその日だけで、二日目からは『あれやれ、これやれ』って用事ばっかり頼まれて」

「それもお母様の愛情ですよ。食べ方一つ見ても大切に育てられたのが分かりますもの」

祥子の母の言葉に世之介はたった今ごはんをかき込んだことを思い出し、遠回しな嫌味かもしれないと心配したのだが、「そうなのよ、お母様、世之介さんの食べ方って見てるだけで美味しそうでしょ」と祥子が口を挟んでくる。

これまで「三日も食べてなかったように食べる」とか、「少しは噛みなさいよ」と叱られたことはあるが、褒められたのは初めてである。

「さぁ、そろそろ行きましょうか」

お茶を飲み干した祥子の母が立ち上がり、さっと伝票を手にレジへ向かう。世之介はわざと立ち上がるのを遅らせて、「祥子ちゃん、ほんとにご馳走になっていいの？」と尋ねた。小声で尋ねたつもりだったが、祥子の母が振り返り、「いいわよ。それよりこのあとどうなさるの？」と訊いてくる。

　とりあえず、「じゃあ、お母さんにはここらで帰ってもらって」と言いたいところだが、言えるわけもない。

「祥子さん、もし世之介さんがよろしかったら、うちへご招待なされば？　まだ時間も早いし、今夜はお父様ももうお帰りだと思うのよ」

　世之介は「祥子ちゃん、断ってくれ」と心の中で必死に念じた。しかし願いも虚しく、

「そうね。うちのほうが落ち着くかしら？　ねぇ、世之介さん、どう？」と訊いてくる。

「いや、でも……、遅いし」

「あら、まだ八時半じゃありませんか」

　世之介の微力な抵抗をレジで支払い中の母親が一蹴《いっしゅう》する。

「いいじゃない、世之介さん。あ、そうだ、今日の午後アップルパイ焼いたのよ」

　支払いを済ませた祥子の母親は店の電話から運転手に連絡を入れていた。どう足掻《あが》いても断るタイミングは逸している。


　三越前に横付けされた黒塗りの車に乗せられて、世之介は世田谷にある祥子の自宅へ向かった。車中、母子の機嫌は良く、運転手さんも交え、渋滞のない抜け道についてああでもないこうでもないと語り合っていた。

　一方、世之介は祥子とのデートのつもりでいたはずが、あれよあれよという間に二人

のペースに流されて、気がつけば父親と会うために祥子の自宅へ向かっている今の状況に首を傾げているしかない。

祥子の家は所謂《いわゆる》「閑静な住宅街」という言葉のために造られたような一角にあった。どの家にも大きな庭があり、どの家にも勝手口がある。車が停まったのは古い日本家屋と洋館をぐちゃっと合体させたような建物で、なんと自動で門が開き、さほど広くもないが車寄せまでついていた。民家というよりは小さな美術館と言ったほうがいい。

「こ、ここ？」

思わず尋ねた世之介に、「古い家でしょう？　元々は母方の別宅だったんだけど、私が小学校の頃に父が買い取ったのよ」と祥子が教えてくれる。

運転手さんが開けたドアからまず母親が降りていく。世之介はこの隙をついて、「祥子ちゃんのお母さんの実家って何者？」と尋ねた。

「何者ってほどでもないけど、元を辿れば薩摩藩のお侍さんだって」

こともなげに祥子が答える。お侍さんといってもピンキリだろうが、別宅がこれだけ大きいのだからピンのほうに決まっている。

通された玄関内は外観と違って庶民的な印象があった。もしかすると出迎えてくれたお手伝いさんの印象が庶民的だっただけなのかもしれないが、世之介は高価そうな絨毯を爪先立ちで廊下を進んだ。

和室二間を洋室に改造した居間はさほど広くもないがどこへ目を向けても高そうな壺

や花瓶が置かれていた。地震が来たら、真っ先にどれに飛びつけばいいか困るだろうなぁなどと世之介が呑気に考えていると、「何？　祥子の男が来た？」と地鳴りのような男の声が聞こえ、世之介がビクッとする間もなく、五分刈りの猪《いのしし》のような男が姿を現す。

「お父様、こちらが前にお話しした横道世之介さん」

猟師なら銃を構えているはずだ。だが、さすが父娘の間柄、祥子は甘えた声を出している。

「は、はじめまして」

世之介は2オクターブくらい高い声を出した。そんな世之介を一瞥した父親がフランスのお姫様が座るようなロココ調のソファに腰かける。笑う所ではないのだが、世之介は慌てて目を逸らした。

「で、学生か？」と父親が訊いてくる。というよりも怒鳴る。

「は、はい」

「祥子とはいつから付き合ってるんだ？」

正確にはその付き合っているのかどうかが微妙なのだが、銃を持っていない世之介に対等に立ち向かう術《すべ》はない。

「えっと、夏頃から？」

「お父様、だから祥子がこの前、お話ししたでしょ？　お父様たちが考えてるようなお付き合いじゃなくて、私たち学生同士の……」

「学生だろうが、社会人だろうが、男と女は男と女だろうが」

世之介は祥子の言葉を遮る人間を初めて見て、感動さえ覚えた。

「大学では何の勉強してんだ？」と父親が訊く。いや、怒鳴る。

「えっと、経営学を」

「経営？」

祥子の父親は実業家なのだから、ここはポイントが取れたかと思ったが、「大学なんざで経営なんか勉強したって、犬のクソにもなるもんか」と言い返される。

「で、見込みはあんのか？」

「はい？」

「だから将来的に男としての見込みはあんのかって訊いてんだよ」

男としての見込みがあるか？

突然訊かれて、即座に答えられる十九歳の大学生がいるはずもない。「いや、見込みは……」と世之介もまた口ごもる。

「お父様、そんなに次々質問したって世之介さんが答えられるわけないじゃないの」

この辺でやっと祥子が救いの手を差し伸べてくれる。だが、「お前はじゃあ、見込みのない奴と付き合ってんのか？」と父親は冷たい。

「あるに決まってるじゃない。世之介さんはね、私がこれまでに会った誰よりも見込みがあります！」

あ、いや……。

世之介、声を出せず。

「お前が見込みがあるって言うなら、それでいいじゃないか。そう怒るな。まぁ、せっかく来たんだから、ゆっくりしていきなさい。私は戻るよ、囲碁やってるから」

祥子の言葉に父親が不気味なほど父親らしい顔になる。ロココ調のソファから立った父親が世之介の肩をポンと叩いて居間を出ていく。父親の背中を見送った世之介は潜水でもしていたように、「ハァ〜」と思い切り息を吐いた。

「ごめんなさいね。いっつもああなのよ。私がお付き合いする人=将来の自分の右腕だと思ってるみたいで」

祥子がねぎらってくれるが、そのねぎらいがまた重い。

「あのさ、ほんとは二人っきりになった時にちゃんと話そうと思ってたんだけど、俺たちって付き合って……、るんだよね？」

世之介の質問に祥子が尋常じゃないほど照れ始める。ロココ調のカーテンに自分の体をクルクルと巻き始めている。

「しょ、祥子ちゃん？」

「……世之介さんは、私のことどう思ってらっしゃるの？」

「俺？　俺は……」

世之介はそこで言葉が詰まった。さくらと付き合い始めたときの気持ちとは明らかに違う。しかし祥子といると、いつもバタバタさせられるわりにあとで思い返せば楽しい。

「俺は祥子ちゃんのこと、好きだけど」と世之介は言った。

「私も」と祥子が答える。

「じゃあ、付き合うって、ことで……」

「……いいんじゃありません？」

カーテンに包まった祥子の姿はほとんど見えない。一人残されても仕方ないので世之介もう片方のカーテンに包まった。

「祥子ちゃん？」

「はい？」

「出ようよ。カーテンから」

カーテンに包まりながらの愛の告白のあと、なぜか祥子は自分一人だけ自室に閉じこもってしまった。お互いに好きだと告白し合って照れ臭いのは分かるが、自分だけ自室に隠れられたら、遊びに来ている世之介は居場所がない。

幸い、祥子の母親が紅茶を運んできてくれ、一時間ほどなぜか母親と語り合い、そのまま祥子の家をあとにした。

内容は祥子の話というよりも、祥子の父親が経営している会社がなんでも近々上場を果たすことになり、となれば莫大なお金が一族には転がり込んでくるという、なんとも恋人の母親との会話にしてはキナ臭い話だった。

ちなみにその後クリスマスまで、祥子からの連絡は一切なかった。世之介が電話をしても居留守である。それもお手伝いさんに、「居留守だと言ってくれ」という伝言を頼むのである。世之介には女心が分からない。いや女心というよりも、祥子がますます分からなくなってくる。付き合っていない時には頻繁に連絡してくるくせに、付き合い始めた途端、なぜか音沙汰なしなのである。

西友二階の雑貨コーナーである。クリスマスイブである。クリスマスの飾りつけ用品が並んだ棚をぼんやりと眺めているのが世之介である。ちなみにクリスマスをクリスマスらしく祝ったことが世之介には一度もない。

毎年この時期になるとテレビやラジオからクリスマスソングが流れ、気分だけはクリスマスではあった。だが高三だった昨年はすでにさくらとも別れ、クリスマスイブは丹前姿で受験勉強していたし、その前の年もさくらという彼女がいながら夕方遅くまで補習授業を受け、急いでさくらの家へ行ったには行ったが、肝心のさくらが風邪をこじらしており、それも可愛げのある風邪の症状ではなく、二言喋ると鼻水がタラーと垂れるような状態で、さすがに申し訳なくて早々に帰宅した。高一の時など記憶にもない。中学の三年間は、「クリスマスプレゼントくらい買ってくれよ！」「もうサンタがいないことくらい知ってるでしょ！」という母親との口論に明け暮れていたし、まだ微かにサンタの存在を信じていた幼い頃には市内のスナックから紙の三角帽をかぶって帰宅する酔った父親が持ち帰る、どこへぶつけたのか、すっかり形の崩れたケーキだけが楽しみだった。

クリスマスらしくかぁ……。

世之介はそう呟きながら雑貨売り場を回っている。今夜は祥子が手作りケーキを持参することになっている。七面鳥ではないがチキンは街道沿いのケンタッキーですでに買ってある。となると、あとは部屋の飾り付けである。しかし安物のツリーを一本置いたところで十九歳男子の一人暮らしの部屋がそう簡単にクリスマスっぽくなるわけもない。それでもないよりましかと世之介は一番小さなツリーをカゴに入れた。横を見れば窓に模様を吹きつける白いスプレーがある。世之介はそっちもカゴに入れた。なんとなくクリスマスっぽくなってきた。他に紙製の三角帽やサンタクロースが頭から溶けていくキャンドルなどを買い、混み合った西友をあとにした。自転車で自宅へ向かう途中、やけに今日は埃《ほこり》っぽいなと思っていたら、なんと粉雪が降っていた。

世之介は声を上げるほど驚いて、自転車を降りると天を仰いだ。地元でも雪が降らないことはないが、道端で千円札を拾うくらい珍しい。

夕暮れの空から粉雪が舞い落ちてくる。世之介はとりあえず口を開けてみた。当然だが味はない。

祥子が相変わらずの黒塗りセンチュリーで到着したのはちょうど世之介が部屋の飾り付けを済ませた頃である。

チャイムが鳴るなり玄関へ飛び出した世之介は、「見た？　雪！　雪！」とまだ興奮していたのだが、年末年始は家族でスキーに行くのが恒例らしい祥子にはさほど世之介の興奮も伝わらない。

「それより、すごい！　部屋がクリスマスになってるじゃありませんか！」

「西友で揃えてみました」

ずかずかと上がり込んできた祥子が窓に書かれたメリークリスマスの前で首を傾げる。

「Ｍｅｒｒｙのｒが、一つ抜けてますわ」

「ｒの一個くらいいいじゃん。さ、座って座って」

世之介は毛布を折り畳んで作った座布団を祥子にすすめた。

「これ、ケーキ。不格好ですけど味は保証しますから」

世之介は早速箱を開けた。確かに不格好だが甘そうな苺《いちご》が並んだケーキに正しい綴《つづ》りでメリークリスマスと書いてある。

「自信なかったけど、祥子ちゃんのケーキ見たら、俄然《がぜん》クリスマスっぽくなってきた」

「あら、世之介さん、センスありますわよ」

「何の？」

「クリスマスの」

クリスマスのセンスというのがどういうものなのか世之介には分からない。

多めに買ってきたチキンも平らげ、祥子が作ってきたケーキを半分ほど食べた辺りで世之介が出演できなかった番組が始まった。自分が出ていないので面白くもないのだが、なんとなく二人で眺めていると、「世之介さん、この中でしたら、どの女の人がお好きです？」と祥子が訊いてくる。

「え？　この中？」

他愛もない質問なのだが、自分もこの男性チームの一員だった可能性もある。世之介はテレビの前へ移動した。

「世之介さんがどういう女の人を選ぶか興味ありますわ」

女性チームは十数名いる。その一人一人を世之介が吟味する。時間がかかりそうである。

「世之介さん、そんなに真剣にならなくても……」

まさか自分の質問がここまで世之介を本気にさせるとも思っていなかった祥子が恐る恐る声をかけるが、世之介は微動だにせず画面を見ている。

結局、世之介は番組が終わるまで吟味していた。当然、祥子は待ちくたびれ、世之介の貿易論のノートに「ベルサイユのばら」のオスカルを落書きしている。番組が終わった頃、やっと世之介がテレビの前を離れる。

「決めたよ」

「え？」

祥子は思いのほか上手く描けたオスカルに満足げである。

「え？　って。どの女の子が一番タイプか」

「あ、ああ」

祥子はすっかり興味をなくしている。もうオスカルのほうが大事らしい。顔も上げずに、「で、どなたなの？」と尋ねる。

「ほら、白いワンピース着てた、十九歳の子。趣味が油絵の」

「ああ、あの方。……世之介さんって、ああいう浮世離れした感じの、お嬢様風な人が好きなんですのねぇ」

大仕事をやり終えたかのように世之介は大きく背伸びした。背伸びしながら何気なく窓の外へ目をやると、なんだか外の様子がおかしい。世之介は部屋の熱気で曇ったサッシ戸を指で拭いた。拭き取られたガラスの向こうに雪が積もった隣家の屋根が見える。

「しょ、祥子ちゃん！　雪！　雪が積もってる！」

世之介は慌ててサッシ戸を開けた。すぐに冷たい外気が流れ込んでくるが、かまわず小さなベランダに飛び出た。いつの間にか、歩道も街路樹も真っ白である。遅れて出てきた祥子も、「まぁ、キレイ」とさすがに溜息を漏らす。

「あの雪、踏みに行こうよ」

世之介は祥子の手を取った。

外は一面雪景色である。短時間に降ったせいか、それとも元々人通りが少ないせいか、三センチほど積もった歩道の雪はまだ誰にも踏まれていない。

外へ出てきた世之介は用心深く足を踏み出した。サクッと立つ足音を楽しむようにまっさらな雪道を歩き出す。

「そうか、世之介さんの地元では雪降らないですもんね」

祥子が世之介の足形を踏んでついてくる。

「降ることは降るけど、こんなに積もったの見たのは中学三年の大雪以来。大雪っていっても作った雪だるまは泥だらけだったけどね」

世之介の足跡が街灯に照らされている。なんだか踏むのがもったいないが、空からはまだまだ雪が舞い落ちてくる。

「寒くない？」と世之介は訊いた。

「大丈夫。そこであったかい飲み物買いましょう」

「じゃあ、あったかいの買って、そこの児童公園に行ってみようよ」

缶珈琲を買い、世之介は祥子と手を繋いで公園に入った。外灯が目映《まばゆ》いくらいに雪に反射している。雪をかぶるとゴミ箱まできれいに見える。缶珈琲で手を暖めながら世之介は祥子と外灯の下に立った。

「世之介さん、明後日から帰省するんでしょ？」

「うん、ばあちゃんの墓参りもしたいし。祥子ちゃんはスキーなんでしょ？」

祥子の吐く息が手で触れられそうなほど濃い。

「私、これから世之介さんのこと呼び捨てにしようかしら」

「なんだよ、急に」

「いえ、私、決めましたわ。……私、これから呼び捨てにすることにします」

と、ここで祥子がいきなり目をつむる。まるでレモンでも齧ったような顔である。レモンの味=キスなのは世之介にも分かるが、本来はキスのあとにレモンの味である。

細かいことは気にせず、世之介は滑らないように足場を固めた。ゆっくりと祥子の唇に自分の唇を近づける。唇が微かに触れる。さっき食べたケーキの甘い香りである。世之介は祥子を優しく抱きしめた。

「祥子ちゃん……」

「はい？」

「呼んでないよ」

安心したように祥子がまた目を閉じる。空からハラハラと雪が落ちてくる。

世之介、正月帰省の日である。十四時二十五分発の羽田発長崎行きの搭乗案内を待つ間、世之介は空港内の書店で時間を潰している。棚に山積みされた『サラダ記念日』を一冊手にとり、パラパラと捲りながら自分でも一首詠んでみようとしたのだが、教養がない上にリズム感もないから、短歌というよりはただたどしい愚痴のようなものしか作れない。諦めた世之介は本を置き、レジの近くにあった週刊誌を一冊買って店を出た。

機内で読むつもりで買ったくせに、ベンチに座ると開いてしまい、パラパラと捲っているうちに、あっという間に眺め終わってしまう。

巻頭のグラビアで大韓航空機の爆破事件が大々的に紹介されていた。韓国といえば、バイト先のホテルでパーティー用の給仕が足りなくなり、急遽配膳に回された時、たまたま受け持ったのが韓国系の会社のパーティーで、会の最後にアリランを一緒に歌った程度の知識しかないが、日本名を名乗っていた容疑者の女性が自殺防止用の器具を嚙まされてソウルに移送されるこの写真を見ていると、まるで別世界のように感じられ、たとえば西友でクリスマスの飾り付けなんかを買っていた自分とは別の自分が、その別世界に一人いるのではないかと不安になってくる。

雑誌を読み終わると、世之介は近くの公衆電話から祥子に電話をかけた。珍しく祥子本人が出て、「もう着いたの？……世之介」と、なんだか馴染まない口調で訊いてくる。

「まだだよ。これから乗るところ」

クリスマスイブ、雪の公園でキスをしたあと、部屋に戻った祥子は、「私、今日はこれでおいとまさせてもらいますね、世之介」となぜか早々と帰ってしまった。キスが下手だったのかと心配したが、翌朝、六時に電話があり、昨日は照れ臭かったから帰ったのだと告げられた。

「また、今夜、電話するよ」と世之介は言った。

「お母様やお父様によろしくね」

「うん、祥子ちゃんもスキーで怪我しないようにね」

「ええ。ありがと」

「じゃあ、行ってきます」

「ええ、いってらっしゃい」

電話を切ると搭乗案内が始まった。搭乗口へ向かいながら、東京にも「行ってきます」と言う相手ができたんだなぁと、世之介はふと思う。

一月　正月

実家の居間のこたつに寝転んで世之介は飽きもせずにテレビを見ている。典型的な寝正月である。枕にした座布団がまだ新しく、頭をのせると反り返る。よってテレビが見づらくなる。頭をちょっと前へ出せば済むのだが、それが面倒でさっきから何度も座布団の角を押さえている。押さえたところでふわふわの座布団は膨らんでくる。膨らめば、角についた馬のしっぽのような飾りがテレビを見る世之介の邪魔をする。

元日から数日はちらほらと訪問客もあり、おせちを囲んで賑わっていた。しかしすでにお屠蘇《とそ》気分も抜けている。連日連夜続くテレビのお笑い番組では漫才師が昨日と同じネタをやっている。枕元に置いたはずのリモコンを手探りしながら世之介は台所の母親に声をかけた。

「お母さん！　リモコンどこ？」

もちろん返事などあるわけがない。リモコンを探していた世之介の手が摑んだのはみかんである。夕食も済ませて満腹のはずが、摑んでしまうと食べたくなる。世之介はごろんと寝返りを打ち、腹の上で皮を剝く。そして一房一房美味そうに果汁を啜る。

すぐそこで電話が鳴っている。

「電話出てよ」

台所から母親の声がする。しばらく無視していると台所から出てきた母親が、「やだ、いたの？」と寝転ぶ世之介を踏みそうになる。

「いるよ」と世之介は応えた。

「いるなら、出なさいよ」

呆れた母が受話器を上げる。世之介はその背中を眺めながらまた手を伸ばして二つ目のみかんを探した。すると今度はリモコンを摑んでしまう。

電話は学生時代の友人たちとの新年会に出かけている父親かららしい。母親が、「あんた、ヒマならお父さん車で迎えに行ってよ」と世之介に言う。

「え〜、やだよ」

唇を尖らす息子を無視して、「すぐに出るって」と母親が勝手に答えてしまう。

「俺、行かないかんね」

「『さち』ってスナックだって、知ってるでしょ？」

「知らないよ」

「夏休みに祥子ちゃんと一緒にカラオケ歌った店じゃない」

「ああ、あそこ」

「すぐ行きなさいよ」

「タクシーで帰ってくればいいのに」

「わざわざ電話してくるってことは、たまには息子と飲みたいんじゃないの」

「誰が？」

「お父さんがよ」

呆れたように台所へ戻りながら、「何度も言うけど、あんたが大きくなったら一緒に酒を飲みたいっていうのがお父さんの夢だったんだから」と母親が言う。

「ちっちゃい夢だねえ」と世之介は笑った。

「お父さんだって、まさかこんな息子になるとは思ってなかったんでしょ」

世之介は仕方なくこたつを抜け出した。ヤドカリのほうがまだ潔い。市内まで車で迎えに行くのは面倒だが、このままテレビを見続けていても同じネタをやる漫才師しか出てきそうもない。立ち上がり、パジャマの上にジーンズを穿いていると、「あんた、太った？」と台所から母親が顔を出した。

「え？」

世之介は思わず腹を撫でた。

毎日食っては寝、寝ては食っているのだから仕方ないが、締めようとしたベルトの穴が二つ分も大きくなっている。世之介は無理に腹をへこませてベルトを締めた。息を吐くと、ぐっとベルトが腹に食い込む。

「そう言えば、帰りの飛行機の予約したの？」

「まだ」

「間に合うの？」

「満席なんだよ」

「どうすんのよ？」

「クジラが福岡に帰る時、一緒に車で福岡まで行って、あいつのアパートに一泊させてもらって、そのまま福岡から帰る。福岡便は空席あるみたいだし」

「クジラ君、今、福岡の大学だっけ？」

「大学じゃなくて、予備校」

世之介は車の鍵を持って玄関を出た。海からの寒風が外すように頼まれていたしめ飾りを揺らしている。


市内に着くと中華街の駐車場に車を預け、世之介は父親が待つスナックに向かった。まだ正月休みの店も多く、飲み屋の並んだ路地は閑散としているが、ちらほらと営業している店からは賑やかなカラオケの歌が聞こえる。ドブ川沿いの一軒に「さち」と書かれた看板がついている。

夏休み、両親と祥子と四人で中華街に来た帰り、機嫌良く酔った父親に半ば無理やり連れてこられた店である。入れば入ったで一番面倒臭がっていた母親がマイクを離さず、「こういうお店に入るの初めてですわ」と興味津々だった祥子に至っては途中からカウンターの中に入り、ベテランのホステスさんと一緒に常連客にニューボトルまで勧めていた。

　店は五十代のママと、ママの姪っ子に当たるというミカさんとで切り盛りしている小さなスナックである。店に入ると奥のボックス席に父親の姿がある。同級生らしきおじさんとその横に若い男が座っている。

「あら、世之介くん」

　流れている「氷雨」のカラオケの音に負けじと大声を出してママが迎えてくれる。

「親父の迎えに」

　長居するつもりはないと宣言するつもりで世之介は言った。当然、世之介の真意は伝わらず、カウンターから出てきたママが世之介の背中を押してボックス席に案内する。

「すぐ帰りますから」

　カウンターではミカさんが二人連れのおじさんの相手をしている。

「おう、世之介、ここ座れ。ママ！　世之介に水割り作ってあげて」

　結局、気がつけば機嫌のいい父親の横に世之介は座らされている。早速ママがグラスに氷を入れながら、「あら、世之介くん、ちょっと太った？」と言う。憮然とした世之介の横で機嫌のいい父親が、「そりゃただ飯食って、寝てばかりいれば太るよ」とゲラゲラと笑い出す。

　前にいるのは中尾さんという父親の同級生らしい。その横は世之介と同じように急遽迎えに来させられた彼の息子、正樹くんである。世之介はとりあえず、「初めまして」

と二人に挨拶した。

「世之介くん、東京の恋人とうまくいってるの？」

乾杯するとすぐにママが尋ねてくる。世之介は濃い水割りに顔を歪めながら、「あ、はい。お陰さまで」と答えた。

「へぇ、世之介くんはもう恋人までできたのか？」

絵に描いたような酔っぱらい顔の中尾さんが大袈裟に驚いてみせる。

「こいつにはもったいないお嬢さんだよ」

摘み損ねたピーナツをテーブルの上で追いながら父親が応える。

「良いとこのお嬢さんだったわよねえ。言葉遣いも、ちょっと笑っちゃうくらい丁寧で」

ママの言葉に世之介も深く頷く。

「あの喋り方ヘンですよね？　良かったぁ。なんか誰もそこんとこ気にしないから、おかしいと思ってんの、俺だけかとヒヤヒヤしてたんですよ」

「お正月も連れてくればよかったのに」

「年末年始は那須だかの別荘に家族でスキーに行くのが恒例なんですって」

「別荘にスキー？　あら、正真正銘のお金持ちのお嬢さんじゃない」

「そうなんだよ。世之介なんてすぐに捨てられるに決まってるよ」

口を挟んできた父親がママの肩を抱く。息子の前なのだから少し遠慮すればいいのにと世之介も思うのだが、カウンター席の客が歌う「ブランデーグラス」は下手だし、濃い水割りを飲んでいるせいか、だんだんとどうでもよくなってくる。ベルベットのソファにいくつも焦げ痕がある。今はどうにか我慢できるがもう少し酔ってきたら、間違いなく指を突っ込んでしまいそうである。

「……お前も、せっかく東京くんだりまで出たんだったら、彼女の一人でも連れて帰ってこいよ」

カラオケの本を開いていた中尾さんがとつぜん息子の正樹くんに声をかけたのはその時である。誰もが陽気だったので、ここは陽気な場所だとばかり思い込んでいた世之介だが、改めて見てみれば、世之介が到着してからこの正樹くんだけがまだ一言も喋っていない。

一つ二つ年上に見えたので、「東京なんですか？」と世之介は敬語で訊いた。

うん、そう。○○に住んでんだよ。

え、そうなんすか。

と続くとばかり思っていたが、何故かムスッとした顔で睨まれる。

世之介は、一つ二つじゃなく、もうちょっと年上なのかもしれないと思い直し、「東京にお住まいなんですか？」ともっと丁寧に訊き直した。これで駄目なら英語で訊いてみようかなどと考えて、クスッと一人で笑いそうになったその時である。

「碌なもんじゃねえよ、東京の大学生なんてよ」と正樹くんが吐き捨てたのだ。

一瞬、その場に嫌な空気が流れたのだがカウンター席の客が歌う「ブランデーグラス」で目立たない。

「碌なもんじゃねえんだよ、東京の大学生なんてよ。親の金で遊び回って、いい気なもんだよ」

せっかく目立たなかったのに改めて正樹が口を開く。

「そうか、正樹くんは働いてるんだもんね。えっと羽田空港だっけ？　あそこも滑走路で働いていたら冬は寒いでしょ？」

取りなすようにママが口を挟んだが、濃い水割りで酔っている正樹の悪態は止まらない。

「渋谷なんか歩いてると、こういう馬鹿みたいな大学生がウジャウジャいるんだよ。親の臑《すね》かじって、合同コンパだ、ダンパだって、何様だと思ってんだよ。偉そうに街歩くんだったら、てめえで稼いでからにしろってんだよ」

世之介の父親はしがないサラリーマンである。中尾さんも大学生には見えない。ママはママだし……。となると、正樹が言った「こういう」馬鹿みたいな大学生とは、間違いなく世之介のことになる。

「おい、やめろよ」

やっと息子の暴言に気づいた中尾さんが口を挟む。しかし効き目がない。

「え、なんか言ってみろよ。その通りだから何も言えねえんだろ」

正樹が今にも殴りかかってきそうに腰を浮かし、慌ててママが正樹の肩を押さえる。

基本的に世之介は争いごとは苦手である。だが、これを無視して、「ママさん、C-C-Bの『Romantic が止まらない』お願いします！」と話を変えることはできそうにない。それにさすがの世之介もカッと頭に血が上る。

「遊んでるだけじゃありませんよ！　学校で授業も受けて、バイトだってしておりますよ！」

昔から何故か世之介は頭に血が上るとヘンな敬語になってしまう。

「しょせんバイトはバイトだろ。ふざけんな！」

「ふざけておりません！」

ますます口調がおかしくなる。ふざけておりません！　と言ったあとに、気持ちはもっと怒ってるんだぞと付け加えたい。

「お前らみたいな学生見てると、頭に来んだよ！」

「俺だって、そんな言いがかりつけられたら頭に来ますよ！」

世之介が言い返した直後である。まるでびっくり箱でも開けたように正樹が拳を握って飛びかかってきた。しかし相当酔っているのか、正樹の足下《あしもと》が覚束ない。テーブルのグラスが落ちて、ママが酒嗄《さけが》れした声で悲鳴を上げる。

咄嗟《とっさ》に上げた世之介の足が運良く正樹の腹を蹴り、ドタッとそのまま正樹がママの膝上に倒れ込む。

「おい、やめろよ！」

二人の父親の声が揃う。

さすがに「ブランデーグラス」の客も歌をやめ、伴奏だけが流れている。

ママの膝から体を起こした正樹が、「むかつくんだよ！」と叫んでまた殴りかかってくる。世之介はまた足を出したが間に合わず、顔面に、松竹梅で言えば、竹くらいのパンチを浴びてしまった。

「痛ッ」

「おら、やめろ、おら」

両者の父親も立ち上がり、絡み合う息子たちを分けようとする。しかし、竹とはいえ、

殴られたままでは世之介も悔しい。倒れ込んでくる正樹の体を押し戻し、その鼻に思い

切りパンチを食らわした。

「表出ろ！　表！」

顔面蒼白になった正樹が叫ぶ。心の中では、「行ってやろうじゃねぇか！」なのだが、

なぜか、「行きますぞ！」と叫んでしまう。

正樹が肩口を摑んでくる。悔しいので世之介もその袖を摑む。一方は肩口、一方はそ

の袖を摑んでいるので、まるでフォークダンスでもしているようである。

「行け、行け、もう」

うんざりしたように二人の父親が言う。

「で、外へ出て、その正樹くんと喧嘩したわけでしょ？」

台所から呆れたような母親の声がする。こたつで目元の絆創膏《ばんそうこう》を取り替えている世之介は、「そうだよ」と口を尖らせている。

「そこまでは分かったわよ。で、お母さんが訊きたいのは、それがなんで満席だった明後日の飛行機のチケットがとつぜん取れたのかって話よ」

「だから、さっきも言っただろ」

世之介はうんざりしたように答えながら顔を顰めて絆創膏を剝がした。シールの部分が傷口を引っぱり、「いたたた」と思わず声が漏れる。

昨夜、世之介と正樹は威勢良くスナック「さち」の外へ出た。だが、喧嘩に弱い世之介と泥酔している正樹の取っ組み合いなど、正直、野良猫だってその間を通ってしまうくらいのものである。実際、野次馬の酔客からも、「お前らの喧嘩見てると、眠くなるよ」と苦情が出るくらいであった。しかしやっているほうは一応本気なわけで、どんなに野次馬から詰《なじ》られようと、戦い終わったあとはぐったりとする。五分ほどの取っ組み合いのあとである。互いに肩で息をして道ばたに座り込んでいた。父親が二人も近くにいるのだから、様子くらい見に来ればいいのだが、スナック「さち」のドアはぴくりとも動かない。

「いつ東京に帰るんだよ！」と正樹が怒鳴りつけてきたのはその時である。

「あさってのつもりだったけど、チケットが取れないいんだよ！」と世之介が怒鳴り返すと、「キャンセル待ちの順番早めるくらいなら頼んでやれるぞ！」と正樹が怒鳴る。

「なんで！」

「だから、羽田空港で働いてっから伝手があるんだよ！」

「キャンセルが出なかったら、乗れないんだろ！」

「キャンセル待ちの一番か二番にしてもらえば絶対乗れるよ！」

殴り合いのあとである。互いに言葉遣いは乱暴だったが、気がつけば世之介は取れなかった東京行きのチケットが手に入ることになっていたのである。

「で、その正樹くんと一緒に東京に帰るわけ？」

台所で母親が笑っている。

「席は離してもらうよ」

「よかったじゃない。とにかくチケット取れて」

世之介は丸めた絆創膏をテレビの横のゴミ箱に投げた。いつもは入らないのになぜかストンと入ってしまう。


ということで、妙な行きがかり上、世之介は正樹と一緒に東京へ戻ってきた。羽田空港で飛行機を降りて出口に向かう途中、礼を言うつもりで先を歩いていた正樹を世之介は追った。座席は離してもらったのだが、キャンセル待ちで取れた席が運悪く通路を挟んだ正樹の隣だった。正樹の頬には擦り傷が残り、世之介の右目はちょっと腫れている。

通路を挟んでいても二人が並べば喧嘩したのだと誰でも分かる。しかし頑固なところは似ているようで、手を伸ばせば肩を叩ける距離であるにもかかわらず、結局東京へ着くまでお互いに声もかけなかった。

「あの、ありがとうございました。助かりました」

出口を出たところで、正樹に追いついた世之介はぶっきらぼうに礼を言った。

「ああ」

面倒臭そうに正樹が応える。

「じゃあ、俺はここで」

世之介がモノレール乗り場へ歩きかけると、「お前、どこに住んでんだよ」と正樹が訊く。

「東久留米ですけど」と世之介は答えた。

「それってもしかして田無《たなし》の隣？」

「そうですけど……」

「なんだよ、あんな所に住んでんのか。俺もこれから田無まで行くけど、車、乗ってくか？」

この正樹という男、親切なのか失礼なのか分からない。

「田無に住んでんですか？」

「いや、彼女が車で迎えに来てんだよ。彼女の家が田無」

「彼女、いるんじゃないですか」

だったらスナック「さち」でもそう言えばいいのである。そうすれば殴り合いなどしなくてもよかったのである。多少腹は立ったが、世之介もバカではない。ここからモノレールで浜松町。そこから山手線で高田馬場。そこでまた西武線に乗り換えて小一時間。どう考えたって正樹の彼女の車でブーンと送ってもらったほうが楽そうである。

「いいんですか？」と世之介はぶっきらぼうに訊いた。

「いいから声かけてやってんだろ」

「そりゃ、そうですけど」

歩き出した正樹のあとを世之介もついていく。が、このまま喧嘩相手の正樹におんぶに抱っこではさすがの世之介も男がすたる。

「あの」と世之介は正樹を呼び止めた。

「……あの、今着いたって彼女に電話したいんで、ちょっといいっすか」

どこまでも無駄な争いの多い二人である。祥子に「帰ったよコール」をしたところで正樹よりも男の価値が上がるわけでもない。

立ち止まった正樹がすぐそこにある公衆電話のほうを顎でしゃくる。世之介は公衆電話に駆け寄ると、財布からテレホンカードを出して祥子の家に電話をかけた。元日に別荘にいる祥子から、「あけましておめでとう」の電話がかかって以来、ここ数日話をしていない。数回の呼び出し音のあと、いつものようにお手伝いさんが電話に出た。祥子を頼むと、「少しお待ち下さい」と受話器が置かれ、かなり長い時間待たされて、「もしもし」と聞こえてきたのは祥子の母親の声である。

「あけましておめでとうございます。あの、横道ですが、祥子さんは？」

慌てて挨拶しながら世之介は外に目を向けた。彼女らしき女性と正樹が何やらこちらを見て話している。

父親にも紹介しないのだからどんな性悪女が来るのかと思っていたが、やってきたのは受話器から聞こえる祥子の母親の声も遠くなるほどの美人である。

「……もしもし？　世之介さん？　聞いてます？」

受話器から祥子の母の声が聞こえ、世之介は慌てて声を返した。

「あ、はい」

「でね、祥子からは世之介さんが心配するから言うなって言われてたんだけど」

「はい？」

「だから祥子よ。お正月早々、スキーで骨折しちゃって」

「え？」

「えって、あなた、今、言ったじゃないの」

「す、すいません。え？　だ、大丈夫なんですか？」

「大したことないのよ。なのにあの子が『もう歩けなくなるかもしれない』なんて一人で大騒ぎするもんだから……」

祥子の母親の話が終わると世之介は正樹の元へ駆け寄った。血相を変えて走ってきた世之介に正樹とその彼女が一歩後ずさる。

「な、なんだよ？」

「彼女が大怪我して、いや、大怪我じゃないんですけど、とにかく入院してるらしくて」

唾を飛ばして説明する世之介からさらに二人が後ずさる。


またもや行きがかり上、正樹が彼女の車で世之介を病院まで送ってくれることになった。世之介としては遠回りになるので、「モノレールで行きます」と断ったのだが、この正樹の彼女がいい人で、「どうせ私たち新宿で買い物して帰るつもりだったから」と明らかに嘘と分かる言葉をかけてくれたのである。

ハンドルを握ったのは正樹である。後部座席に置かれたクッションやダッシュボードの飾りを見れば、車は間違いなく彼女のものである。

車中、「地元の後輩？」と正樹の彼女は質問した。きちんと答えればいいものを、正樹が面倒臭がって、「まぁ、そんなところ」と頷いてしまったので、改めてスナック「さち」での偶然の出会いから、殴り合いの喧嘩、その後のチケット手配までを正直に説明するのも煩《わずら》わしく、結局世之介も、地元の（たぶん彼女のイメージでは仲がいい）正樹の後輩のふりをすることにした。

「スキー場で怪我をして都内の病院に搬送されてるんなら、そう心配することないと思うよ」と彼女は言ってくれた。彼氏と違ってできた人間である。

実際そうなのだろうと世之介も思いはするのだが、自身が風邪も引かないものだから入院という言葉だけでビビってしまう。

小学校四年生の頃クラスの男の子が交通事故に遭ったことがある。バックする車と自転車の接触事故で大怪我というわけでもなかった。なぜか見舞いに行くクラス代表三人の中に選ばれてしまった世之介は病院に着くまで授業がサボれることを喜んでいたのだが、いざ病室の前に立つと血まみれで包帯を巻かれている級友の姿を想像してしまい、情けないことに廊下で気を失ってしまった。気がつけば、わりと元気だったその級友のベッドで一緒に寝かされていたのである。

正樹の乱暴な運転のお陰でモノレールや電車を使うよりもかなり早く新宿の病院に着いた。車を降りた世之介は運転席の正樹と助手席の彼女に深々と頭を下げ、車を見送った。正樹と連絡先を交換したわけでもなかった。彼女に関しては名前さえ聞いていない。病院の敷地を出た車が大通りの車の中の一台になる。あの二人にはもう二度と会わないのだろうかとふと思う。

車が見えなくなると、世之介は一階の受付で祥子の病室を尋ねた。教えられた階へ向かうエレベーターを降りるまで、薄暗い廊下で病室を探し、突き当たりの部屋に祥子が他の患者たちと並んでいるという暗いイメージだったのだが、エレベーターを降りた目の前が教えてもらった部屋だった。開いたままのドアから祥子の笑い声がする。

半ばほっとし、半ば力が抜けて、世之介は開いたドアをノックした。つい立ての向こうから年配の看護婦が顔を出し、「お見舞いの方が見えたみたいよ」と告げる。

「は〜い」と奥から聞こえてきた祥子の声はやはり元気そうで、「俺だけど」と世之介は廊下から声をかけた。

「世之介さん？……じゃなくて世之介？　もう着いたの？」

まだ呼び捨てに慣れていないらしい。そんな祥子の声に重なるように、「じゃあ、私、そろそろ行くわね」と看護婦が出てくる。世之介は黙礼して入れ替わるように病室へ入った。つい立て手前から覗き込むと、左手左足に大袈裟に包帯を巻いた祥子が上半身を起こして座っている。

「しょ、祥子ちゃん……」

他にかける言葉も浮かばない。

「ご安心なさって。私は大丈夫ですから」

世之介は恐る恐るベッドに近づいた。

「……今、看護婦さんがお母様からの伝言を伝えて下さったのよ。世之介さんが、じゃなくて世之介がここに来るかもしれないって。……それにしても羽田からここまで着くの早くありません？」

「車で来たから」

「タクシー？」

「じゃなくて、知り合いの車？」

「知り合いって？」

「……なんていうか、地元の先輩？」

結局、世之介も面倒なのである。

祥子の病室は完全個室である。枕元のテーブルには大きな花瓶に百合が生けられ、開放的な窓から燦々《さんさん》と日が差し込んでいる。テレビ、トイレ付きの部屋を一通り見回すと、世之介は改めて、「なんで連絡してくれないんだよ」と不平を言った。

「だってせっかく地元でお正月を過ごしてらっしゃるのに、ご心配なさると思って……」

「こういう時に心配しないで、いつ心配すればいいんだよ」

「まあ……」

思わずこぼれた世之介の言葉に祥子が表情を変える。

「……俺が怪我したら、すぐに祥子ちゃんに連絡するからね」

他に言いようもあるのだろうが、祥子には世之介の気持ちは伝わったらしい。

図書館のコピー機が空くのを待ちながら世之介は先客の背中をぼんやりと眺めている。先客の足下に置かれた資料を見るとまだかなり時間がかかるらしい。という世之介の手にもクラスメイトに五百円で借りた「地理学」の分厚い授業ノートがある。今週末に提出期限のある「文化と地域」というタイトルのレポート用に借りてはみたが、手にしたノートは重く、パラパラと捲ってみると、細かい文字や几帳面な図表と一緒に各種資料がセロテープで張り付けてあった。

頭の良さそうな奴に借りたのが間違いである。不真面目そうな奴に借りていれば、もうちょっと要点だけが書かれたノートだったに違いない。

寝てばかりいた冬休みもすでに終わっていた。終われば終わったで世之介の生活もまた忙しくなる。

正樹との出会いが口火を切ったのかもしれないが、東京へ戻ってみれば祥子が入院しており、毎日お見舞いに行きたいのは山々だがちょうど学校はテスト期間で、さすがにさぼるわけにもいかず、その上、年末年始に休んだ分ホテルでのバイトも週に三日ほど入れられている。

先客のコピーがやっと終わりそうである。いよいよかと世之介は財布から小銭を出した。しかし資料を足下に置いた先客がバッグから新たな教科書を出してコピーを始める。

「あの～、それ、何ページくらいコピーあるんですか～?」

さすがに世之介も声をかけた。振り返ったにきび面の男が自分でもうんざりしたように教科書を差し出して五十ページほどを摘んでみせる。

「コピー取った分、この場で全部頭に入ればいいんですけどね～」と男が溜息をつく。

世之介も借りた「地理学」のノートをパラパラと捲り、「ほんとに塩でもかけて食ってみようかと思いますよね〜」と返した。

苦笑した男がコピー作業に戻る。もうふたをするのも面倒なようで緑色の光線がボタンを押すたびににきび面の男の顔を照らす。

世之介はしゃがみ込んでスケジュール帳を開いた。英語1、英語2、西洋史、仏語、経営学、産業概論、貿易論……。二週間にわたってテストやレポート提出の予定がぎっしりと書き込まれている。

その後やっとコピーを取り終えた世之介は、バイトまでの時間が空いたので祥子の見舞いに行った。複雑骨折したのは脚だけで、看護婦さんの話だと多少の痛みを堪えて松葉杖で歩いたほうがいいらしいのだが、祥子はパジャマ姿を人に見られるのが嫌らしく、外に出ようとしないらしい。しかし病室でやることもないようで、世之介がいつ見舞いに行っても難しそうな顔でなぜか新聞ばかり読んでいる。

この日も世之介は駅のキオスクでスポーツ新聞の夕刊を三紙ほど買ってお土産に持って行った。一般紙の夕刊は病院の売店で買えるらしい。

「祥子ちゃん、スポーツ新聞買ってきたよ」

病室に入るとやはり祥子が新聞を読んでいる。どんな記事を読んでいたのか知らないが、難しそうな顔で、「京成杯の結果載ってます？」と競馬の結果を訊いてくる。

「馬券買うわけでもないのに、そんなの知って何が面白いの？」

世之介は夕刊を渡すと慣れた手つきでパイプ椅子を出して座った。

「だって退屈なんですもの。日本の政治は動かないし、ペレストロイカだってかけ声ばっかりでぜんぜん情報が入ってこないし」

「だからって競馬の予想するかな、普通」

「それより世之介……、のテストは順調ですの？」

「あのさ、その呼び捨ての件だけど、言いにくいんだったら元に戻していいよ。聞いてると、こっちがその空白に『さん』って加えたくなるんだよね」

「いえ、私、一度決めたことは決して曲げませんの」

「……じゃあ、いいけど」

「あ、そうそう。退院が決まりましたのよ」

「ほんと？　いつ？」

「今度の日曜。あとは通院ですわ。この体だから行き帰りが大変ですけど……」

「何言ってんの。俺が付き添うよ」

「まぁ。じゃあ病院に来る前に車で世之介……の家に寄りますわね」

「いいよ、そんな遠回りしなくても、俺が祥子ちゃんちに行くって」

「でも、それだと一回、新宿に出てくるんでしょ？」

「そうだけど」

「じゃあ、ここで待ち合わせにしません？」

「ここって？　病院？」

「ちょうど中間でしょ」

「あ、そうだね」

世之介は祥子が読み終えた新聞をちらっと見た。よほどヒマなのか、消費税を議論する記事に「反対」と赤ペンで書いてある。


倉持から久しぶりに電話がかかってきたのは、期末試験とバイトと祥子の見舞いでさすがの世之介も今夜は一歩も部屋から出たくないと早々に寝る準備をしていた時である。受話器の向こうの倉持の声は最後に会った時にとつぜん見せた涙の印象が強かったせいか、世之介が思っていたよりもかなり明るいものだった。

「なんか悪かったな。いろいろ世話になったのに連絡もしないで」

開口一番、倉持が柄になくしおらしいことを言うので、世之介もつい乗せられてしまい、「俺も心配してたんで、連絡しようと思ってたとこだったんだよ」と言ってしまった。

年末年始はぼけっとし過ぎていたし、年が明けてからはなんだかんだと忙しくなり、正直なところ、倉持のことなどまったく思い出すこともなかったのだが、言葉というのは便利なもので、そう言ってしまえば、そう伝わるものらしい。

「ありがとな。そう言ってもらえると、まだお前から金を借りてる身としては、こうやって連絡しやすいよ」

「金なんていつでもいいよ。どうせすぐに何かで使う金でもなかったし」

「十二月はさすがになかったけど、夏のボーナスはもらえそうだからさ、そしたら必ず返すからな」

「そんなのいつでもいいって」それより近いうちに酒でも飲みに行こうぜ」

そう言いながらも世之介は片足を布団の中へ忍び込ませていた。

「そうそう。それで電話したんだった。今、武蔵小金井の駅にいるんだよ。仕事終わったばっかりで。最近、営業でこの辺を回ってんだ。時間あるんだったら、たまには酒でも一緒に飲んでくれないかと思って」

すでに片足布団に入れているし、倉持の誘い方が妙に丁寧で不気味でもある。世之介は断るつもりで時計を見た。しかし時間はまだ七時前。さすがに「こんな遅くから？」とは言えそうにない。

世之介の沈黙に、「ごめん、明日学校あるんだよな」と倉持が言葉を挟む。たしかに明日仏語の試験はあるが、しっかりと睡眠をとったところで点数が上がるわけもない。

「じゃあ、出てこうかな」

「マジ？」

「二十分もあれば行けると思うし」

「待ってるよ」

パジャマ代わりのジャージの上にジーンズを穿き、丸井の分割で買ったスタジャンを世之介は羽織った。食べかけだったエンゼルパイも口にくわえて部屋を出る。出た途端、向かいの部屋の京子さんが階段を上がってくる。

「あれ、世之介くんじゃない」

「うわぁ、久しぶりですね。元気でした？」

「世之介くんこそ、ぜんぜん部屋に電気ついてないから、もしかしてこっそり引っ越したのかと思ってた」

「バイトだなんだで忙しくて、ほんと寝に帰ってくるだけだったんですよ。でもなんか、こういうのって都会の生活って感じだなぁ」

「何、それ」

「うちの田舎なんて、前の家のおばさんと三日にあげず顔合わせますからね」

本格的に話し込みそうになる世之介を、「出かけるんじゃないの？」と京子が制す。

「あ、そうだった。これから友達と武蔵小金井で飲むんですよ」

「ほんとに忙しそうね」

「無駄に忙しいんですよ」

「なんかさぁ、初めて世之介くん見た時は、こんな子が東京で一人でやってけるのかと心配したけど、なんか今じゃ、まさに青春を謳歌してるって感じになっちゃって」

「そうっすか？」

「そうよ。私と初めて会った夜、世之介くんまだ布団も届いてなくて、そわそわしてたんだから」

「そうですよね。考えてみれば、俺、東京で初めてちゃんと話したの、京子さんだ」

「そうよ。私、世之介くんの東京での友達一号なんだから」

「俺、少しは変わりました？」

「そうっすか？」

世之介の質問に京子が品定めするように世之介を見て、「うん、変わった」と頷く。

「だって、もし今の世之介くんがここに越してきても、私、たぶん声かけないもん」

「ええ⁉ なんで？」

「……分かんない。でも、今、ふとそう思っちゃった」

「人相悪くなったってことっすか？」と世之介は尋ねた。

京子が真剣な顔で考え込む。

「……じゃないと思うんだけど」

「じゃあ、なんすか？」

「う〜んと……、上京したばっかりの頃より……」

「頃より？」

「……隙がなくなった？」

「隙？」

「そう、隙」

「あの、自分で言うのもあれだけど、俺、みんなから『お前は隙だらけだ』って言われますよ」

「いや、もちろんそうなのよ。世之介くんと言えば、隙だらけなんだけど。それでもだんだんそれが埋まってきたのかなぁ……」

「なんか中途半端だなぁ」

「これで中途半端じゃなくなったら、ほんとに世之介くんじゃなくなっちゃうって。そこはちゃんとキープしとかなきゃ」

「どうやって中途半端って、キープするんすか？……あ、ちょっと待った。その前にそんなもんキープしたくないですって」

慌てた世之介に京子が笑い出す。

「約束あるんでしょ？」

「あ、そうだ」

自転車なら二十分で着けると倉持には伝えたが、自転車に乗るまでにすでに十分近くもかかっている。

京子に別れを告げ、世之介は一階の自転車置き場へ向かった。自転車に跨がっていると、なぜかこのマンションへ初めてやってきた夜のことが思い出される。

インド留学など華やかな経歴の京子を前に自分には世之介という名前の由来くらいし

ずっと自分のそばにあるものなのかどうかが分からない。

れが何なのかさっぱり分からない。いや、なんとなくは分かるのだが、それらがこの先ったと言う。実際、身の回りに何かが増えてきたのだろうと世之介は思う。だが、そ

「何、言ってんのよ。これからいろんなもんが増えていくんじゃない」

たしか京子はそう言って慰めてくれたはずだ。その京子が、「あの頃より隙がなくな

か話せることがないと恥じ入った。

渋滞した小金井街道を世之介は順調に自転車で南下した。途中、交通量のわりに道幅が極端に狭い場所があり、抜き去っていく大型トラックの風圧でハンドルが取られ、危うく巻き込まれそうになる。

もし、ここでハンドルを握る手でも滑らせたら、あのトラックの巨大なタイヤに巻き込まれるのかと思うと、どこにでもある道路の白線がまるで命綱のように見えてくる。

自転車を漕ぎ始めてきっかり二十分後、世之介は倉持と待ち合わせた駅前の改札に到着した。しかし駅前広場に倉持の姿はなく、まさか反対側の改札にいるのではと、世之介が動き出そうとした時、「おい、どこ行くんだよ」とこちらに近づいてくるおじさんから声をかけられた。改めておじさんへ目を向ければ、なんとそれが倉持である。

「倉持?」

「そうだよ。さっきから手振ってんのに、なんで無視すんだよ」

「いや、どこのおっさんが陽気に手振ってんだろうと思って……」

「おっさん？」

しょぼくれたという言葉をまだ二十歳の友人に対して使っていいものかどうか迷ったが、少ない世之介の語彙《ごい》にはそれ以外目の前の倉持を言い表す言葉がない。

「仕事帰りだからな」

「いや、それにしてもさ」

入学式以来スーツなど着たことのない世之介でも、つい手を伸ばしてその緩んだネクタイを直し、脱臼したようなスーツの肩パッドの位置を戻したくなる。

「これ、誰のスーツだよ？」と世之介は訊いた。

そう尋ねたくなるくらいサイズが合っていないのである。

「一着しか持ってないって言ったら、社長が古いのをくれたんだよ」

「どうりで。どう見ても恰幅のいい不動産屋の社長サイズだよ」

これ以上お古のスーツについて話すつもりはないらしく、倉持が世之介を無視して歩き出す。

「どこ行く？」と世之介はその背中に尋ねた。

「その路地裏に赤提灯《あかちょうちん》があったから、そこでいいだろ」

路地裏。赤提灯。人のお下がりを着ると口にする言葉までしょぼくれてくるらしい。

混み合った居酒屋のカウンターに落ち着くと、世之介は早速新妻で妊婦の阿久津唯の様子を尋ねた。運ばれてきた生ビールで乾杯した倉持が、「すごいことになってるよ」と手で膨らんだ腹の形を作る。

「やっぱり、こう、テレビとかで見るみたいに、つわりとかで大変なの？」

「そんな時期、もう過ぎたよ」

「一緒に住んでんだよな？」

世之介の当たり前な質問に呆れたように倉持が頷く。

「……でも、実際、あいつのお袋さんがいろいろ面倒見てくれるんで助かってるけど、もし俺ら二人だったら、絶対にこんな生活無理だよ」

「そりゃ、そうだよ。ついこないだまで子供だったんだからさ」

ふとこぼした世之介の言葉におでんに伸ばしかけた箸をふと止めた倉持が、「そうなんだよなあ」と強く頷く。

頷きながら煮玉子を食べる倉持の横顔は世之介の知っていた倉持となんら変化はない。今はサイズの合わないスーツ姿だが、これにポロのジャケットでも着せれば、すぐにでも「なぁ、二限の授業サボって、ビリヤード行かねえ」などと言い出しそうである。

しかし腹が大きくなった阿久津唯のほうはそうもいかないのだろうと世之介はぼんやりと考えた。今まで「子」だった人間が、何かを境に「親」になる。

あれは倉持から阿久津唯の妊娠を知らされた頃だったか、親ってもっとこう神聖な気持ちでなるもんだと思ってたんだよな、みたいなことを言っていたが、改めて神聖な気持ちなんて、なれって言われてすぐになれるもんでもないんだろうなと、煮玉子にかぶりつく倉持を見ると思えてくる。

「今さ、試験中なんだよ」

現在の倉持が抱え込んだ問題に比べれば、学校のテストなどなんということもないのだが、「難しい問題」からの連想で世之介に浮かんでくるのはそれくらいしかない。

「二年に上がれそうなの？」

「それは大丈夫。お前と違って、わりと授業も出てたから」

半分に割った煮玉子の残りを倉持が「ほら」と世之介の皿に入れる。世之介はカラシをつけて一口で頬張った。

「なんか、大人だな」

「煮玉子やったからか？」

もちろんそうではないのだが、世之介はうまく言葉にできない。

エレベーターを降りると地上二十五階の窓に美しい朝焼けが広がっている。世之介が押すルームサービス用のワゴンには朝食には早すぎ、夜食にしては遅すぎるハンバーガーが載っている。

世之介は都心の高層ホテルの窓から見る東京の夜景ならぬ朝景を眺めた。一晩中、地下の休憩室にいたので外の景色を眺めるだけで気が晴れる。灰色のビルが赤紫色に染まっている。まだ明かりのついていない窓が朝日を浴びて鱗《うろこ》のように輝き、街全体が今にも蠕動《ぜんどう》しそうである。

朝食には早すぎ、夜食には遅すぎるハンバーガーを注文したのはビジネス客らしいア

メリカ人である。

部屋に入り、マニュアル通りに英語で挨拶したのだが、「ありがと、ありがと。あと

で食べるから、そのまま置いといてくれるかな」と流暢《りゅうちょう》な日本語で返された。

その後休憩室に戻って三十分ほど仮眠を取った。目を覚ますといつものように慌ただ

しい朝の仕事である。先輩の石田と組んで時間指定された朝食を各客室に届けて回る。

「世之介、お前もう試験終わったのか？」


エレベーターの中、眠そうな顔をした石田が声をかけてくる。さっきまでパイプ椅子

を並べて寝ていたので、蝶ネクタイはしているが蝶ネクタイよりも派手な寝癖がついて

いる。

「おととい、やっと終わりましたよ」と世之介は溜息をついた。


「どうりで、いつも以上に抜けた顔してるもんな」

笑う石田には寝癖のついた自分の姿が見えていない。


「石田さん、春休みとかどうすんですか？……というか、大学生って二ケ月もある春休

み、みんな、どうしてんですかね？」

「俺はバイトして金貯めるよ」

「貯めてどうすんですか？」

「旅行行きたいんだ。四年になるとけっこう時間作れるから世界中を旅してみたくてさ」

「へぇ」

「就職すると、そんなこともできないだろうし。一生に一度のチャンスかと思って。お前は？」

世界旅行を前に世之介には返す言葉がない。

どうせやることもないのだから、バイトを入れてもいいのだが、稼いだところで石田のように使う目的もない。

「二ケ月かぁ、どうしようかなぁ……」

「ちゃんと予定立てたほうがいいぞ。ぐうたら過ごしてると二ケ月なんてあっという間だからな」

エレベーターが目的階に着き、世之介はワゴンを押して廊下へ出た。三十分ほどで夜はすっかり明け、窓の外のビルの間から真っすぐに朝日が差し込んでくる。

「あ、そうだ。お前、エロビデオいる？」

廊下を進んでいると、あまりと言えばあまりに唐突に石田が言う。

「いりますよ」

唐突な質問に慌てて世之介も答える。

「実家を改装するらしくて処分に困ってんだよ。彼女と暮らしてるアパートに持って行くわけにもいかないし、捨てるのもちょっと惜しいし」

「もらいます、もらいます」

「じゃあ、今度取りに来いよ」

「どれくらいあります？」

「そうだなぁ、三十本くらい」

「マジっすか？　あ、でも、なんかヘンな趣味とかないですよね？」

「なんだよ、変な趣味って」

「だから鞭《むち》で打ったり打たれたりとか」

「お前、駄目なの、そういうの」

「どっちかっていうと砂浜を水着でヘラヘラと走ってもらうほうがいいんですけど」

「お子ちゃまだねぇ」

注文を受けている客室に着き、世之介はドアをノックした。三度目のノックでやっと中から声がする。

「おはようございま〜す。ルームサービスで〜す」

不真面目な話をしていたわりには慣れたもので口を開けばさわやかな声は出る。

仕事を終えてホテルを出たのは七時を過ぎた頃である。いつもは真っすぐに駅へ向かうのだが、珍しく暖かな朝でなんとなくホテル裏の小さな公園へ足が向いた。園内に入ると、どこからともなく子猫の鳴き声が聞こえてくる。嫌なもの聞いちゃったなぁと思いながらも、性分なのか、ついそちらへ足が向く。

案の定、段ボールに子猫一匹が捨てられていた。見なかったことにしようと立ち去りかけたのだが、面識もないくせに別れが悲しそうな声を出す。世之介は仕方なく戻って痩せた子猫を抱き上げた。

まだ小学校に上がったばかりの頃、世之介は祖母に連れて行ってもらった縁日のひよこ釣りで紫色のひよこを釣ったことがある。喜んで連れ帰ったのだが、両親からは、「そんなもん、可愛がったって三日で死ぬよ」と脅された。それでも世之介はひよこを懸命に育てた。紫色の毛は見る見る抜けて、気がつけばひよこと鶏の中間？くらいの、妙な生物に成長していた。

世之介は完璧な鶏に成長した元ひよこが、いつの日かコケコッコーと鳴き、卵を産むのを楽しみにしていたのだが、あいにく縁日で売られているのは全て雄だったらしい。卵は産んでもらえなかったが縁日のひよこを育てたということで学校でも有名になった。クラスメイトは毎日のように学校帰りに見に来たし、近所の大人たちさえ珍しがっていた。

公園で捨て猫をつい抱き上げてしまった世之介はさてどうしたものかと考えていた。自宅マンションはペット禁止だし、その前に猫を電車に乗せていいものなのかも分からない。しかし一度抱き上げた子猫はほっとしたような顔で世之介の手を舐めている。

結局世之介はコートのポケットに隠していったん部屋へ持ち帰ることにした。この時間なら都心から郊外へ向かう電車はガラガラだろうし、最終的なもらい手は一眠りしてから考えればいい。

コートのポケットに入れると子猫はしばらく暴れたが、駅へ向かううちにおとなしくなった。電車に乗った時には死んでいるのではないかと心配になるほど静かだった。あまりにも静かなので、世之介はこっそりとポケットの中を見た。子猫はどこへ連れて行かれるのかと心配そうに世之介を見る。

ふと視線を感じて顔を上げると、前の座席に座っていた女子高生がポケットの子猫に気づいて微笑んでいた。親しみ深い笑顔だったので、「す、て、ね、こ」と世之介は口を動かして教えた。丸顔の女子高生が、「うん」と頷く。

部屋へ戻ると世之介は温めた牛乳を子猫に与えた。しばらくその様子を眺めていたが、夜勤明けの疲れからそのままこたつで寝てしまう。

子猫の鳴き声で世之介が目を覚ましたのは午後二時過ぎである。起きた途端に腹が鳴る。祥子の家なら飼ってもらえるかもしれないと、ふと思い立ったのは、肉なしのやきそばを作っている最中である。善は急げで電話をかけた。

松葉杖生活中の祥子は家にいて、世之介が肉なしのやきそばを炒めながら用件を告げると、「そんなに可愛い子猫なら譲って頂きたいのは山々なんですけど、うちは駄目なんですの」と申し訳なさそうに祥子が断る。

「世之介？　お前、元気にしてんの？」
加藤も余計なことを言ったものである。世之介は電話器をたぐり寄せると、久しぶりに加藤に電話をかけた。数ケ月ぶりの電話だったが、まるで昨日も一緒だったような気軽さである。

夏場、冷房のある加藤のアパートに居候させてもらっている時、隣の部屋の猫が窓枠伝いに何度か遊びに来たことがあり、「一階の大家も猫飼っているから、このアパート、ペット大丈夫なんだよ」と加藤が言っていたことがある。

すっかりこたつ布団の上を自分の場所に決めたらしい子猫は、世之介の苦心も知らずに居眠りしている。加藤のことを思い出したのは、やきそばを食べ終わり、こたつにごろんと寝転がった時である。

倉持と阿久津唯の所は子猫どころではないだろうし……。適当な飼い主が思いつかない。

「猫の毛が駄目みたい。鼻水が止まらなくなるんですって」
さすがに年中鼻水を垂らしながら飼ってくれとも言えず、世之介は三日後また病院で会う約束をして電話を切った。

「そんなアレルギーがあるんだ？」

「うちの母が猫アレルギーなんですの」

「なんで？　可愛いよ」

「元気元気。あのさ、とつぜんなんだけど、お前、子猫いらない？」

「いらないよ」

「他にもらってくれる奴がいないんだよ。今、こいつをもらったら、もれなくエロビデオがついてくるんですけど」

石田の話を思い出して咄嗟に言った。だが加藤があまり興味を示さないだろうことにすぐ気づく。

「なるべく男がいっぱい写ってるやつ、やるからさ」

世之介は行き場のない子猫を撫でながらそう言った。

二月　バレンタインデー

コートのポケットに子猫を入れて世之介は自転車で加藤のアパートへ向かっている。数日ぶりに外へ連れ出してやったせいか、子猫は浅いポケットから顔を出し、流れていく景色を不思議そうに眺めている。この数日間、世之介は子猫の面倒をみた。ちょうどバイトも休みだったし、ほぼ付きっきりである。子猫はうるさく鳴くこともなく、このまま部屋で飼えるのではないかとも思えたのだが、ここで飼えば六畳もない狭い部屋に閉じ込めて外の世界を一度も見せてあげられないことになる。

よくよく考えた世之介は子猫に名前をつけることを断念した。つければ手放せなくなるのが理由の一つだが、なかなかいい名前を考えられなかったせいもある。東京で行ったことのあるディスコの名前にしようかと考えて「Jトリップ！」などと呼んでみたのだが子猫はまったく反応しない。逆に「ミケ」とか「タマ」と声をかけると、なぜかミャーと元気な声を出す。根っから流行には鈍感な猫である。だがミケやタマだと誰ももらってくれそうにない。

加藤のアパートに到着した世之介はなるべく子猫が可愛く見えるように目やにを取っ

てやり、逆立った毛を撫でた。電話では、「俺は飼えないけど、大家さんがもらってくれるかもしれない」と加藤は言っていた。たまたま家賃を払いに行った時、「放し飼いにしていた猫がいなくなって寂しい」と大家が漏らしていたという。

子猫を抱いた世之介が部屋へ向かうと、ちょうど加藤が廊下で洗濯機を回していた。かなり迷惑そうな顔はしているが、子猫をすぐに抱くところを見ると嫌いではないらしい。

「どこで拾ったんだよ?」と加藤が子猫を撫でながら訊く。

「赤坂の公園」

「赤坂なんかに捨て猫いるんだ?」

とにかく善は急げで大家に面会を申し込むことにした。あげるのはいいが世之介としてももらい手の人となりは確かめたい。子猫を抱いた加藤と再び階段を下りる。

「お前、まだあの頓珍漢《とんちんかん》な彼女と付き合ってんだってな」と加藤が言う。

祥子のことだろうが、昔と違って今はれっきとした恋人なので、「頓珍漢な彼女って誰?」と世之介はとぼけた。

「ほら、えっと祥子ちゃんって言ったっけ?」

「あのね、人の恋人つかまえて頓珍漢はないだろ」

「俺、合わないと思ったんだけどなぁ」

「なんで?」

「別に理由はないけど」

「理由もなく、そんな不吉なこと言うなよ」

とかなんとか言い合っている間に二人は大家宅の前に立っている。

「おじゃましま〜す」

加藤が慣れた様子で入っていく。

「なんか自分ちみたいだな」と世之介は驚いている。

「前は下宿だったんだって。だから、わりと出入り自由なんだよ」

勝手に上がり込んだ加藤が障子を開け、「こんにちは」と中に声をかける。世之介も背伸びして覗き込んだ。一言で言えばしなびた部屋である。仏壇があり、こたつがあり、もちろんこたつの上にはみかんがあって、絵に描いたようなおばあさんが煙管《キセル》で煙草を吸っている。ある意味、その光景に猫だけが足りない。

幸い、簡単に話は決まった。加藤が事前に話してくれていたようで、立ち上がるのも面倒臭そうなおばあさんに世之介が子猫を差し出すと、「あら、美人ねえ」と一言言ってそのまま自分の膝に子猫をのせてしまった。のせられた途端、子猫も子猫で、ずっとそこにいたように体を丸める。

正直あまりにも呆気なかった。「じゃあ、お願いします」と頭を下げる世之介を不義理な子猫は見もしない。多少腹も立つが、狭いワンルームマンションでこっそり飼われるよりは、おばあさんの膝の上のほうが明らかに幸せそうである。

「名前なんて言うの？」とおばあさんが訊く。

「まだつけてないです」と世之介。

「じゃあ、ミケだ」とおばあさん。

呼ばれた途端、子猫がやはりミャーと鳴く。

子猫を大家に引き渡すと、なんとなく世之介は加藤の部屋へ寄った。誘われたわけではないのでかまってはもらえない。加藤は脱水の終わった洗濯物を窓辺に干し、読みかけだったらしい本を読み出す。英語の本である。

「お客を邪険に扱い過ぎじゃないか」

「あ、ごめんごめん」

誠意がない。

「なぁ、何、読んでんの？」

「紫禁城の黄昏《たそがれ》」

加藤がページを捲りながら答える。

「紫禁城って、中国の？」

「そう」

もう少し世之介に知識があれば、ここから加藤を会話へ引き込むこともできたのだろうが、それ以外に知っていることがない。

「なんでそんなの読んでんの？」

「『ラストエンペラー』って映画見たら面白くてさ」

「ああ、それだったら、サンバ部の先輩たちも面白そうって言ってたな」

「俺、今日、もう一回見に行こうかと思ってて」

「どこに？」

「吉祥寺」

　どちらかと言えば世之介が好きな映画は「インディ・ジョーンズ」とか「ナイルの宝石」などである。だが吉祥寺にぶらっと出ていくのも悪くない。

「じゃあ、俺も一緒に行くよ」と世之介は言った。

「来なくていいよ」

　妥協したのは自分だと思っていた世之介は加藤に断られて驚いている。

「なんで？」

「映画は一人で見るほうが好きなんだよ」

「映画館なんだから一人じゃないだろ」

「横に誰かいると思うと気になるんだよ。それにお前、途中で話しかけてきそうだし」

　加藤の、なんかこう煮ても焼いても食えない感じは相変わらずである。

「じゃあ、離れた場所に座るよ」

　さほど見たくないのだからムキになることもないのだが、つい世之介も言い返してしまう。

「それで、結局離れた席で一緒にその映画をご覧になったの？」

祥子が通う病院である。呆れたような祥子の質問に世之介が頷く。ちなみに今日、祥子の脚からギプスが取れる。

通院する祥子と病院で待ち合わせるのも今日ですでに三回目である。診察を待つまでの間と、診察を終えてからの小一時間を、ここ待合室のベンチで過ごすのである。

世之介としては相手が松葉杖とはいえ、近くのシャレた喫茶店で珈琲の一杯くらい飲みたいのだが、入院中にパジャマ姿を他人に見られるのも嫌がる祥子を病院の外へ連れ出すのは難しい。そこで結局いつも売店で買った缶珈琲を待合室の硬いベンチで飲んでいる。

「祥子ちゃん、ギプス外れたらどこ行きたい？　ずっと家に閉じこもってたんだから発散したいでしょ？」

一瞬、思案した祥子が、「スキー場以外なら、どこでもいいですわ」と答える。

「じゃあさ、雪と真逆で海とか行ってみる？」

「海……」

いいアイデアだとは思ったのだがなぜか祥子が暗い顔をする。

「……海はいいんですけど、最近、海を見ると、あのことを思い出してしまって」

「あのこと？」

「ほら、去年の夏、世之介さんの実家で」

「ああ。あれ」

「ええ。あれ」

「海見ると、また難民と遭遇しそうな気がする？」

自分でも馬鹿な質問だとは思いながらも世之介は尋ねた。

「そんなことはないですけど……。なんと言いますか、海を見ると、『ああ、この海の向こうには困ってらっしゃる方がたくさんいらっしゃるんだわ』なんて思ってしまって……」

単純と言えば単純だが、祥子のこの単純な感想が少なからず世之介にも理解できる。

「でも、俺たちが何かやれるってわけでもないしね」

「それはそうなんですけどね……」

なんとなく暗い表情を突き合わせていると診察室から祥子の名前が呼ばれた。

祥子が診察室へ姿を消すと世之介は退屈しのぎに待合室をぐるりと見渡した。診察時間も終わりに近づき、さっきまでずらっとベンチに並んでいた患者たちの姿も少ない。

世之介はこれまで病気という病気をしたことがない。ここ最近でも思い出せるのはサンバカーニバルの前に寝不足から貧血を起こしたことぐらいで、風邪も引かない。健康なことにありがたさも感じないほど健康である。

廊下の壁にポスターが張ってある。理科の実験室などにあった人間の内臓を示した図で心臓や胃や肝臓などが色分けされて描かれている。退屈なこともあって、世之介は自分の胸に手を当てると、「ここが心臓。この辺が胃で、肝臓はこの辺りか」などと医者のように触診してみた。

心臓を意識して目を閉じると、はっきりと手のひらに鼓動を感じる。当たり前と言えば当たり前だが、これが止まったら人間は死ぬのだと、ふと思う。

東京に来て、世之介は一度だけはっきりと死を感じたことがある。言うのも恥ずかしいくらいの体験であるから誰にも言っていない。それは初めて新宿駅のホームに立った時である。世之介は白線に沿って歩いていた。列車到着のアナウンスが流れ、前方から電車が走り込んでくる。ほんの数十センチ横を走り抜けた電車の風圧を世之介ははっきりと感じた。

本当に単純なことなのだが、「こっちじゃなくて、そっちにいたら、俺、死んでたんだ」とふと思った。「生」と「死」を真横に置いてみたのは、世之介にとってこれが初めてだったのである。

心臓の鼓動を飽きもせずに数えているうちに診察室のドアが開いて祥子が出てきた。まだ松葉杖はついているが、この数週間つけていたギプスが取れ、どこか軽やかに見える。

「取れたね」と世之介は声をかけた。

「なんだか、スースーするんですの」と祥子がまるで裸でも見られたように赤面する。

「ねぇ、祥子ちゃん、今夜、一緒にいようよ」

考えていたわけではなく、ふと出てきた言葉だった。

「じゃあ、うちにいらっしゃいます？」

慣れた手つきで松葉杖を扱いながら祥子がさらりと応える。

「じゃなくてさ、二人っきりで」と世之介は言った。

唐突と言えば唐突だったが、さすがの祥子にも世之介の真意は伝わったと見え、赤面していた顔が益々《ますます》赤らみ、ほとんど紫色に変わる。

「ど、どうなさったの？　そんな……、急に、ご無体《むたい》な……」

いつもならここで祥子の言葉遣いに反応して話は流れてしまうのだが、珍しく世之介も踏ん張っている。

「一緒にいたいんだよ。たとえばだけど、どこかこの辺のホテルとか取って……」

「ホ、ホテル⁉」

祥子が大きな声を出すので廊下を歩く看護婦たちの視線が集まる。

「そ、そんな大きな声出さないでよ」と世之介は慌てた。

「世之介さん、ご自分が何をおっしゃってるのか、お、お分かりになってるの？」

祥子の混乱ぶりがあまりにもひどい。世之介はとりあえずベンチに座らせた。

「ちょっと落ち着いてよ。……何もこれから人殺そうって言ってるわけじゃないんだからさ」

「だ、だって……ホテルだなんて……」

祥子は恥ずかしさからなのか、怒りからなのか、体まで震わせている。

「びっくりさせたんなら謝るよ。でも俺たち、恋人同士なんだし……」

「そ、それは私だって分かってますわ。でもこんな病院の待合室でギプス外してきたばっかりなんですのよ」

「いや、その通りなんだけどさ。ただ、なんか今夜はどうしても一緒に祥子ちゃんといたいんだよ」

世之介は真っすぐに祥子の目を見つめた。

「私だって、その日のことについては……、私なりに考えておりました。でも、あまりにも急じゃありませんこと？」

祥子の質問に世之介も言葉が詰まる。

どうしてこんなことをとつぜん言い出したのか自分でも分からない。敢えて挙げるとすればずっと心臓の鼓動を感じていたせいか。

「……ごめん。でもやっぱり今夜、祥子ちゃんと一緒にいたいんだ」

世之介は珍しく譲らなかった。

化粧を終え、鏡台の前から離れると窓の外にタクシーが来ていた。点滅するハザードの黄色いライトが古い門柱を照らしている。

久しぶりに帰ってきた自分の部屋はどこか寒々としている。母の話では、毎日窓を開け、昨年の暮れには大掃除もしてくれたそうだが、人の温もりがないと部屋というのはいろんな感覚を失っていくのかもしれない。部屋が寒々しく感じられるのは長く留守にしていたせいばかりではない。つい数日前までは日中は気温三十度を超えるタンザニアにいたのだから、二月の東京に戻ってくれば何もかもが寒々しく感じられるのは仕方がないのかもしれない。

ベッドに出しておいたコートを羽織り、一階へ下りた。足音を聞きつけた母が居間から出てくる。

「まったく祥子さんもたまに東京に帰ってきたからって、毎晩毎晩、出歩いて……」

「今度またいつ帰国できるか分からないし、となると、会っておきたい友達も多いのよ」

「そりゃ、そうでしょうけど……。今夜はどなたと会うの？」

「睦美さん」

「あら、懐かしい。お元気なの？　あなたと違って、きっともうご結婚もなさって、お子さんもいるんでしょうねえ」

　父が他界したあとこの広い家にお手伝いさんと二人で暮らしている母を思えば、迎えのタクシーなど気にせず、このまま話し相手にもなってやりたいのだが、ここで甘い顔をすると独身であることだけではなく、現在の仕事についてもまたいろいろと愚痴をこぼされるはめになる。

「明日は一日家にいるから、夜、二人で何か作って食べましょうよ」

「それはいいけど……、それより祥子さん、そんな靴履いていくの？」

　母の視線が足元のスニーカーに向けられる。

「いいのいいの。別に高級レストランに行くわけでもないんだから。じゃあ、行ってくるね」

「帰りは気をつけなさいよ。最近この辺も物騒になったんですから」

　母の言葉に見送られて玄関を出た。娘がアフリカの難民キャンプで働いていることを忘れているのか、忘れたいのか、世田谷の住宅地が物騒になったと真顔で心配する母を見ていると、本当に自分がこの家で育った娘なのかと改めて不思議に思えてくる。

　タクシーへ乗り込む前に背後の家を振り返った。高齢の母と住み込みのお手伝いさんだけになった家は帰国するたびに古くなり、全体的に萎んでいくように見える。

　父が脳溢血で亡くなったのが、今からもう十五年以上も前になる。知らせを受けたのは都内のお嬢様学校を卒業後に留学していたロンドンだった。知らせを聞き、取るものも取りあえずに帰国したのだが残念ながら死に目にはあえなかった。大切な人の死に目にあえないのは宿命なのかもしれない。

父が亡くなった当初は泣いても泣いても泣き足らず、残された母と競うように悲しみに暮れていた。だが十五年以上も経った今となっては、もしかすると父は一番いい時に人生を終えたのではないかとも思う。

バブル期に手広く進めた事業が当時どうにもならなくなっていた。全てを手放し、若い頃に始めた小さな残土処理業だけに戻せればよかったのだろうが、肥大化したのは事業だけではなく、父のプライドも同じで、なんだかんだと足掻いているうちに前にも後ろにも行けなくなっていたらしい。

父の死後、拡張した事業のほとんどは整理された。どうにか本業だけは息を繋いだが、長男の勝彦が頼りになるわけもなく、かといって家計簿さえつけられない母が代わりになるわけでもない。結局父と苦楽を共にした専務にそのままの形で譲渡された。とりあえずお嬢さん育ちの母が死ぬまで苦労せずに済むのだから、父は一人の女をきちんと幸せにできたのだろうと思う。

現在国連の職員として難民キャンプで働いていることを思うと、つくづくどこで自分の人生が変わったのだろうかと不思議に思う。エスカレーター式でお嬢様大学に入り、卒業後には就職もしなかった。見方によっては花嫁修業時代と呼べなくもないし、実際時間が有り余っていたので生け花や料理教室にも通っていたが、単に何もやる気力がなかったのだと思う。幸い四六時中一緒にいることになる母も、生まれて一度も働いたことのない人だった。

そんな生活をしているうちに虎視眈々《こしたんたん》とタイミングを見計らっていたらしい母から、お見合いを勧められた。宜嗣《のりつぐ》さんは悪い人ではなかった。礼儀正しくて、お洒落で、優しく、真面目。一言で言えば「御曹司」。実際、繊維メーカーを営む一族の御曹司なのだから仕方はないのだが、本当にそれ以外に形容できないような人だった。

「いい人だとは思うけれども好きではないの」

お見合いのあと、たしか母にそう告げたと思う。しかし母はあっさりしたもので、「結婚なんていい人とするものなのよ。いい人なのだからすぐに好きになります」と言った。

話はトントン拍子に進んで翌年の六月に式を挙げた。まだ二十三歳になったばかりだった。新婚生活はまずまずだったと思う。ただ本当にまずまずだったのだと思う。

留学したいのだけれどと宜嗣さんに言い出したのは、結婚して一年が過ぎた頃だった。まずまずだった新婚生活で一つ気づいたことがあるとすれば、宜嗣さんが求めている結婚というのは「システム」で、別に自分じゃなくても良かったのだろうということだった。

留学したいという希望はすぐに叶えられそうになった。宜嗣さんが勤めていた商社で彼のニューヨーク転勤が決まったのだ。アパートメントのテラスからはセントラルパークが見下ろせるという。正直心は動いたが、「いいえ、そうではないんですの」と自分に言い聞かせるように首を振った。

宜嗣さんは決して悪い人ではなかった。一ケ月間、膝を突き合わせて相談し、「もう一度出会い直したいんです」という妻の頓珍漢な希望を理解はできないながらも優先させてくれた。

とりあえず別居という形で、夫はニューヨーク、妻はロンドンの大学に向かった。東京―ロンドン―ニューヨーク間より近いのにほとんど連絡は取り合わなかった。

ロンドンで真面目に政治学の勉強をしているうちに、宜嗣さんに好きな人ができた。手紙で知らされた時、まず思ったのは、「よかった。やはり宜嗣さんにも運命の人はいたのだ」ということだ。

その頃、父が亡くなり、言い方は悪いがそのどさくさに紛れて離婚した。幸いなことに父を亡くした母にとっては娘の離婚など、遺影に使う写真を決めるよりも取るに足らないことのようだった。

二十四歳からロンドンの大学で四年間政治学を学び、気がつけば担任教授の勧めで大学院にも進んでいた。そして本当にふと気がつけば、国連の職員として働いていたのだ。

幼なじみの睦美と待ち合わせたのは市ヶ谷にある小さなフレンチレストランだった。

住宅地にぽつんとある店だったので細い路地をタクシーは迷っていたが、「こっちじゃないですよね？」と不安げに右折した路地の突き当たりに幸いにも店はあった。

店に入ると窓際のテーブルに睦美の姿がある。ほぼ二年ぶりになるのだが、ますますマダム然として清潔な白いテーブルクロスにも食前酒のシャンパンにもよく似合っている。

「ごめんね、遅くなって」

テーブルに近寄っていくと、こちらの爪先から頭のてっぺんまでを眺めた睦美が、

「ねぇ、祥子、ますますワイルドになってない？」と笑う。

「日に灼けてるからじゃない？　だって一日中アフリカの原野を駆け回ってるんだもん」

「そりゃ、そうだけど……。ほら、昔、元女優さんで冒険家になった人がいたじゃない。名前忘れちゃったけど、なんかそんな雰囲気……」

ウェイターに食前酒を勧められたが、ワインリストをもらった。よく冷え、味のしっかりした白ワインが飲みたかった。ほんの数日前までは井戸水を美味しく飲んでいたことが不思議に思われる。

「で、どうなの？　元気でやってるの？」

ワインで乾杯すると睦美が訊いてくる。

「元気は元気なんだけど、ここ最近疲れやすくって」

「そりゃそうよ。もう四十なんだもん」

「帰国する前にもね、蚊帳《かや》の分配のことですごくもめちゃって……」

「え？　何？」

「だから蚊帳」

きょとんとする睦美を前に難民キャンプでの蚊帳の分配騒動の顚末を話す気にはなれなかった。実際数が少なく、避難民たちの日頃の不満が今にも爆発しそうだったのだが、いつものようにこちらで指示するのではなく、避難民のリーダー役ルバンガさんを中心に話し合いで決めてもらうことでどうにか収拾がついたのだ。

「ところで、愛ちゃん元気なの？」

話を変えてやると、途端に睦美の口が軽くなる。

「それが大変なのよ。幼稚園でお受験させたからあとはもう安心だと思ってたんだけど……」

「もう中学生でしょ？」

溜息をついた睦美に尋ねた。

「そう、二年」とますます落ち込んだ顔をする。

「学校嫌がってるの？」

「じゃなくて……。元はと言えば、祥子にも責任があるんだからね」

「私？」

「そうよ。あなたが国連なんかでバリバリ働いてるでしょ。あ、そうそう。この前うちに送られてきたUNHCRの雑誌にあなた写ってたわよ」

「ああ、あれ、新しいキャンプ候補地を視察に行った時なのよ。怒って、般若みたいな顔だったでしょ?」

「そう? 生き生きしてたけど。……あ、それでね、その生き生きしてるあなたが娘には眩しく見えるらしくて、高校からスイスの全寮制の学校に行きたいって言い出したのよ」

「あら、いいじゃない」

「簡単に言わないでよ。一人で留守番もできない子なのよ。そんな子が……」

睦美が深刻な表情を見せるので思わず微笑み、「どうにかなるって、本人がやりたいようにやらせてあげれば? それにそんなこと言うんだったら、私はどうなるのよ。愛ちゃんなんかより何にもできなかったじゃない」

しばらくこちらの顔をじっと見つめた睦美が納得したように笑い出す。

睦美が一人娘の愛ちゃんを大切に育ててきたことは知っている。学校選びを含め、愛ちゃんの人生にとって「大切なもの」を与えてやろうと必死になっている。もちろんとても素晴らしいことだと思う。しかしこの仕事を始めてからつくづく思うのだが、大切に育てるということは「大切なもの」を与えてやるのではなく、その「大切なもの」を失った時にどうやってそれを乗り越えるか、その強さを教えてやることなのではないかと思う。

「ねぇ、まだしばらく日本にいるんでしょ？」

睦美に訊かれ、「うん、来週いっぱいはいるつもり」と頷いた。

「ねぇ、時間作って、愛に会ってくれないかな？」

心細そうな睦美に、「もちろん。私も久しぶりに愛ちゃんに会いたいし」と答えた。ほっとしたような睦美が運ばれてきた鹿肉にフォークを突き刺す。

レストランを出たのは午後九時を回ったところだった。タクシーを呼んでもらい、代々木のマンションで暮らす睦美を降ろしてから家へ戻ることになった。新宿御苑の横を車が走っている時に新宿方面に奇妙な形のビルが見える。

「あの、繭《まゆ》みたいなビル、何？」と睦美に尋ねると、「最近できたみたい。たしか学校じゃなかったかな」と首を捻る。「どの辺になるのかな」と窓から眺めていると、睦美が懐かしい病院名を出し、そのすぐ近くだと教えてくれる。

車はあっという間に代々木に着いた。細い路地を睦美の指示で進んだタクシーが石造り風なマンションの前に停まる。

「じゃあ、連絡ちょうだいね。こっちはいつでも時間空けるから」

車を降りた睦美に手を振った。

路地を出た車がまた大通りへ戻る。なんとなく振り返ると繭のような形をした高層ビルが遠ざかっていく。あのすぐ近くに、スキー場で骨折し、しばらく通っていた病院があったのだ。

姿勢を戻すと、なぜか顔がにやけてくる。もう二十年以上も昔のことなのに、あの病院の待合室で聞いた世之介の声が蘇ってくる。たった今、診察室でギプスを外してきたばかりだというのに、「……今夜、一緒にいようよ」と生真面目な表情で呟いた世之介の声が、それこそたった今聞いたばかりのように蘇る。最初世之介の気持ちに気づかず、「じゃあ、うちにいらっしゃいます？」とかなんとか答えたはずだ。こちらの無粋な返事に慌てた世之介の顔は思い出すだけでも可笑しい。

あのあとどんな話になったのだったか、とにかく珍しく頑として自分を曲げない世之介に先導されて、病院からほど近いシティホテルと言うらしい、休憩料金などというものがあるホテルにピョコピョコと松葉杖をついて向かったはずだ。世之介がホテルに行きたいというから、てっきり京王プラザかセンチュリーハイアットに行くものだとばかり思っていた。

「よ、世之介さん……。あの、私、ホテルに行く覚悟はついたんですけど、覚悟したのはこういう所じゃなくて、もっとこう……」

たしか十階建てほどの小さなホテルの前で、そんなことを言いながら背後の京王プラザホテルを指差した。

「え、ええ！　京王プラザ⁉」と世之介は大袈裟に目を丸めた。

「いいえ、別にセンチュリーハイアットでもいいんですけど……」

よほど心細そうな顔をしていたのか、世之介が、「そ、そうだよね。この辺でホテルと言えばそうだよね」と早口で応える。

「いえ、別にどうしてもそっちがいいってわけではなくて、とにかく行こうと心を決めた時に浮かべてたのが京王プラザだったものですから……」

「いや、そうだよ。祥子ちゃんが正しい。俺、ほら、ああいうホテルってバイトする所ってイメージしかないもんだから」

ふと視線を感じて我に返ると、ルームミラーに怪訝そうな表情を浮かべた運転手の顔が映っている。自分でも気づかぬうちに思い出し笑いをしていたらしい。

「あの運転手さん、環八を越えたら二つ目の信号を右にお願いします」

場を取り繕うように告げると、「二つ目ですね」と運転手も視線を前へ戻す。ルームミラーで見られないように少し場所を移動した。車内には睦美がつけていた香水の香りがまだ微かに残っている。

結局あの日、京王プラザもセンチュリーハイアットも予約でいっぱいだった。小さなシティホテル（といってもラブホテルなのだが）の前にあった公衆電話で１０４でホテルの番号を訊き、覚えられないものだから、「祥子ちゃん！　３４４０１……」とこっちに覚えさせようとしていた世之介の姿が目に浮かぶ。

結局めぼしいホテルはどれも満室で、電話ボックスから出てきた世之介の姿は洗濯機で洗ってしまった木綿のセーター以上にぐったりと伸び切っていた。さすがに「また今度にしませんか？」とは言い出せなかった。

　生まれて初めてその手のホテルに入った。それも松葉杖をついて。

　未だにはっきりと覚えているが、緊張した世之介が「じゃ、これで」と受付で選んだ部屋は、空をイメージした客室だった。とても狭い部屋でドアを開けると中央にベッドがあるのだが、そこまで五段ほどの石段がついていた。コンセプトとしては「雲の上のベッド」なのだろうが、ギプスを外したばかりでまだ松葉杖をついている身としてはその雲が途轍《とてつ》もなく高い。

　生まれて初めて好きな人とベッドを共にした夜だというのに思い出せるのはこのベッドからの階段を素っ裸の世之介が何度も行ったり来たりする姿しかない。というのもあいにく松葉杖使用中で、その上雲の上のベッドなものだから喉が渇けば世之介にジュースを取ってきてもらうしかなく、バッグにある飴も舐めたくなるし、一晩いるとなるとおなかも空くので部屋に備え付けのフードメニューを取ってきてもらい、それが届けられればまた世之介が取りに下りるしかなかったのだ。

　当時は自分でも驚くほどロマンチストだったので、好きな人に抱かれた翌朝、彼がベッドへ運んでくれた朝食を食べることを確かに夢みていたことはいたが、まさかあんな形で実現するとは思ってもいなかった。

　もちろん世之介とのキスは素晴らしかったし、落ち着きなく体のあちらこちらを移動する彼の手も慣れてしまえばくすぐったくもなかった。とにかく男の体というものがあんなにも熱いものだと教えてくれたのは世之介なのだ。

家へ戻るとすでに寝室にいた母が下りてきた。「睦美さん、お元気だった？」と訊くので、「ええ」と短く応えて浴室へ向かおうとすると、「あ、そうそう。あなたが出かけたすぐあとにあなた宛の宅配便が届いたのよ」と棚に置かれていた小包を差し出す。

「……この横道多恵子さんって、どなただったかしら？　何か聞き覚えがあるのよね」

母から受け取った小包は大きさのわりにとても軽いものだった。

「ほら、私が大学生の頃、お付き合いしてた方がいたでしょ。横道世之介さん、そのお母様よ」

「あ、ああ。世之介さん。なんとなく覚えてるわ。あの明るい感じの方よね？　たしか一年くらいお付き合いしてた？」

「ええ」

「そのあともご連絡取り合ってたの？」

「そうじゃないの。この前、ふと懐かしくなって実家のほうに連絡してみたの」

「懐かしいわねえ、世之介さん、お元気だった？」

母の質問には応えず、小包を持って二階の自室へ向かった。軽く小包を振ってみるとカサカサと乾いた音が立つ。階段を上がりながら開けてみた。中から出てきたのは数枚の写真だった。

ごろごろと小石が転がる赤土を４ＷＤのライトが照らしている。道は悪く、スピードを上げれば上げるほど振動は大きくなる。助手席のシルヴィは背が高いこともあって両手を天井につけ、頭がぶつからないようにしている。

「ショウコ、ペニシリンをダルエスサラームから早めに送ってもらっておいたほうがいいわね」

シルヴィの言葉に、「さっき事務所に連絡入れておいたわ」と答えながら逆方向に取られそうになるハンドルを必死に押さえる。月が出ているので真っ暗というわけではないが、見渡す限りの大地に明かりという明かりはなく、時々ぽつんと立っている樹が人影のように見える。

「日本から戻ったばっかりだっていうのに、初日から大変ね」

シルヴィのねぎらいに笑顔を返しはするが、当の彼女は半年以上フランスには戻っていない。

難民キャンプから職員が生活する宿舎まで車で十分ほどかかる。キャンプ内で一緒に暮らすほうが楽ではあるのだが、電気や通信機器などの設置を考えるとなかなかそう簡単にいかない。

最近コンゴから逃れてキャンプで暮らすようになったまだ十代の姉妹の妹がひどい腹痛を訴えているという知らせを受けたのは、夕方ルーティンの仕事を終えてシルヴィと一緒に宿舎へ戻ったばかりの時で、今とんぼ返りしている最中だった。

「あの姉妹、まだ何も話してくれないけど、そうとうひどい目に遭ってきたんでしょうね」

揺れる車内でシルヴィがぽつりと呟く。

女性だけでキャンプに逃げ込んでくる難民は特に耳を塞ぎたくなるような目に遭っていることが多い。この仕事についたばかりの頃、自身の経験を涙ながらに語る彼女たちの前で失神しそうになったこともあったが、その都度他の先輩職員に強い言葉で注意を受けた。

彼らに同情したり悲しんだりしてくれる人なら世界中にいる。でも私たちは同情したり、悲しんだりするためにここにいるんじゃない。じゃあ何のためにここにいるのか？それを自分で探すのだと。

道の先に明かりが見える。真っ平らな大地にぽつりぽつりと灯るキャンプのライトがまるで星空から落ちてきたように見える。

キャンプに着くとすぐに腹痛を訴える女の子のテントへ向かった。よほど騒ぎが大きくなったのか、テントの周囲には心配そうに大勢の人たちが集まっている。すぐにシルヴィが、「状況が分かり次第知らせるから」とリーダーのルバンガに英語で伝え、テントから離れるように通訳してもらう。

テント内には心配そうな姉が妹の枕元でしゃがみ込んでいた。ルバンガの妻が噴き出る妹の汗を優しくタオルで拭いている。ルバンガをテント内に呼び、状況を詳しく通訳してもらった。話を聞きながらも持参したペニシリンの注射を用意する。

テントの外で誰かが悲しい歌をうたっている。ルバンガが、「災厄を払う祈禱の歌」だと教えてくれる。

注射を打つと乱れていた呼吸が整い、褐色の肌を濡らしていた汗も徐々に引いてきたようだった。ほっとしたようなルバンガの妻とシルヴィが共同井戸へバケツの水を替えに出ていく。

苦しんでいた妹の呼吸が寝息に近いものに変わると、ずっと彼女の手を握っていた姉がそっとその手を置き、安心したようにテントの柱に寄りかかる。現地の言葉で、「大丈夫。心配しないで」と彼女に伝えた。疲れ切った表情ながら彼女の目元に安堵の色が浮かび、「ありがとう」と英語で応える。

「あなた、英語が話せるの？」と驚いて尋ね返すと、「ええ、学校に通っていたから」と流暢な英語で答える。

「彼女も？」と寝息を立てる妹に目を向けた。また「ええ」と彼女が答える。

テントの外で笑い声が上がっていた。男の子たちが寄付されたサッカーボールで遊んでいるらしかった。

「慣れないでしょうけど、しばらくはこのキャンプでゆっくりと体を休めてね。そしてもし何か話したいことがあったら、私はいつでもあなたたちの話を聞くから」

こちらの言葉に彼女が静かに頷くので、「……そして少し落ち着いたら、これからの話をしましょう」と続けると、「これからの?」と彼女がひどく驚く。

「そうよ。あなたと妹さんのこれからの話。私はそのお手伝いをするためにここにいるんだから」

彼女の口元に疲れ切ってはいるが微かな笑みが浮かぶ。

「何かあったらルバンガさんに連絡を取ってね。私たち、いつでもすぐに戻ってくるから」

彼女の肩に触れ、そう伝えた。バッグを抱えて立ち上がると眠っている妹を気遣いながらも彼女が入口まで見送ってくれる。

「がんばりましょう」

現地の言葉で彼女に言った。まだ弱々しくはあるが彼女も小さく頷いてくれる。

車に戻るとシルヴィとルバンガが何やら話し込んでいた。月明かりが二人の深刻な表情を照らしている。バッグをトランクにしまいながら耳をそばだてていると、来月予定されている新しいキャンプ地への移転を頑に拒んでいる家族が複数あるらしい。

移転先の新しいキャンプ地はここと比べても設備、住居、環境共にかなり良くなる。ただ、ここが一時的な避難場所とすれば向こうは長期の滞在を目的としたもので、言い換えればしばらく祖国へは戻れないと烙印《らくいん》を押されたことにもなるのだ。

計画当初からシルヴィは避難民に移転を強く勧めている。もちろん職員としては正しい判断なのだが、できれば当の難民たちが自分で最終的には決定して欲しいと思う。

二人の話し合いが終わるのを待ってシルヴィの運転で再び宿舎への帰路についた。シルヴィの運転が少し乱暴なのはルバンガたちに自分の思いが伝わらないのが悔しいのではなく、彼らの気持ちを理解しながらも移転のスケジュールを進めなければいけない自分に腹を立てているのが分かる。

「久しぶりの日本はどうだったの？」

気分を変えるようにシルヴィがとつぜん尋ねてくる。

「……うん」と短く答えたまま、なんとなく窓の外へ目を向けた。月明かりを浴びた荒野がどこまでも続いている。星空が消える辺りが地平線なのだ。

「何か、悪いニュースでもあった？」

沈黙を気にしてシルヴィが再び声をかけてくる。

「ねぇ、シルヴィ。……初めて好きになった人のこと覚えてる？」

「初めてかぁ……。子供の頃、五つ上の従兄が好きだったけど」

「じゃなくて、もっと大人になってからよ」

「じゃあ、高校の頃に付き合ってた彼かな。今、考えるとどうしてあんな男のことが好きだったのか不思議だけど」

未舗装の道にハンドルが取られる。取られるたびに車内で二人の体が大きく揺れる。

「とつぜん初恋の人のこと訊くなんて、もしかしてショウコ、日本でその人と会ったの？」

シルヴィの質問に「いいえ」と短く答えた。

「……どんな人だったの？」とシルヴィが訊いてくる。

車のライトが道ばたの小石をきらきらと照らしている。

「どんな人……」

星空の下、どこまでも続く荒野で世之介のことを思い出そうとしてみた。もう二十年以上も前になるのに、当時のままの世之介の笑顔が浮かんでくる。

「……どう説明すればいいのか、分からないのよね」

「ショウコが好きになるくらいだから、きっと立派な人だったんでしょうね」

「立派？　ぜ〜んぜん。笑っちゃうくらいその反対の人」

「そうなの？」

「ただね、ほんとになんて言えばいいのかなぁ……。いろんなことに、『YES』って言ってるような人だった」

ハンドルを握ったままシルヴィがちらっとこちらに目を向ける。

「……もちろん、そのせいでいっぱい失敗するんだけど、それでも『NO』じゃなくて、『YES』って言ってるような人……」

「ショウコ、その人のことが好きだったんだ？」

「……うん、すごく好きだった。あんまり好き過ぎて腹が立つくらい。でも別れちゃったんだよね。もう理由も思い出せないくらい。お互いにまだ十代だったし、何かを決める年齢じゃなかったんだと思う」

「どれくらい付き合ってたの？」

「一年くらいかな。……今考えると、ほんとに馬鹿みたいな理由で別れたんだと思う」

「私たちみたいに豊かな国で生まれ育った若い男と女が別れる理由に、馬鹿みたいなこと以外の理由があるとも思えないけど……」

シルヴィの皮肉に笑おうとした時だった。こちらに顔を向けたシルヴィが、「ど、どうしたの？」と慌てて車を止める。

自分でも気がつかなかった。フロントガラスの先にどこまでも広がる星空がいつの間にか涙で滲んでいた。泣いているつもりもなかったのに頬を涙が濡らしていた。

慌てて、「ごめん」とシルヴィに告げて外へ出た。エンジン音だけが響く荒野に今にも落ちてきそうな星空だった。

昨年の十一月だったらしい。世之介は代々木駅で起こった事故で亡くなっていた。貧血を起こし線路に落ちた女性を助けようと、韓国人留学生の若者と一緒に自分も線路に飛び降りたのだという。二人は気を失った女性を抱き起こした。しかし……。

あれを虫の知らせというのかもしれない。大学二年の夏休みにもう原因も思い出せないような些細《ささい》な喧嘩から世之介と別れた。それ以後、一度も連絡を取った記憶はない。それなのに今回日本に戻った時、ふと世之介の声を聞きたくなった。現在の住所などもちろん分からない。どうにか調べ出せたのが懐かしい世之介の実家だった。

事件のことは世之介の母から知らされた。日本では大きなニュースになったらしい。世之介の母は最後まで泣かずに話をしてくれた。「もう泣き疲れたのよ」と笑っていた。受話器の向こうに懐かしい海が広がっているのが感じられた。

数日後、世之介の母から小包が届けられた。手紙と一緒に同封されていたのは、古い大きめの封筒で、表には世之介の字で『与謝野祥子以外、開封厳禁』と書いてあった。電話で世之介の母は、世之介の部屋の整理をした時に見つかったと言っていた。もしかすると、世之介自身も忘れていたものかもしれないと。

かなり古くなった封筒を開けると、中には数枚の写真が入っていた。

新生児室に並んだ赤ちゃんたちをガラス越しに覗き込んでいる若い男性とおばさんの写真。成田空港だろうか、遠くでキスする白人のカップルを不思議そうに見ている男の子の写真。同じく成田空港だろうか、若い男が年配の男性に航空チケットを渡している写真。なぜか犬のお尻の写真。おそらくどこかの公園をブリキの皿を持って歩いていくおばあさんの後ろ姿。一本だけ幹から伸びた枝に小さな花びらをつけた桜の写真。そして最後が新宿駅東口広場の交番であくびをしている若い警官の写真だった。

知っている人など一人も写っていなかった。どうしてこんなものを世之介が自分に残してくれたのかも分からなかった。ただ、それらの写真を一枚一枚じっくりと見るにつれ、報道関係のカメラマンとして成功していたという世之介が、日本中の、いや、世界中の、絶望ではなく希望を撮り続けていた素晴らしいカメラマンだったのだということだけは、はっきりと、胸が締めつけられるくらいに伝わってきた。

●

「祥子ちゃ〜〜〜〜ん!」

駒沢公園の入口に着膨れした祥子が立っている。人目も気にせず大声を出して近づいてくるのが世之介である。通りには洒落たカフェが並び、毛並みの良いセントバーナードを連れた洒落たカップルが歩いている。世之介の場違いな大声に驚いて振り向いたカップルが、今度は、「遅いじゃありませんか!」と叫び返した祥子のほうに顔を向ける。世之介は洒落たカップルなど眼中にもないようで、祥子の元へ突進してくる。よほど寒いのか祥子はぶるぶると横にではなく、なぜか縦に震えている。

「ごめん。電車の中があんまりあったかいんで、つい眠り込んじゃって……」

この寒空に公園でデートをしようと提案してきたのは祥子のほうである。もちろん世之介は、「寒いよ〜」と反対したのだが、ギプスが取れたばかりの祥子を半ば無理やりホテルに誘い、とうとう二人が結ばれてからというもの、世之介が何かと部屋にこもりたがるようになり、祥子としても苦肉の策としての屋外デートだったのである。

「世之介さんと……、その、なんて言いますか……、その愛し合うって言いましょうか、それが嫌だと言ってるわけじゃないんですよ。でも、私、性格的にいろんなものをきちんと分けて考えるタイプでしょ？　食事の時間は食事。本を読む時間は本。もっと言えばスパゲティの横に餃子があったり、チャーハンの横にピザがあったりすると、ほんとに混乱してしまうんですの。だから世之介さんみたいに、ごはん食べてるのか、その……、愛し合っているのか分からないような感じに持ち込まれますと、私、とても居心地が悪くて混乱しますのよ」

オナニーを覚えたての中学生みたいな世之介も世之介だが、たかが食事中にキスをされそうになっただけで、ここまで言い返す祥子も祥子である。

というわけで、今日は屋外デートなのである。

「さ、公園に入りましょう」

凍えていた祥子に手を引かれて園内に入ろうとした世之介は、たった今自分がなんで大声で祥子の名前を呼びながら走ってきたのかを思い出した。

「あ、そうそう、忘れてた。いや、それどころじゃないんだよ」

世之介は引っ張る祥子の手を逆に引っ張った。

「どうなさったの？」

世之介がコートのポケットから小箱を出す。

「これ、見てよ」

取り出したのはきれいにラッピングされた小さな箱である。一度開けて改めて結んであるのでリボンが不格好に歪んでいる。明らかにプレゼント用である。

祥子が勘違いして、「え？　何？」と喜色を見せる。

「……じゃなくて、これさ、うちの郵便受けに入ってたんだよね」

「郵便受けに？」

「そう。バレンタインデーに誰かが入れたんだと思うんだ」

「バレンタインデーって、先週でしょ？」

「いや、そうなんだけど……」

「今日まで気づかなかったんですの？」

「だって新聞も取ってないし、入ってるのはチラシばっかりだから週に一回くらいしか見ないんだよね」

「チョコ？」

やっと気づいたらしい祥子が世之介の手から小箱を奪い取る。

「そう。チョコ」

「誰からですの？」

「井内芳子さんって人」

「どちらの？」

「それが聞いたこともなくて」

「知らない方がチョコレートなんかくれるわけないじゃありませんか」

「いや、だから……。もしかしてこれ、祥子ちゃんのいたずら？……じゃないよね？」

かなり長い間二人はチョコの小箱を眺めた。ちなみに当のバレンタインデーに世之介は祥子から手作りの、かなり大きなハート型のチョコレートをもらっている。調子に乗って一度に全部食べたせいで、その夜鼻血も出している。

万が一このチョコレートも祥子からのサプライズだとすれば、手の込んだ嫌がらせにしかならない。しかし、かといって自分にチョコレートをくれるような女の子が他にいるとも思えない。一晩考えてみたのだが、情けないほど浮かんでこない。

「ほんとに心当たりがないんですの？」

首を傾げる祥子の横で、世之介も首を傾げる。

「……その前に他の女の子からチョコをもらったからって、よくそれを恋人である私に自慢しますわね」

ふと思い出したように祥子が怒り出す。

「自慢じゃないよ！」と世之介は慌てて言い返した。

「じゃ、なんですの！」と祥子も負けない。

「だから、俺の恋人なら分かるでしょ？　俺が誰かに思い慕われて、こっそりとチョコレートをもらえるような男に見える？……自分でこんなこと言いたかないけど」

「そんなの、見えませんわよ！……自分の恋人のこと、こんな風に言いたかないですけれども」

「で、でしょ？　俺がそんなモテ男に見える？」

「だから、見えませんわよ」

「でしょ。でね、俺が心配してるのは……」

「心配してるのは？」

「……これ、もしかしたら誰か別の部屋の人へのプレゼントで、間違ってうちの郵便受けに入ってたんじゃないかな」

とつぜん声のトーンを落とした世之介を祥子が見つめる。見つめながらもチョコの小箱をそっと世之介に突き返そうとする。

「……俺、開けちゃったんだよね」

「もう！　どうしてそんなもの開けるんですの！」

「だって郵便受けに……」

「郵便受けだって、週に一度しか開けないんでしょ！」

「そうなんだけど……」

野外デートのはずが、なかなか園内に入れない。

「どうなさるの？」

「どうなさるって、だからこうやって元に戻してみたんだけど」

「一日で開けたって分かりますわよ！」

「こっそり郵便受けに入れるくらいだから、この人、相当好きなんだよね……」

「当たり前じゃありませんか。義理チョコをこっそり渡したって不義理じゃありませんか」

結局公園にも入らず話し合った末に、この井内芳子さんの気持ちを無駄にすることはできないという結論に二人は達した。しかし方法は一つしかない。五十世帯はあるワンルームマンションを一軒一軒訪ねて歩く。

「でも、ほら、うちと向かいの京子さんところは大丈夫だから……、四十八軒……」

世之介の言葉も聞かず、祥子はすでに駅へと歩き出している。

公園デートをやめて自宅マンションへ戻ってきた世之介と祥子は、エントランスにずらっと並ぶ各戸の郵便受けの前に立った。ずらりと五十個の郵便受けが並んでいる。

「こうやって見ますと、簡単じゃありませんわね……」

この中に「井内芳子さん」の思い人がいるのは間違いないのだが、探すとなるとかなり時間がかかりそうである。

「101号室から一軒一軒回ったほうがいいよね？」

世之介の言葉に祥子がいったん頷きそうになり、「でも……」と足を止める。

「……世之介の部屋は205号室でしょ？　だったら、間違えそうな、たとえば105号室とか、305号室とかから回ったほうが効率良くありません？」

祥子の口から効率的という言葉を聞いてもいまいち素直に頷けないのだが、それはそうかもしれないと世之介も同意する。

「それで『5』がつく部屋を回って心当たりがある方がいらっしゃらなかったら、あとは順番に回りましょうよ」

「そうだね。祥子ちゃん頭いいね」

「……あ！」

廊下を歩き出そうとすると、とつぜん祥子が大声を出す。

「な、何？」

「いえ……、別になんでも……」

「そんな大声出しといて……、気になるから言ってよ」

「いえ、あの、大したことじゃないんですけれども……」

「何？　他にもっといい方法とか浮かんだ？」

「じゃなくて……。部屋番号じゃなくて、この井内芳子さんって方、まさか住所を間違えたってことはありませんよね？」

ピアノがあれば、ここで不協和音である。

「やめてよ……、そんな不吉なこと言うの。もしそうだったらこの町、一丁目から五丁目まであるんだよ」

世之介は思わず膝から力が抜けそうになる。

「で、ですわよね。まさかそこまでおっちょこちょいな方でもないですわよね。じゃあ、まずは105号室から」

気を取り直したように祥子が歩き出す。その背中がなぜか浮き浮きしている。

「祥子ちゃん、面白がってない？」

「いえ、真剣ですわ」

言葉とは裏腹に間違いなく祥子は楽しんでいる。

１０５号室のドアチャイムを何度か押してみたが返事はなかった。意気込んでいたわりに初っぱなから空振りだったので二人のテンションも下がる。

「次、３０５号室だよね？」と世之介が訊くと、「でも……」と祥子がすぐそこにある１０６号室のドアチャイムを見る。

「だって祥子ちゃんが言ったんじゃん。５のつく部屋から回ったほうが効率的だって」

「そうですけど……。でも手を伸ばせばそこに１０６があるんですから、どう考えてもこっちのほうが効率的だと思うんですけど……」

「ああ、もう……。じゃあ押すよ？　１０６」

「あ、でも、これだけ部屋があると、どこを押してどこを押さなかったか分からなくなるから、ちゃんとメモを……」

面倒になり、世之介はバッグを開ける祥子を待たずにチャイムを押した。今度はすぐに中から男の声がする。

「あの、すいません。二階に住んでる横道という者ですが」

声をかけるとドアが開く。無精髭を生やした二十四、五の男が今起きたばかりのような顔で立っている。

「とつぜんで申し訳ないんですけど、井内芳子さんって方をご存知ないかと思いまして」

「はい？」

「ですから、井内芳子さん……」

世之介は早口で事情を説明した。まさか一軒目で見つかるとも思っていないので、途中からぞんざいな物言いである。

寝ぼけているのか、男が何も答えない。横に立つ祥子がメモ用紙に「１０６×」と書こうとしたその時、「井内さんがチョコレートを……」と男がぽつりと呟く。

「すいませんでした。お騒がせして……」

まさか一発で当たると思っていない世之介は用意していたようにそう言った。

「あの……、ご存知ですの？」

慌てて祥子が口を挟んでくる。

「井内芳子ですよね？」

世之介はチョコの小箱を慌てて突き出した。

「あの、すいません……。これなんですけど。今、お話しした通りで、うちの郵便受けに入っていたもんで、つい開けちゃって……、でも、食べてませんから、一つも」

チョコを受け取った男が突き出された小箱をまじまじと眺める。

三月　東京

新宿駅東口広場を見渡せる喫茶店から世之介はぼんやりと眼下を見下ろしている。かなり苦かったブルーマウンテンはすでに飲み干し、珈琲についてきたバタークッキーも皿に落ちた屑《くず》まで指で掬って食べてしまった。待っているのは先日チョコレートを届けた同じマンションの住人、室田恵介である。

結局、郵便受けに間違えて入っていたチョコは、彼が二年も前に別れた彼女からのものだったのだ。後日お礼にと連れてってもらったデニーズで、「彼女とはひどい別れ方をしたんだ」と室田は教えてくれた。しかしそれ以上のことは何も言わなかった。あいにく話し相手である世之介に恋愛の機微が分かるわけがなし、隣にいるのは祥子である。室田のほうで話を中断したのは間違いない。短い沈黙のあと、世之介は室田の言葉を理解したふりをして、「いろいろありますもんね」と言った。正直なところ「ひどい別れ方」というのがどういうものなのかイメージさえできていなかった。

室田と別れたあと、「ひどい別れ方っていうのは、結局のところどういう別れ方なんでしょうね？」と祥子にも訊かれた。知ったかぶりしていた手前、答えないわけにもいかず、「相手をひどく傷つけたのさ」と世之介は答えた。自分でも何を言っているのか分からなかったのだが、祥子は何かを感じたようで、「でもあの室田さんって方、人を傷つけるような人には見えなかったですけど……」と首を傾げる。

「そういう人がひどいことをすると、相手は倍傷つくんじゃないの？」と世之介は言った。

「まぁ。世之介って、あんがい深いこと言うんですのねぇ」

祥子は羨望の眼差しで世之介を見ていた。

祥子と話しながら自分は誰かを傷つけたことがあるだろうかと世之介は考えてみた。小学生の頃、クラスの女の子を泣かしたことはあるが傷つけたというほど大袈裟なものじゃない。倉持とビリヤードに行く約束を破って、「傷ついたぞ」と言われたこともあるが、それだって言葉は同じだが意味が違う。結局自分はこれまで誰も傷つけたことはないんだな、と早速結論づけようとした時、ふと横を歩く祥子が目に入った。

ああ、そうか、と世之介は思う。誰かを傷つけたことがないんじゃなくて、傷つけるほど誰かに近づいたことがなかったんだと。

喫茶店の入口の鈴が鳴ったので世之介はそちらに目を向けた。しかし入ってきたのは室田ではなく、年配の女性グループである。席に着く前から、「私はレモンティー」「私は珈琲ね」とウェイトレスに告げている。

世之介は改めて眼下の新宿駅東口広場に目を向けた。構内から吐き出されてくる人たちと構内へ入っていく人たちが完璧なまで器用にすれ違っていく。

ほぼ一年前、自分も大きな荷物を抱えてあそこから出てきたんだなぁと思う。そう思えば一年前の自分が今にも階段を上がってきそうである。

壁時計を見ると、すでに店に来てから二十分が経っている。室田には「十分ぐらいで行けるから」と言われている。世之介は近づいてきたウェイトレスにもう一杯珈琲を注文した。

室田はフォトグラファーである。もちろん世之介でも暮らせるマンションの同じ間取りの部屋に住んでいるのだから有名なそれではなく、フォトグラファーというよりもフォトグラファーの卵と言ったほうがいいらしい。実際には報道写真家を志しているらしく、金が貯まれば世界各地に撮影旅行に出かけているという。

たまたま新宿の小さなギャラリーで催されているグループ展に出品しているというので、早速今日世之介は見にやってきた。会場に偶然本人もいて、「このあと時間あるなら珈琲でも飲もうよ」ということになっているのである。

展示されていた室田の作品は一昨年フィリピンでアキノ大統領が誕生した時のものだった。表舞台というよりも、それを支えた民衆にレンズは向けられており、眺めているだけで写真から彼らの怒号が聞こえてきそうなものばかりだった。

写真といえば、「みんな揃って、ハイ、ピース」だと思っている世之介は、曲がりなりにも知り合いが撮ったそれら写真の前でまるで自分が写真の中からレンズを向けられているような気分になった。

注文した二杯目の珈琲が届いた頃、室田が店に現れた。出がけに知り合いが来たらしく、遅れてしまったと丁寧に詫びるので、逆に世之介のほうが恐縮してしまう。チョコを渡した時には無精髭に見えたが、フォトグラファーだと知れば、それがフォトグラファーの髭に見えてくるから不思議である。

「どうだった？　俺の写真」

珈琲を注文した室田が煙草に火をつけながら尋ねてくる。

「あ、えっと……。良かったです……」

展覧会のあとなのだから、この質問が出るのは当然である。世之介も気の利いたことを言えるように考えておけばいいものをそこまで頭が回らない。世之介の退屈な返答に室田もすぐに話題を変える。

「あ、そうそう。さっき話してたカメラ、持ってきたよ」

そう言って室田が鞄から取り出したのは中古のライカである。型は古いが大切に扱われているのが一目で分かる。

「ほんとに、お借りしていいんですか？」

差し出されたカメラを世之介は受け取った。ずっしりと重く、気のせいか自分の手にぴったりと馴染む。

「もちろん。でも、さっきも言った通り、最近のカメラと比べると、苛々するくらい扱いにくいよ」

展覧会場でどんなカメラで撮影したのかという話から、なぜか世之介は室田が所有するライカを貸してもらうことになっていた。ちなみにこれまで世之介は一度も写真やカメラに興味を持ったことはない。室田の迫力ある作品を見たせいか、影響されやすい世之介は自分でも何か撮ってみたくなったのである。

「もし面白くなってきたら、友達と借りてる暗室で現像とかも教えてやるよ」

「ほんとですか？」

室田の言葉に頷きながら世之介は早速ファインダーを覗いた。壁際に座っている年配の女性たちのグループにレンズを向けると、さっきまでは騒がしいだけだったグループが、フレームに収まった途端に一人一人の表情がはっきりと見える。騒がしいというよりも、どこか悲しげである。

「どんなもの撮ろうと思ってるの？」

あちこちにレンズを向けていると室田が訊いてくる。

「何ってわけでもないんですけど、人ですかね……」と世之介は答えた。

「彼女のヌードでも撮るつもりなんだろ」と室田が笑う。

「無理無理。パジャマ姿を見られるのも嫌がるのに」

世之介はカメラを外へ向けた。混み合った東口広場がファインダーの中、自分が初めて見た時の広場に変わったような気がする。

春一番が吹いている。

サッシ戸なのに建て付けが悪いのか、さっきから隙間風がピー、ピーと音を立てている。その音を気にもせず、世之介は室田から借りたライカのカメラを飽きもせずに弄《いじ》っている。テーブルの向かいには祥子がちょこんと座っており、なぜか顔を赤らめている。

ちなみに祥子が顔を赤らめているのには、もちろん理由がある。世之介が室田の展覧会を訪ね、ライカを借り受けた話をしたのだが、その最後に室田が喫茶店で世之介に言った「彼女のヌードでも撮るつもりなんだろ」という冗談を真に受けているのである。

「……室田さんは、『初心者なんだから、好き勝手に撮るほうがいいよ』って言うんだけど、せっかくやるんだったら、テーマっていうの？　そういうの決めて撮っていったほうがいいと思うんだよね」

恋人の顔を赤らめさせておいて、言った本人は一端《いっぱし》のフォトグラファー気取りですでに別の話を始めている。

「ねぇ、祥子ちゃん、どう思う？　やっぱり最初はオーソドックスに風景とかを撮ったほうがいいのかな？」

フィルムの入っていないカメラをカシャカシャと鳴らしながら世之介は顔を上げた途端、「え？」と思わず驚いてしまう。

「ど、どうしたの？　祥子ちゃん。な、なんか喉に詰まらせた？」

世之介は慌てながらも丁寧にカメラをテーブルに置き、中腰になって祥子の肩を掴んだ。世之介が勘違いするのも当然である。祥子の顔がそれこそ餅でも喉に詰まらせたように赤いのである。

慌てる世之介の手を払い、「何も詰まらせてませんわ」と祥子が冷静に答える。

「びっくりした……。じゃあ、どうしたの？　そんな顔真っ赤にして」

世之介の質問に祥子がとってつけたように目を背け、こたつ布団の綻《ほころ》びを指で引っ張る。

「あ、そこ、あんまり引っ張らないで……」

「……私、今、真剣に世之介さんのご提案を考えておりましたの」

「ご提案？　俺の？」

「ですから、なんて言いますの？　ヌード……、モデル……」

世之介としてはまるで昨日の話を蒸し返されたようで返す言葉もない。

「……もちろん芸術作品のそれとして、選んでもらえるのであれば、の話なんですけれども」

そろそろ慣れてもいいのだが、祥子の、このなんと説明すればいいのか、目の前で知らぬ間に変態していく感じに、世之介はいつになっても慣れることがない。世之介は「彼女のヌードでも撮るつもりなんだろ」という室田の冗談を深い意味もなく伝えたつもりである。が、いつの間にか、それは正式なモデル要請になっており、気がつけば条件付きの承諾までもらっているのである。

「……いや、じゃなくて。祥子ちゃんの気持ちはありがたいんだけど……」

思い詰めたような祥子を前に世之介は言葉を選んだ。こちらにその気はなかったにしろ、本人がその気になっているのだから無下《むげ》にはできない。

「……大丈夫。私、覚悟はできておりますから」

「覚悟って……」

こうなると、もう祥子の思考回路がどうなっているのか分からないのだが、とにかく決死の思いで彼氏の要求に応えようとしてくれているのである。

「でもさ、とにかくまだカメラ借りてきたばっかりだし、どうせ祥子ちゃんを撮らせてもらえるんだったら、多少は練習してからのほうがいいと思うんだよね……」

ここまで言った時、祥子の表情が一変する。

「……いや、じゃなくて。他の子を撮るとかじゃなくて、まずは風景とかから練習した上で」

一大決心をしたヌードモデルを前に、世之介はなぜか汗だくで説明した。

「それもそうですわね。まだフィルムも入れたことのない写真家の前で、そう気合いを入れることもないですもんね」

「そうだよ。……あ、そうだ。ねぇ、祥子ちゃん、どうせ暇なんだし、あとでこのカメラ持って散歩にでも出てみない？」

「いいですわね。散歩しているうちに、さっき世之介が言ってらしたテーマみたいなものも決まるかもしれませんしね」

祥子が早速立ち上がる。

「え？　もう行くの？」

言い出したわりに腰の重い世之介の腕を祥子が引っ張る。

「どこ行きます？　せっかくだから六義園《りくぎえん》とか？」

「お見合いの写真、撮るわけじゃないんだから」

「ですわよね。じゃ、日常でも切り取ります？」

半ば無理やり、世之介は外へ連れ出された。連れ出されたのはいいが、いざ写真を撮ろうとすると何を撮っていいのか分からない。マンションの外はいつもながらの風景で、どちらかと言えば絵にならない。しばし考えあぐねた末、世之介は、いつ自分が撮られるかと不自然な歩き方を続ける祥子に声をかけた。

「祥子ちゃん、そこのガードレールに腰かけてよ」

「ガードレール？　どうしてですの？」

「どうしてって、写真撮るから」

「座るのはいいですけど、なんか普通ですのね。世之介のテーマって」

「まだテーマじゃないよ。これは試し撮り」

口を尖らせながらも祥子がガードレールに腰かける。もっと動きのある自分を撮ってもらいたいらしく不機嫌である。

「自然なほうがよろしくって？」

「そうだね」と答えた途端、祥子がアンニュイな表情で遠くを見つめる。

「あ、ごめん、やっぱり不自然なほうで」と世之介は言い直した。

近づいたり、遠ざかったり、祥子をフレームの中央に置いたり、端に置いたり、世之介が散々構図を迷っていると、早くも飽きてきたらしい祥子が、「……あ、それはそうと、私、再来週から二週間パリですの。二週間の語学留学」ととつぜん言い出す。

「そうなの？　なんか急だね」

「申し込みが遅れて定員いっぱいだったらしいんですけど、キャンセルが出たらしくて、急遽」

「フランス語、勉強するんだ？」

世之介の当たり前な質問に、「ええ。フランスですから」と祥子も極めて真面目に答え、「ところでそろそろテーマ見つかりました？」と話を戻す。

「そんな、さっきの今で見つかるわけないじゃん」

「あの室田さんって、フィリピンで写真撮ってらしたのよね？　だったら世之介は東京でいいんじゃありません？」

「東京？　東京の何撮るの？　革命とかないもん」

「だから……、たとえばリアルな東京とでも言いますか、世之介の目に映る東京？」

「そんなのテーマになる？」

「なりますわよ。たとえば社会悪を追及するような鋭い視点ですわよ」

ガードレールに腰かけた恋人さえ撮れずにいるのにそんなものを追及できるわけがない。

「世之介、なんだかおなかが減りません？」

「もうちょっと我慢してよ」

「なんだか、春の匂いですわね」

まだ一枚も撮っていないのだが、完全に祥子は飽きている。


バイトを終えた世之介が赤坂のホテルから出てきたのは午前八時前である。街は紛れもなく朝の八時であるが、世之介の体内時計だけはどちらかというと午後の八時である。前日もたっぷりと寝ているせいで夜勤明けとはいえさほど眠気も感じない。もっと言えば、「さて、これから夜遊びにでも繰り出すか」くらいの元気がある。かといって朝の八時から「夜遊び」ならぬ「朝遊び」に付き合ってくれる友達はいない。バイトと授業を掛け持ちしていた時には一秒でも早く部屋へ戻って眠りたかったのだが、こうやって春休みに入り、バイトだけの生活が続くうちに完全に昼夜が逆転しているのである。

ホテルの従業員出入口から地下鉄の駅へ向かいながら世之介はこの有り余る元気をど

うしたものかと考えた。ふと倉持のことを思い出したのは地下鉄の階段を妊婦がゆっくりと上がってくるのを見たからである。ここしばらく世之介は倉持と会っていない。たまに留守電に倉持からのメッセージが録音されているが、大した内容でもないのでかけ直していない。もちろんかけ直してもいいのだが、なんだか以前に貸した金の催促をするようで気が引ける。なのでできればもう一度かけてきてほしいのだが、そのかかってくる時に限って自分がいない。

あれはまだ小学生の頃だったか、友人に金を貸したらしい父親を母親が咎《とが》めていたことがあった。大した金額でもなかったようで、「長い付き合いなんだから、ちょっとした金の貸し借りであいつが気まずく思うはずないよ」と言う父親に、「お金なんて借りたほうじゃなくて、貸した方が気まずくなるんじゃない」と母親が言い返していた。当時は「なんで？」と不思議に思っていたが、実際貸してみると母親の言い分が少し分かる。

近くにあった公衆電話から世之介は倉持に電話をかけた。電話に出たのは阿久津唯である。短い挨拶のあと、倉持なら今日は仕事が休みでまだ寝ていると教えてくれる。

「バイトが今終わって、退屈だからちょっと寄ってもいいかな」

「別にいいけど、横道くんも相変わらずだよね」

子供が腹にいるせいか、まるで母親のような物言いである。世之介は、「とにかく行くよ」と電話を切った。

地下鉄を乗り継いで倉持が暮らすアパートの最寄り駅まで着くと、世之介はまずコンビニに寄った。母親のような阿久津唯から牛乳とマーガリンを買ってこいとお使いを頼まれていたのである。買って行けば、漏れなく朝食がつくらしい。

引っ越しの手伝いで来たことがあるので駅からの道はすぐに分かった。ちょうど通勤ラッシュ時でいろんな路地から会社へ急ぐ人たちが溢れるように駅へ向かってくる。気温はまだ低く、吐く息は少し白いが、その白い息に暖かい朝日が当たる。

角を曲がれば倉持のアパートである。世之介は呑気に歩を進めた。そして角を曲がったその瞬間である。

古いアパートの外階段をたった今まで寝ていたらしい倉持が、寝癖をつけたままガニ股で駆け下りてくるのである。見るからに緊急事態である。あまりにも突然のことで、世之介は呆然と立ち尽くすしかない。

階段を転がるように下りてきた倉持が、ふと何か忘れ物を思い出したように、今度は階段を駆け戻ろうとする。

「倉持！」と世之介はやっと声を出した。

次の瞬間、階段の上に腹を抱えて苦しそうな表情をした阿久津唯が現れる。さすがの世之介も事情を理解し、慌てて二人の元へ駆け寄った。

「倉持！」と改めて階段の下から声をかけると、「生まれる、生まれる」と倉持が阿久津唯を支えながら叫ぶ。

「早くタクシー！　タクシー！」

倉持がそう叫ぶので世之介も慌てて踵を返した。走り出そうとする世之介に、「横道くん、大丈夫だから！」と阿久津唯の声がする。

行っていいのか、戻ればいいのか、世之介も狼狽える。狼狽えているうちに二人が階段を下りてくる。

「予定日はまだ先なんだぞ！」と倉持は怒鳴るが、怒鳴られても世之介も困る。

「鍵かけた？」

狼狽える男二人とは対照的に当の阿久津唯はまだ冷静である。

「世之介、閉めてきて！　玄関の棚にあるから！」

倉持にまた怒鳴られ、世之介は今度は階段のほうへ走った。すれ違った二人に目を向けた時、倉持が草履を片方しか履いてないことに気づいたが言い出せるような状況ではない。とにかく世之介はアパートの階段を駆け上がった。

階段を駆け上がっていくと倉持たちの隣の部屋のドアが開き、若い男がぬっと顔を出す。騒ぎが気になり出てきたらしい。「すいません」と世之介は頭を下げた。

「唯ちゃんたちは？」と男が訊いてくる。

言葉にちょっと訛りがあるので日本人ではないらしい。世之介は階段の下を指差した。すると裸足で外へ出てきた男が階段の下を覗き込む。その姿を見つけた阿久津唯が腹を抱えながらも、「キムくん！　病院に持ってくバッグ！」と声をかけ、その横で倉持が、

「タンス！　タンスの横にあるから！」と続ける。

二人の声にキムくんと呼ばれた隣人が慌てて倉持たちの部屋へ駆け込んでいく。そのあとを世之介も追いかけた。

「とにかく、俺ら先に行くから！」と階段の下から倉持の声がする。

部屋へ飛び込んだキムくんが奥の部屋へ向かい、タンスの横に確かに置いてあるボストンバッグを引っ掴む。そして、「鍵……、鍵……」と玄関で狼狽えている世之介に、「そこ。靴箱の上」と教えてくれる。

ほとんどキムくんと絡まるようにして世之介は部屋を出た。慌てているのでなかなか鍵を閉められない。やっとのことで閉めて身を翻すと、すでにスニーカーを履いたキムくんが自室の玄関に鍵をかけている。

「行こっ！」と声をかけられ、世之介も頷いた。

二人、ガニ股で階段を駆け下りる。しかしすでに倉持と阿久津唯の姿はそこにない。敷地を飛び出すと、通りの向こうで二人が今まさにタクシーに乗り込もうとしている。世之介たちに気づいた倉持が、「いつもの病院だから！」と叫んで乗り込み、乗り込んだ途端タクシーが急発進する。

タクシーが角を曲がるまで見送って、「いつもの病院って？」と世之介は尋ねた。

「駅の反対側。歩いて十分くらい」とキムくんが教えてくれる。

「タクシー来るかな？」と世之介が訊くと、「走ったほうが早いよ」とキムくんが応える。

「じゃ」ということで狭い歩道を二人で走り出す。走りながら、「留学生?」と世之介は尋ねた。

「そう。韓国から」

「倉持たちと仲良いの?」

「隣だから」

電柱を避けながらなので、時々二人の足が絡まりそうになる。

「俺、横道。倉持たちと同じ大学だったんだ」

「俺、キム」

「大学生?」

「そう」

「何年?」

「三年」

かなりのペースで走っているので息が上がってくる。しかし体格のいいキムくんのペースは衰えない。次第に言葉数も減り、世之介はついていくのがやっとになる。

この一年、世之介はまともに運動していない。バイトに遅刻しそうな時など駅の階段を駆け上がれるので、まだまだいけると思っていた。

踏切を渡り、振り返ったキムくんが前方を指差す。大きな病院の看板がある。「あそこ？」と世之介は息も絶え絶えに尋ねた。ゴールに近いのだからペースを緩めるのかと思いきや、キムくんがさらにスピードを上げる。

「無理です……」

世之介はついていくのを諦めた。途端にキムくんの背中が遠くなる。運動不足が身に染みる。

結局キムくんからかなり遅れて世之介は病院に到着した。わりと大きな病院で、まだ朝早いのに待合室にはちらほらと診察を待つ人たちの姿がある。足元に産婦人科を示すピンク色のテープが張ってあったので、世之介はテープに沿って奥へ進んだ。中庭に出る手前にまったく息を切らしていないキムくんの姿がある。手にボストンバッグがないので、すでに倉持に渡したらしい。

「キムくん、二人は？」と世之介はぜえぜえ言いながら声をかけた。振り向いたキムくんが廊下の先の診察室を指差す。

「すぐに生まれるのかな？」

「さぁ」

突っ立っていても仕方ないので、二人でそばのベンチに腰を下ろした。下ろした途端、診察室のドアが開き、ほっとしたような倉持が現れる。

「……もうちょっと時間かかるって。とにかくお義母《かあ》さんに連絡入れてくるよ」

公衆電話のほうへ向かう倉持がふと足を止めて、「キムくん、ありがとね。なんかお騒がせしちゃって」と礼を言い、「世之介も悪かったな」と謝る。

「いいよ、いいよ」と応えた世之介とキムくんの声がうまい具合に重なった。

唯の母親に連絡を入れた倉持が診察室へ姿を消すと、世之介は改めて横にいるキムくんと顔を合わせた。とりあえず急は凌《しの》いだのだから帰ってもいいのだろうが、倉持が何も言ってくれなかったので帰ろうにも帰りづらい。

「どれくらいかかるのかな？」と世之介は沈黙を埋めるように尋ねた。

「姉の時は病院に行って二時間くらいだったけど」とキムくんが答える。

「お姉さんがいるんだ？」

「弟も」

「へえ。俺、一人っ子」

「へえ」

会話が途切れる。二人で診察室のドアへ目を向けてみるが動きはない。

「ところで走るの速いね」

「去年まで兵役だったから」

キムくんがさらりと答える。

「このあと予定とかないの？　俺は暇だからいいけど」と世之介は訊いた。

「春休みだから大丈夫」

「そうだよね」

九時を回って受付には長い列ができていた。さっきまでシンとしていた産婦人科の廊下にも妊婦さんたちの姿がちらほらと見える。

手持ち無沙汰から世之介はバッグを開けてライカを取り出した。ここ数日、撮りもしないのに持ち歩いているのである。

「あ、ライカ？」とキムくんが言う。

「借り物だけどね」

しばらくの間、会話もないままカメラを弄っていた。途中キムくんが売店に行くけど、何か買ってこようかと言うのでパンと珈琲牛乳を頼んだ。

キムくんが戻り、互いにパンを食べ終えても阿久津唯がいる診察室に動きはない。

「とりあえずいったん帰らない？」

さすがに退屈して世之介が尋ねると、ちょっとほっとしたようなキムくんも頷く。

「夜になるかもしれないし」と世之介は念を押した。

二人同時に立ち上がり、診察室の倉持を呼び出すと、出てきた倉持はまだいたのかと驚いたようだった。

「生まれたら連絡するよ」

倉持の言葉に世之介とキムくんは静かに頷いた。

倉持と阿久津唯の間に健康な女の子が誕生したという知らせを世之介が受けたのは、

その日、夕方遅い時間である。電話をくれたのは倉持でも阿久津唯でもなく、さっきまで病院で一緒だったキムくんである。倉持から頼まれたらしい。

病院からの帰宅後、眠っていた世之介は、キムくんの言葉に「よかった。生まれたんだ」と眠い目を擦った。

しばしの沈黙のあと、「あの、赤ちゃん見に行く?」とキムくんが訊いてくる。

今日はバイトも休みである。倉持と阿久津唯の赤ん坊を見たくもあるのだが、なんとなく面倒臭くもある。

「……キムくんは?」と世之介は訊き返した。

「世之介くんが行くなら一緒に行こうかと思って」

聞こえてきたキムくんの声の感じでは、気持ちは世之介と同じらしい。

「じゃあ、行く?」

断られることを願って世之介は訊いた。

「あ、行くの?」

ちょっとがっかりしたようにキムくんが答える。

「え、行かないの?」

「行ってもいいけど」

「じゃあ、行く?……これから出れば、一時間半で病院に着くし」

結局、話は逆に進んでしまう。

電話を切って世之介は支度を始めた。歯を磨きながら、ぼんやりと今朝の様子を思い返していると、そうか、ついさっきまでいなかった人間が今はこの世にいるんだなぁ、などと当たり前なことに驚かされる。

世之介は目の前の鏡を見た。口元に白い泡をつけ、眠そうな顔をした自分が映っている。一つの世界の中に自分がいると思っていたが、赤ん坊がひょこんと誕生することを考えると、一つの世界に赤ん坊が入ってくるというよりは阿久津唯の体からひょこんと新しい一つの世界が生まれてきたような印象が強い。とすれば倉持と阿久津唯は一つの世界を作ったことになる。もちろん世界の創造が発覚した当初は二人ともオロオロしていたが、それでも見事に世界を一つこしらえたわけだ。

……なんか、すごいな。

ふとそんな言葉がこぼれ、世之介は改めて鏡に映る自分に目を向けた。目やにがついている。寝癖で前髪がひまわりのように跳ねている。

約束の時間にかなり遅れて世之介は病院に到着した。待ち合わせていたロビーにキムくんの姿はすでになく、世之介は近くにいた看護婦に尋ね、阿久津唯の病室を教えてもらった。病室へ向かう長い廊下に「新生児室」と書かれたプレートがある。世之介はドアを開けてみた。

ガラスに張りつくようにキムくんと年配の女性が立っている。ガラスの向こうにはたくさんのベビーベッドが並び、生まれたばかりの赤ん坊たちが寝かされている。

キムくんが目をとろんとさせて眺めているのだから、倉持と阿久津唯の赤ん坊もこの中にいるに違いない。声をかけようと世之介が室内に一歩踏み出した時、「可愛いわねえ」と横のおばさんがキムくんに声をかけた。

「……ほら、目元なんか、あなたにそっくりじゃない」

おばさんの言葉に目をとろんとさせたままのキムくんが、「いや、僕じゃなくて、友達の赤ん坊です」と応える。

「あら、そうなの？　ごめんなさいね」

謝りはしたがおばさんの表情は相変わらず柔らかい。てっきり阿久津唯の母親だとばかり思っていたが、どうやらおばさんはたまたまここにいた人らしい。

それにしても他人の赤ん坊だというのに、キムくんにしろ、おばさんにしろ、見ている世之介まで恥ずかしくなるようなとろんとした顔で眺めている。世之介はふと思い立ち、バッグからカメラを取り出した。最初の一枚がこれでいいのかとも思ったが、思わずシャッターを切ってしまった。

シャッターの音に気づいたキムくんが、「あ、来たの。ほら見て、この子が倉持くんと唯ちゃんの赤ちゃん」と一番手前のベビーベッドを指差す。

世之介も同じようにガラスに張りついた。産着や毛布に包まれた赤ん坊の顔がそこにある。すやすやとはよくいったものでその寝顔を見ているだけですやすやという音が聞こえてきそうである。

「可愛いわねえ?」

たまたま居合わせたらしいおばさんに問われ、世之介は、「はい」と頷いた。頷く世之介の横でキムくんも頷き、なぜか質問したおばさんまで頷いている。

西武新宿線快速電車の車内で世之介は何度となく自分の両手のひらを眺めている。ついさっき抱かせてもらった倉持と阿久津唯の赤ん坊の重みがはっきりと手のひらに残っているのである。

世之介は赤ん坊の重みを思い出しているのだが、両手のひらを確かめる仕草というのは見ようによっては殺人でも犯してしまった男の仕草にも見えるわけで、世之介がふと我に返って顔を上げると、前の座席で気味悪そうにしていた女性がさっと目を逸らす。

病院では倉持の両親とも久しぶりに会った。二十歳の息子の同棲、妊娠、結婚という猛スピードな成長をなかなか現実として受け止められなかったようだが、さすがに初孫が生まれたとなれば話は別のようで、結局誰よりも早く病院に駆けつけたのが彼らしかった。

病室に主役の赤ん坊とパパとママ、そしてパパの両親とママの母親が揃うと、なんとなくぎこちない雰囲気ではあったものの、徐々に何かがとけていく。となると部外者の世之介とキムくんは居心地も悪くなる。どちらともなく、「じゃ、僕らはこの辺で」と二人は同時にその場をあとにした。

また両手のひらを見つめていると、花小金井駅到着を知らせるアナウンスが流れた。世之介は立ち上がり、やはり赤ん坊の重みを思い出しながら電車を降りた。

ホームに公衆電話があった。世之介はなぜかそちらに足が向き、気がつけば受話器を上げていた。二百円分ほど残っていたテレホンカードを入れる。受話器の向こうから聞こえてきた母親の声に、「もしもし、俺」と言葉を返す。

「世之介？　何よ、今、洗い物してんだけど……」

「いや、別に用はないんだけどさ」

「この前、送ったハッサク着いた？」

「あ、もう全部食べた」

「ちょっと酸っぱかったでしょ？」

「そう？」

この辺りで世之介は母親と話すことがないことに気づく。

「祥子ちゃん、来週からフランスに二週間留学するんだって」と世之介は伝えた。

「へぇ。フランスに？」

「そう。フランスに」

やはり話すことはない。

結局、「洗い物の途中だから用事がないんだったら切るわよ」と母親に言われ、世之介も素直に受話器を置いた。祥子の話をしたので、ついでに祥子にもかけてみる。いつものようにお手伝いさんが出て、どこまで呼びに行ってるんだと思うくらい待たされた末に、やっと祥子が電話口にやってくる。

「世之介？」

「来週だよね、出発」

「ええ。準備が大変で……」

「これからうちに遊びに来ない？」

「あら、私と離れるのがもう寂しくなりまして？」

「まだ大丈夫」

「じゃあ、伺おうかしら」

「ほんと。あ、そうそう。倉持の所、今日無事に女の子が生まれたんだよ」

「まぁ、それはよかった」

「なんか不思議だね。ついこないだまで一緒にビリヤードやってた奴がパパだからね」

そう言いながら世之介はふと新生児室で撮った写真のことを思い出した。

「あ、そうだ。やっとあのカメラで一枚写真撮ったよ」

「赤ちゃん⁉」

「じゃなくて、それを見てるキムくんっていう留学生とたまたまそこにいたおばさん」

受話器の向こうから反応がない。

「もしもし？」

接続でも悪いのかと世之介が受話器を振った。

「……斬新ですわ」

「え？」

「やっぱり世之介って芸術肌なんですのね」

興奮した祥子の声が聞こえてくる。

「そ、そうかな？」

留学生というところで国際的センスが、たまたまそこにいたおばさんというところで他者の視線が感じられると祥子はベタ褒めである。世之介としてはもう少し褒められていたかったが、その辺りでテレホンカードの残額がなくなった。


「そろそろ、中に入ったほうがいいんじゃないの？」

成田国際空港の出発ロビーでそわそわしているのは世之介である。生まれて初めて国際空港なるものに足を踏み入れたせいで何もかもが物珍しい。もちろんテレビで見たことはあったが、世界各国の地名が並ぶ巨大掲示板もフロアを行き来する世界各国の人たちも、世之介にとってはまさに驚きの連続で、慣れた様子でチェックインし、売店で変圧器なるものを買い求める祥子のあとを子供のようにちょこちょことついて歩くだけで興奮している。

祥子は出発前の数日を世之介の部屋で過ごした。恋人が二週間もフランスへ行くなどというドラマチックな経験がない世之介としては最後の数日をロマンチックに過ごしたいのだが、二週間のフランス留学など「来週から軽井沢の別荘に」というほどの意識しか祥子にはないらしく、せっかく泊まりに来てるわりに留学先での授業の予習に余念がなかった。

よって世之介はテレビも見られず、風呂での鼻歌さえ音量を下げるようななんとも身動きしづらい数日であった。泊まりにおいでよと誘ったのは世之介なのでもちろん追い返すこともできない。

「まだいいの？　搭乗ゲートに行かなくて」

世之介はパラパラと変わる巨大掲示板を見上げながら祥子にまた尋ねた。

「ですから、まだ平気ですって」と祥子がガイドブックのページを捲る。前のベンチで白人のカップルが（おそらく）別れのキスをしている。その様子をすぐ近くで三歳くらいの日本人の男の子が不思議そうに見つめている。世之介はバッグからカメラを取り出すとその男の子をパシャリと写した。男の子の表情は、二人が何をやっているのだろうかというよりも、この先どちらかがどちらかを食べるのではないかと心配しているように見える。目を転じれば、団体旅行客の一人らしいおじいさんの背広のポケットから搭乗券がひらりと落ちる。

世之介が思わず腰を浮かすと、後ろを歩いてきた若い男が拾い上げ、慌てておじいさんを追いかける。世之介はその様子もパシャリとフィルムに収めた。

「何、撮ってますの？」

怪訝そうな祥子に問われ、「いや、別に」と世之介は答えた。世之介の答えに祥子が不満げな顔をする。

「どうせ、私には芸術なんて分かりませんわ」

「芸術でもなんでもないって。今、そこで搭乗券落とした人がいて、それを拾った人を撮っただけなんだから」

「まぁ、……やっぱり斬新ですわ」

「だから……」

「あ、そうだ。私、世之介に一つお願いがあるんですけど」

とつぜん神妙な顔をした祥子がパタンと手元でガイドブックを閉じる。

「……な、何？」

「そのフィルム、まだ一本目ですわよね？」

祥子の質問に世之介は膝に置いたカメラを見つめた。

「そうだけど」

「初めて世之介が写した写真、最初に私に見せてもらえません？　もちろん世之介の次でいいんですけど」

「別にいいけど……」

「約束ですわよ？」

「というか、俺の写真なんて祥子ちゃん以外誰も見たがらないと思うんだけど」

「私、世之介の作品を世界で初めて見た女になりたいんですの」

ここまでくると逆に馬鹿にされているような気がしてくる。

「作品って……。とにかく分かったよ。じゃあ帰国するまでに現像して誰にも見られないようにきっちり封して、表に『与謝野祥子以外、開封厳禁』って書いとくよ」

妙な約束を交わすと、「そろそろ行きますわ」と祥子がやっと立ち上がる。出国審査ゲートまで見送るつもりで世之介も立ち上がったのだが、「あの、私、見送られるのは苦手なんですの」とこの期《ご》に及んで祥子が言い出す。

「ええ!? そういうの、空港に来る前に言ってよ」

「とにかく世之介が先に帰って下さらない？ 私が見送りますから」

「何、それ……」

祥子が頑として言い張るので世之介は仕方なく、「じゃあ。いってらっしゃい。気をつけてね」と背を向けた。何度か振り返りながら歩き出すと、「いってきます！」と祥子が手を振る。

「いってらっしゃい！」

世之介も叫んだ。

「いってきます！」

祥子も負けじと叫び返す。

別れの挨拶というよりも張り合っているようである。世之介はもう一度叫ぼうかと思ったが、祥子に勝てるわけもないと諦め、もう振り返らずに空港をあとにした。


長かった春休みもいよいよ来週で終わりである。春休みが終われば、世之介は晴れて大学二年生に進級する。ちなみに新学期を迎えるにあたっての心構えなど一切ない。それどころか深夜勤務のバイトのせいで完全に昼夜が逆転したままである。

昨夜久しぶりにパリの祥子から電話があった。成田空港で見送った翌朝、「今、着いたよ」という連絡があったきりだったので少し心配していたのだが、雑音の多い受話器の向こうの祥子は元気そうで、数年ぶりのパリが一段と美しく見えると興奮していた。

祥子が今いる「パリ」という街を想像するのは簡単だが世之介には現実味がない。もちろん電話で話しているのだから、今祥子はそこにいて電話をしているのだが、自分がいる場所とそことをうまく繋ぐことができない。

「いつか世之介と一緒にセーヌの畔《ほとり》を歩きたいですわ」と言うので、「じゃあ今年から真面目にフランス語の授業受けるよ」と世之介は応えた。

いつもより少し早めにバイトを終えて世之介はホテルを出た。朝日が高層ホテルの窓で眩しいくらいに反射している。まだ朝の五時過ぎだが、ここ数日で日も長くなっている。世之介は顔でも洗うようにビルの間を昇る太陽に顔を向けた。

まだほとんど車も走っておらず、だだっ広い通りや巨大な高架橋だけがそこに取り残されている。地下鉄の階段へ向かおうとして世之介はふと足を止めた。都心には珍しい野良犬が横断歩道を歩いてくるのである。元は黒毛なのだろうが汚れて灰色に見える。首輪をつけているので野良犬ではないらしい。

横断歩道を渡ってきた犬は世之介のことなど気にもせずに歩道を歩いていく。世之介はなんとなくそのあとをついて歩いた。犬は駅とは反対のほうへ歩いていく。時々振り向き、「ついて来るな」とでも言いたげに世之介を見る。世之介は犬と歩調を合わせながらバッグからカメラを取り出し、その後ろ姿をパシャリと撮った。犬は写真など気にもせず、歩道から鬱蒼とした公園の中へ入っていく。

犬が入り込んだ公園は世之介が先日捨て猫を拾った場所である。有名ホテルが建ち並ぶ一角でぽつんと開発に残されたような公園である。

犬のあとを追って世之介は園内に入った。まだ朝の五時過ぎなのでがらんとしている。とぼとぼと歩いていった犬が広場の隅にあるベンチの下にしゃがみ込む。近づいて世之介が背後から覗き込むと、そこに犬の餌《えさ》が置いてある。誰が置いたのか、ブリキの皿にドッグフードが入れてある。

逃げるかと思ったが、世之介がすぐそばのベンチに腰かけても犬は餌を食べ続けている。世之介はしばらくその様子を眺め、眺め飽きてベンチにごろんと横になった。横になった途端、視界にどんと空が広がる。ビルに囲まれた狭い公園だと思っていたが空は広い。

「へぇ」と世之介は思わず呟いた。

世之介の声に犬がちらっと顔を上げたようだったが、またすぐに餌に戻る。

こんなにまじまじと空を見上げたのは初めてである。じっと見つめていると空がスーッと離れていくというか、自分がスーッと落ちていくようで世之介は慌ててベンチの縁を摑んだ。驚いた世之介に驚いて、犬が一瞬飛び退《の》きそうになる。世之介は寝返りを打つと、腕枕をして餌を食べる犬を眺めた。犬は世之介の視線など気にもせずに夢中で餌を食べている。

ふと人の気配を感じて世之介は体を起こした。いつの間に来たのか、隣のベンチにおばあさんが座っていた。体を起こした世之介に、「よく食べるでしょ」とおばあさんが声をかけてくる。世之介は改めて犬に視線を戻した。

「……どこかの飼い犬らしいけど、餌置いとくと毎朝来るようになってね」

ちょうど食べ終えた犬が口の周りを舐めながら満足げにベンチを離れていく。それを見届けたおばあさんがベンチを立ち、ブリキの皿を拾い上げる。

「礼も言わずに行っちゃいましたね」と世之介は笑った。

犬のほうへ目を向けたおばあさんが、「ほんとねえ、ワンとでも吠えれば可愛げもあるのにね」と微笑む。

おばあさんは犬を追うように公園を出て行った。世之介はなんとなくカメラを構え、その後ろ姿をパシャリと撮った。

ベンチを立つと世之介は公園を出てゆっくりと歩き出した。頬を撫でる風に紛れもない春の匂いがする。東京に初めて来た時に嗅いだ匂いである。地元の春の匂いとは何かが違う。

一晩働いたあとだというのに踏み出した足が軽かった。このまま花小金井の自宅まで歩いて帰れそうである。電車で一時間以上かかるのだから歩けるわけもないのだが、それほど世之介の足取りは軽い。

無理は承知で世之介は歩ける所まで歩いてみることにした。まず赤坂から新宿まで歩き、それで疲れたら西武新宿駅から電車に乗ればいいし、まだ元気があれば、高田馬場、下落合、中井、新井薬師前と線路に沿って歩ける所まで歩けばいい。

ホテル横の坂道を世之介は新宿方面へずんずん上っていく。急な坂道を上り切ると土手が現れる。土手はこの辺りから世之介が通う市ヶ谷の大学のほうまで続いているはずで、まだ開花には早過ぎるが、小さな蕾をつけた桜が青空の下にずらりと並んでいる。世之介は桜の蕾に誘われるように土手へ上がった。上がると景色が開け、グラウンドや野球場が見下ろせる。

眼下のグラウンドを覗き込もうと、世之介が触れた桜の幹からとても細い枝が伸び、そこに一輪だけ花が咲いていた。

小さな桜の花びらに世之介は指先で触れた。細い枝が撓《しな》り、花びらが揺れる。世之介はカメラを取り出した。そして気の早い桜をパシャリと一枚フィルムに収めた。まだ小さい蕾しかつけていない樹の中でたった一つだけ咲いてしまった気の早い桜の花が、なぜか祥子を思い出させる。細い枝を指先でピンと弾いて世之介はまた歩き出した。電車の音が遠くに聞こえる。近くで鳴いたカラスを真似て、どこか遠くで別のカラスが鳴いている。

あのおばあさん、毎朝、あの犬に餌をやってんだなぁと、ふと思う。ワンとでも吠えれば可愛げもあるのにねとおばあさんは笑っていた。世之介は近くに誰もいないことを確かめてから、「ワン」と小声で吠えてみた。

歩こうと思えば歩けるもので、赤坂から四谷を抜けて気がつけば世之介は新宿駅に近づいていた。かなりのんびりと歩いてきたせいか、遠くに見える東口駅前の大きな時計がそろそろ七時になろうとしている。まだ通勤ラッシュには早く、駅前広場も閑散としている。駅から出てくる人よりも歌舞伎町界隈で朝まで遊んでいた人たちが青ざめた顔で駅へ向かう姿のほうが目立つ。

東口広場に着くとガードレールにまだ中学生くらいの少女が二人腰かけていた。遊びに来たにしては早過ぎるし、遊んで帰るには遅過ぎる。二人ともとても疲れた表情で染めた髪には艶がない。

交番の前にあくびを噛み殺している若い警官がいたので、世之介はすかさずカメラを構えてパシャリと写した。警官の足元で二羽の鳩がせわしなく何かを啄《ついば》んでいる。歩いて来た人に驚いて二羽の鳩が飛び立つ。飛び立った鳩を目で追うと、広場を囲んだビルが一瞬うずを巻くように見え、世之介は慌てて目を閉じた。目を閉じれば駅前広場の音だけが耳に残る。

通りを走り抜ける車の音がする。アスファルトを踏むハイヒールの音もある。カラスの鳴き声。風に巻き上げられるビニール袋。

信号が変わり、横断歩道を大勢の人たちが渡ってくる。千鳥足の彼らの足元で、鳩たちが逃げ惑う。鳩たちは蹴られそうで蹴られない。踏まれそうで踏まれない。

世之介はまだいくらでも歩けそうである。

新宿駅東口広場をあとにして線路沿いに歩き出した。すぐに西武新宿駅まで辿り着く。世之介は駅へは入らず、さらに線路沿いに北へ向かって歩き出す。このまま行けば、新大久保、高田馬場となり、歩くのに飽きればそこで電車に乗ればいい。

いつも電車で通っている場所だが、この界隈を歩くのは初めてである。普段電車の窓から眺めている景色の中に自分がいるのは不思議な感覚である。高架橋をいつも乗っている電車が走り抜けていく。車輛の窓の一つ一つがはっきりと見える。

電車を見送ると世之介はまた歩き出した。まだ歩き続けると決めたせいか、途端に腹が減ってくる。

職安通りまで出て世之介は一軒のカレー店に入った。まだ朝早いので、店内はがらんとしている。カウンターの隅に落ち着いた世之介はメニューも見ずに大盛りのカツカレーを注文した。

結局食べ終えるまで客は誰も入ってこなかった。店員の女の子も退屈らしく、さっきから自分の爪ばかり眺めている。じろじろと見ていたせいか、世之介の視線に気づいた女の子が水のお代わりを持ってくる。

ふとこの女の子は自分のことをどれくらい覚えているだろうかと世之介は思う。店を出た途端に忘れるということはないにしても、次の客が来て、また次の客が来て、ランチの混雑などが過ぎた頃にはきっと忘れてしまうに違いない。もちろん世之介のほうでもどれくらい覚えていられるか分からない。実際先週ふらっと入ったラーメン屋の店員など、顔どころか男か女かさえ覚えていない。

大盛りのカツカレーで満腹になった腹を摩《さす》りながら世之介は店を出た。まだまだ歩き続けるつもりで腹ごしらえしたくせに、満腹になった途端、歩くのが面倒になる。運良くすぐそこに新大久保駅が見えてくる。

ま、いいか。

横断歩道で信号待ちしているとぽんと肩を叩かれた。振り返れば驚いた様子のキムくんがそこに立っている。

「あれ、キムくん」と世之介も驚いた。

倉持と阿久津唯の赤ん坊を一緒に見に行って以来である。

「世之介くん、何してるの?」

「キムくんこそ、どうしたの？　こんな朝早く」

信号が変わり、二人一緒に歩き出す。

「俺、昨日、親戚の家に泊まってて」

「へえ。この辺？」

「すぐそこの焼き肉屋」

「俺、バイトの帰り」

「新宿？」

「赤坂のホテルなんだけど、なんか気分が良くて、ここまで歩いちゃって」

「赤坂から？」

「家まで歩けそうなくらい元気だったんだけど、そこでカレー食ったら急に歩くのが面倒になって」

世之介の言葉にキムくんが「ハハハ」と笑う。

「あれから倉持たちの病院に行った？」と世之介は尋ねた。

「もうアパートに戻ってるよ」

「そうなの？」

「唯ちゃんも、智世ちゃんも健康だったから」

「智世ちゃん？」

「赤ちゃんの名前」

「へぇ、智世って名前なんだ」

キムくんの話によれば、ほぼ毎日阿久津唯の母親が様子を見に来ているらしい。

「隣に赤ん坊がいるとうるさいでしょ」

「ちょっとね。でも知ってる赤ちゃんは、いくら泣いてもうるさくないよ」

「そんなもんかなぁ。ところでなんでこんな早くに帰ってるの？　親戚の所に泊まってたんでしょ？」

「これから成田空港に行くから」

空港に向かうにしては荷物がない。

「誰か、迎えに？」

「そう。婚約者」

「へぇ、キムくん、婚約者がいるんだ？」

「写真見る？」

ちょうど切符売り場の前でキムは財布から一枚の写真を取り出した。写っていたのはとても色が白く、清楚な感じの女性である。

「美人だねえ」

切符を買って二人は改札を抜けた。着いたばかりの電車から吐き出されるように乗客たちが階段を下りてくる。降りてくる人たちの間を縫うようにして二人は階段を上がった。

「日本どう?」と世之介は尋ねた。

満員電車について尋ねたつもりだったのだが、「のんびりしてる」とキムくんが答える。

「そう?」

「だって韓国、今、大変だし」

「なんで?」

「民主化運動とか」

ここで話に乗ればいいのだが、のんびりした国の若者である世之介には返す言葉もない。

ホームに朝日が差し込んでいた。階段に近い場所には人も多いが奥のほうはわりとがらんとしている。二人で並んで奥へ向かっていると、今になって気づいたように世之介が首から提げたカメラを指差したキムくんが、「写真撮ってるの?」と訊いてくる。

「大したもの撮ってないけどね」と世之介は笑った。

自動販売機があったので世之介は缶珈琲を買った。アナウンスが流れる。世之介が乗るほうの電車が間もなく到着するらしい。

二人の前にやけにツバの広い帽子を被っている女性が立っている。祥子がいつも被っているような帽子である。世之介の視線を追ってキムくんもそちらへ目を向けた。ホームを吹き抜けた突風でその帽子がひらりと飛ばされたのはその時である。

女性は慌てて頭を押さえたが遅かった。足元に落ちた帽子が風に飛ばされ、コロコロとホームを転がっていく。

反射的に世之介が足を踏み出したのは、ほとんどキムくんと同時だった。帽子を飛ばされた女性はとつぜんのことでまだ頭を押さえたままである。

飛ばされた帽子を拾おうと世之介とキムくんは同時に動いた。近くにいる人たちの視線も転がる帽子に集まっている。急がないと線路に落ちそうである。

世之介とキムくんはほとんど同時に手を伸ばした。が、またふわりと浮いた帽子がスッとその先へ流れてしまう。

二人はもう一歩足を踏み出した。しかしホームがそこで切れている。

「あっ」

背後で声が上がったのはその時である。先に世之介がキムくんの手を摑んだのか、それともキムくんが世之介の手を摑んだのか定かではない。だがほぼ同時に互いを引き止め合った。その瞬間である。二人の目の前でふわりと宙に浮いた帽子をさらって、電車が通り抜けたのである。

全てがスローモーションのようだった。走り抜けた電車の風圧で、ふわりと浮き上がった帽子が奇跡的に二人の足元にぽとりと戻ってくる。電車だけが速度を落としながらホームを通過していく。世之介たちはもちろん、周囲の誰もがホームに落ちた白い帽子を見つめていた。

最初に動いたのはキムくんである。手を伸ばし、ホームへ戻ってきた帽子を拾い上げると、きょとんとしている女性に渡す。女性は帽子を受け取ってもまだきょとんとしたままである。

完全に停車した電車のドアが開いて、大勢の乗客が降りてくる。途端にホームが慌ただしくなる。まるで何事もなかったかのようである。

世之介はキムくんと目を見合わせた。見合わせた途端なんとなく可笑しくなる。

「……世之介くん、この電車でしょ」

「あ、そうだ。じゃまたね」

「うん、また」

片手を挙げて電車に飛び乗ったこの若者、名前を横道世之介という。今からちょうど一年前、大学進学のためにここ東京へやってきた十九歳。この一年で成長したかと問われれば、「いえ、それほどでも……」と肩を竦《すく》めるだろうが、それでもここ東京で一年間を過ごしたのは間違いない。

世之介が乗り込んだ途端、ドアが閉まる。発車のベルが鳴り響く。世之介を乗せた電車が、今ゆっくりと動き出す。窓に張りつくようにして、世之介が手を振っている。

与謝野祥子様

先日はお電話ありがとうございました。久しぶりに祥子さんとお話ができ、とても懐かしかったです。電話でもお話ししましたが、世之介が祥子さんに宛てたらしい封筒をお送りしますね。世之介のことだから、大したものじゃないのかもしれませんけど。

世之介が亡くなって、三ケ月が過ぎようとしています。一人息子に先に逝かれたのだから、もちろん悲しいのは悲しいけれど、いつまでも泣いてはいられないですものね。泣いていると、世之介の顔が浮かぶんですよ。いつも呑気だったあの顔が。

祥子さん、最近おばさんね、世之介が自分の息子でほんとによかったと思うことがあるの。実の母親がこんな風に言うのは少しおかしいかもしれないけれど、世之介に出会えたことが自分にとって一番の幸せではなかったかって。

未だに事故のことをよく想像してしまいます。どうして助けられるはずもないのに、あの子は線路なんかに飛び込んだんだろうかって。

でも、最近こんな風にも思うようになったのよ。あの子はきっと助けられると思ったんだろうなって。「ダメだ、助けられない」ではなくて、その瞬間、「大丈夫、助けられる」と思ったんだろうって。そして、そう思えた世之介を、おばさんはとても誇りに思うんです。

時間ができたら、いつでも遊びに来て下さいね。二人で世之介の思い出話でもできたらと思っています。きっと笑い話ばっかりになりそうね。

それではお仕事がんばって下さいね。くれぐれもお体には気をつけて。

世之介の母より

単行本　二〇〇九年九月　毎日新聞社刊

文春文庫

横《よこ》道《みち》世《よ》之《の》介《すけ》

定価はカバーに表示してあります

2012年11月10日　第1刷
2024年3月31日　第10刷

著　者　吉《よし》田《だ》修一《しゆういち》
発行者　大沼貴之
発行所　株式会社 文藝春秋

東京都千代田区紀尾井町 3-23　〒102-8008
TEL 03・3265・1211㈹
文藝春秋ホームページ　http://www.bunshun.co.jp

落丁、乱丁本は、お手数ですが小社製作部宛お送り下さい。送料小社負担でお取替致します。

印刷・TOPPAN　製本・加藤製本　Printed in Japan
ISBN978-4-16-766505-0

文春文庫　吉田修一の本

（　）内は解説者。品切の節はご容赦下さい。

吉田修一
最後の息子
オカマと同棲して気楽な日々を過ごす「ぼく」のビデオ日記に残されていた映像とは……。爽快感200％、とってもキュートな青春小説。第84回文學界新人賞受賞作。「破片」「Water」併録。

よ-19-1

吉田修一
パーク・ライフ
日比谷公園で偶然にも再会したのは、ぼくが地下鉄で話しかけてしまった女性だった。なんとなく見えていた東京の景色が、せつないほどリアルに動き始める。芥川賞を受賞した傑作小説。

よ-19-3

吉田修一
春、バーニーズで
昔一緒に暮らしていた人と偶然出会う。日常のふとした時に流れ出す、選ばなかったもう一つの時間。デビュー作「最後の息子」の主人公のその後が、精緻な文章で綴られる連作短篇集。

よ-19-4

吉田修一
横道世之介
大学進学のため長崎から上京した横道世之介十八歳。愛すべき押しの弱さと隠された芯の強さで、様々な出会いと笑いを引き寄せる。誰の人生にも温かな光を灯す青春小説の金字塔。

よ-19-5

吉田修一
路《ルウ》
台湾に日本の新幹線が走る。新幹線事業を背景に、若者から老人まで、日台の人々の国を越え時間を越えて繋がる想いを色鮮やかに描く。台湾でも大きな話題を呼んだ著者渾身の感動傑作。

よ-19-6

吉田修一
橋を渡る
ビール会社営業課長、明良。都議会議員の妻、篤子。TV局の報道ディレクター、謙一郎。春・夏・秋、東京で暮らす3人に、思いもよらぬ冬が来る！　週刊文春連載長篇。（阿部公彦）
よ-19-7

吉田修一
悪人
山奥でOLが殺害される。殺してしまった男に出会った女。二人は逃避行の旅に出る。加害者と被害者、残された家族や友人。交差する様々な想いを克明に描いた不朽の名作。（斉藤壮馬）
よ-19-8

（　）内は解説者。品切の節はご容赦下さい。

赤川次郎
赤川次郎クラシックス
幽霊列車
山間の温泉町へ向う列車から八人の乗客が蒸発。中年警部・宇野は推理マニアの女子大生・永井夕子と謎を追う――。オール讀物推理小説新人賞受賞作を含む記念碑的作品集。（山前　譲）
あ-1-39

有吉佐和子
青い壺
無名の陶芸家が生んだ青磁の壺が売られ贈られ盗まれ、十余年後に作者と再会した時――。壺が映し出した人間の有為転変を鮮やかに描き出した有吉文学の名作、復刊！（平松洋子）
あ-3-5

芥川龍之介
羅生門《らしょうもん》 蜘蛛《くも》の糸《いと》 杜子春《とししゅん》 外十八篇
昭和、平成とあまたの作家が登場したが、この天才を越えた者がいただろうか？　近代知性の極に荒廃を見た作家の、光芒を放つ珠玉集。日本人の心の遺産「現代日本文学館」その二。
あ-29-1

浅田次郎　編
見上げれば星は天に満ちて
心に残る物語――日本文学秀作選
鷗外、谷崎、八雲、井上靖、梅崎春生、山本周五郎……。物語はあらゆる日常の苦しみを忘れさせるほど、面白くなければならないという浅田次郎氏が厳選した十三篇。輝く物語をお届けする。
あ-39-5

朝井リョウ
武道館
【正しい選択】なんて、この世にない。「武道館ライブ」という合言葉のもとに活動する少女たちが最終的に〝自分の頭で〟選んだ道とは――。大きな夢に向かう姿を描く。（つんく♂）
あ-68-2

朝井リョウ
ままならないから私とあなた
平凡だが心優しい雪子の友人、薫は天才少女と呼ばれる。成長に従い、二人の価値観は次第に離れていき、決定的な対立が訪れるが……。一章分加筆の表題作ほか一篇収録。（小出祐介）
あ-68-3

阿部和重
オーガ（ニ）ズム（上下）
ある夜、瀕死の男が阿部和重の自宅に転がり込んだ。その男の正体はCIAケースオフィサー。核テロの陰謀を阻止すべく、作家たちは新都・神町へ。破格のロードノベル！（柳楽　馨）
あ-72-2

（　）内は解説者。品切の節はご容赦下さい。

彩瀬まる
くちなし
別れた男の片腕と暮らす女。運命で結ばれた恋人同士に見える花。幻想的な世界がリアルに浮かび上がる繊細で鮮烈な短篇集。直木賞候補作・第五回高校生直木賞受賞作。（千早　茜）
あ-82-1

朝比奈あすか
人間タワー
毎年6年生が挑んできた運動会の花形「人間タワー」。その是非をめぐり、教師・児童・親が繰り広げるノンストップ群像劇。無数の思惑が交錯し、胸を打つ結末が訪れる！（宮崎吾朗）
あ-84-1

五木寛之
蒼ざめた馬を見よ
ソ連の作家が書いた体制批判の小説を巡る恐るべき陰謀。直木賞受賞の表題作を初め、「赤い広場の女」「バルカンの星の下に」「夜の斧」など初期の傑作全五篇を収録した短篇集。（山内亮史）
い-1-33

井上　靖
おろしや国酔夢譚
船が難破し、アリューシャン列島に漂着した光太夫ら。厳寒のシベリアを渡り、ロシア皇帝に謁見、十年の月日の後に帰国できたのは、ただのふたりだけ。映画化された傑作。（江藤　淳）
い-2-31

井上ひさし
四十一番の少年
辛い境遇から這い上がろうと焦る少年が恐ろしい事件を招く表題作ほか、養護施設で暮らす子供の切ない夢と残酷な現実が胸に迫る珠玉の三篇。自伝的名作。（百目鬼恭三郎・長部日出雄）
い-3-30

色川武大
怪しい来客簿
日常生活の狭間にかいま見る妖しの世界——独自の感性と性癖、幻想が醸しだす類いなき宇宙を清冽な文体で描きだした、泉鏡花文学賞受賞の世評高き連作短篇集。（長部日出雄）
い-9-4

色川武大
離婚
納得ずくで離婚したのに、なぜか元女房のアパートに住み着いてしまって。男と女の不思議な愛と倦怠の世界を、味わい深い筆致とほろ苦いユーモアで描く第79回直木賞受賞作。（尾崎秀樹）
い-9-7

（　）内は解説者。品切の節はご容赦下さい。

伊集院　静
受け月
願いごとがこぼれずに叶う月か……。高校野球で鬼監督と呼ばれた男が、引退の日、空を見上げていた。表題作他、選考委員に絶賛された「切子皿」など全七篇。直木賞受賞作。（長部日出雄）
い-26-4

伊集院　静
羊の目
男の名はサイレントマン。神に祈りを捧げる殺人者——。戦後の闇社会を震撼させたヤクザの、哀しくも一途な生涯を描き、なお清々しい余韻を残す長篇大河小説。（西木正明）
い-26-15

池澤夏樹
南の島のティオ　増補版
ときどき不思議なことが起きる南の島で、つつましくも心豊かに成長する少年ティオ。小学館文学賞を受賞した連作短篇集に「海の向こうに帰った兵士たち」を加えた増補版。（神沢利子）
い-30-2

絲山《いとやま》秋子
沖で待つ
同期入社の太っちゃんが死んだ。私は約束を果たすべく、彼の部屋にしのびこむ。恋愛ではない男女の友情と信頼を描く芥川賞受賞の表題作。「勤労感謝の日」ほか一篇を併録。（夏川けい子）
い-62-2

井上荒野
あなたならどうする
「ジョニィへの伝言」「時の過ぎゆくままに」「東京砂漠」——昭和の歌謡曲の詞にインスパイアされた、視点の鋭さが冴える九篇。恋も愛も裏切りも、全てがここにある。（江國香織）
い-67-6

伊坂幸太郎
死神の精度
俺が仕事をするといつも降るんだ——七日間の調査の後その人間の生死を決める死神たちは音楽を愛し大抵は死を選ぶ。クールでちょっとズレてる死神が見た六つの人生。（沼野充義）
い-70-1

伊坂幸太郎
死神の浮力
娘を殺された山野辺夫妻は、無罪判決を受けた犯人への復讐を計画していた。そこへ人間の死の可否を判定する〝死神〟の千葉がやってきて、彼らと共に犯人を追うが——。（円堂都司昭）
い-70-2

（　）内は解説者。品切の節はご容赦下さい。

阿部和重・伊坂幸太郎
キャプテンサンダーボルト（上下）
大陰謀に巻き込まれた小学校以来の友人コンビ。不死身のテロリストと警察から逃げきり、世界を救え！　人気作家二人がタッグを組んで生まれた徹夜必至のエンタメ大作。（佐々木　敦）
い-70-51

伊吹有喜
雲を紡ぐ
不登校になった高校2年の美緒は、盛岡の祖父の元へ向う。羊毛を手仕事で染め紡ぐ作業を手伝ううち内面に変化が訪れる。親子三代「心の糸」の物語。スピンオフ短編収録。（北上次郎）
い-102-2

岩井俊二
番犬は庭を守る
原発が爆発し臨界状態となった国で生れたウマソー。成長しても生殖器が大きくならない彼に次々襲いかかる不運、悲劇、やがて見出す希望の光。無類に面白い傑作長篇。（金原瑞人）
い-103-3

内田春菊
ダンシング・マザー
戦前に久留米で生まれた逸子。華麗な衣装を縫い上げて、ダンスホールの華になるが、結婚を機に運命は暗転。情夫の娘への性虐待を黙認するに至った女の悲しき半生の物語。（内田紅甘）
う-6-17

内田英治
ミッドナイトスワン
トランスジェンダーの凪沙は、育児放棄にあっていた少女・一果を預かることになる。孤独に生きてきた凪沙に、次第に母性が芽生えていく。切なくも美しい現代の愛を描く、奇跡の物語。
う-37-1

江國香織
赤い長靴
二人なのに一人ぼっち。江國マジックが描き尽くす結婚という不思議な風景。何かが起こる予感をはらみつつ、怖いほど美しい十四の物語が展開する。絶品の連作短篇小説集。（青木淳悟）
え-10-1

江國香織・小川洋子・川上弘美・桐野夏生
小池真理子・髙樹のぶ子・髙村　薫・林　真理子
甘い罠
8つの短篇小説集
江國香織、小川洋子、川上弘美、桐野夏生、小池真理子、髙樹のぶ子、髙村薫、林真理子という当代一の作家たちの逸品だけを収めたアンソロジー。とてつもなく甘美で、けっこう怖い。
え-10-2

（　）内は解説者。品切の節はご容赦下さい。

小川洋子
妊娠カレンダー
姉が出産する病院は、神秘的な器具に満ちた不思議の国……妊娠をきっかけにゆらぐ現実を描く芥川賞受賞作。「妊娠カレンダー」「ドミトリイ」「夕暮れの給食室と雨のプール」。（松村栄子）
お-17-1

小川洋子
やさしい訴え
夫から逃れ、山あいの別荘に隠れ住む「わたし」とチェンバロ作りの男、その女弟子。心地よく、ときに残酷な三人の物語の行き着く先は？　揺らぐ心を描いた傑作小説。（青柳いづみこ）
お-17-2

小川洋子
猫を抱いて象と泳ぐ
伝説のチェスプレーヤー、リトル・アリョーヒン。彼はいつしか「盤下の詩人」として奇跡のように美しい棋譜を生み出す。静謐にして愛おしい、宝物のような傑作長篇小説。（山﨑　努）
お-17-3

奥泉　光
ゆるキャラの恐怖
桑潟幸一准教授のスタイリッシュな生活3
たらちね国際大学教員のクワコーに、「大学対抗ゆるキャラコンテストに着ぐるみで出場せよ」との業務命令が。どこまでも堕ちゆく下流大学教員の脱力系事件簿、第三弾。（鴻巣友季子）
お-23-5

奥田英朗
無理（上下）
壊れかけた地方都市・ゆめのに暮らす訳アリの五人。それぞれの人生がひょんなことから交錯し、猛スピードで崩壊してゆく様を描いた傑作群像劇。一気読み必至の話題作！
お-38-5

荻原　浩
ちょいな人々
「カジュアル・フライデー」に翻弄される課長の悲喜劇を描く表題作ほか、少しおっちょこちょいでも愛すべき、ブームに翻弄される人々がオンパレードの抱腹絶倒の短篇集。（辛酸なめ子）
お-56-1

荻原　浩
ひまわり事件
幼稚園児と老人がタッグを組んで、闘う相手は？　隣接する老人ホーム「ひまわり苑」と「ひまわり幼稚園」の交流を大人の事情が邪魔するが。勇気あふれる熱血幼老物語！（西上心太）
お-56-2

（　）内は解説者。品切の節はご容赦下さい。

大島真寿美
あなたの本当の人生は
書けない老作家、代りに書く秘書、その作家に弟子入りした新人。「書くこと」に囚われた三人の女性の奇妙な生活は思わぬ方向に。不思議な熱と光に満ちた前代未聞の傑作。（角田光代）
お-73-1

尾崎世界観
祐介・字慰
クリープハイプ尾崎世界観、慟哭の初小説！　売れないバンドマンが恋をしたのはピンサロ嬢――。「尾崎祐介」が「尾崎世界観」になるまで。書下ろし短篇「字慰」を収録。（村田沙耶香）
お-76-1

開高　健
珠玉
海の色、血の色、月の色――三つの宝石に托された三つの物語。作家の絶筆は、深々とした肉声と神秘的なまでの澄明さにみちている。「掌《て》のなかの海」「玩物喪志」「一滴の光」収録。（佐伯彰一）
か-1-11

開高　健
ロマネ・コンティ・一九三五年
六つの短篇小説
酒、食、阿片、釣魚などをテーマに、その豊饒から悲惨までを描きつくした名短篇集は、作家の没後20年を超えて、なお輝きを失わない。川端康成文学賞受賞の「玉、砕ける」他全6篇。（高橋英夫）
か-1-12

川上弘美
真鶴
12年前に夫の礼は、「真鶴」という言葉を日記に残し失踪した。京は母親、一人娘と暮らしを営む。不在の夫に思いを馳せつつ恋人と逢瀬を重ねる京は、東京と真鶴の間を往還する。（三浦雅士）
か-21-6

川上弘美
水声
亡くなったママが夢に現れるようになったのは、都が弟の陵と暮らしはじめてからだった――。愛と人生の最も謎めいた部分に迫る静謐な長編。読売文学賞受賞作。（江國香織）
か-21-8

角田光代
空中庭園
京橋家のモットーは「何ごともつつみかくさず」……普通の家族の表と裏、光と影を描いた連作家族小説。第三回婦人公論文芸賞受賞、小泉今日子主演で映画化された話題作。（石田衣良）
か-32-3

（　）内は解説者。品切の節はご容赦下さい。

角田光代
対岸の彼女
女社長の葵と、専業主婦の小夜子。二人の出会いと友情は、些細なことから亀裂を生じていくが……。孤独から希望へ、感動の傑作長篇。直木賞受賞作。（森　絵都）
か-32-5

川上未映子
乳《ちち》と卵《らん》
娘の緑子を連れて大阪から上京した姉の巻子は、豊胸手術を受けることに取り憑かれている。二人を東京に迎えた「私」の狂おしい三日間を、比類のない痛快な日本語で描いた芥川賞受賞作。
か-51-1

川上未映子
夏物語
パートナーなしの妊娠、出産を目指す小説家の夏子。生命の意味をめぐる真摯な問いを、切ない詩情と泣き笑いの極上の筆致で描く、エネルギーに満ちた傑作。世界中で大絶賛の物語。
か-51-5

川村元気
四月になれば彼女は
精神科医・藤代に〝天空の鏡〟ウユニ湖から大学時代の恋人の手紙が届いた――失った恋に翻弄される十二か月がはじまる。恋愛なき時代に挑んだ「異形の恋愛小説」。（あさのあつこ）
か-75-3

川村元気
百花
「あなたは誰？」。息子を忘れていく母と、母との思い出を蘇らせていく息子。ふたりには、忘れることのできない〝事件〟があった。記憶という謎《ミステリー》に挑む傑作。（中島京子）
か-75-5

菊池　寛
マスク
スペイン風邪をめぐる小説集
スペイン風邪が猛威をふるった100年前。菊池寛はうがいやマスクで感染予防を徹底。パンデミック下での実体験をもとに描かれた「マスク」ほか8篇、傑作小説集。（辻　仁成）
き-4-7

岸　惠子
愛のかたち
親子の葛藤、女の友情、運命の出逢い。五人の男女のさまざまな愛のかたちを、パリと京都を舞台に描き出す大河恋愛小説。表題作「愛のかたち」に加え、「南の島から来た男」を収録。
き-10-2

（ ）内は解説者。品切の節はご容赦下さい。

桐野夏生
夜の谷を行く
連合赤軍事件の山岳ベースで行われた仲間内でのリンチから脱走した西田啓子。服役後、人目を忍んで暮らしていたが、ある日突然、忘れていた過去が立ちはだかる。（大谷恭子）
き-19-21

木内 昇《のぼり》
茗荷谷の猫
茗荷谷の家で絵を描きあぐねる主婦。染井吉野を造った植木職人。画期的な黒焼を生み出さんとする若者。幕末から昭和にかけ各々の生を燃焼させた人々の痕跡を掬う名篇9作。（春日武彦）
き-33-1

車谷長吉
赤目四十八瀧心中未遂
「私」はアパートの一室でモツを串に刺し続けた。女の背中一面には迦陵頻伽の刺青があった。ある日、女は私の部屋の戸を開けた——。情念を描き切る話題の直木賞受賞作。（川本三郎）
く-19-1

熊谷達也
鮪立《しびたち》の海
三陸海岸の入り江にある港町「仙河海」。大正十四年にこの町に生まれた守一は、漁に一生をかけたいとカツオ船に乗り込んだ……。激動の時代を生き抜いた男の一代記。（土方正志）
く-29-6

窪　美澄
さよなら、ニルヴァーナ
少年犯罪の加害者、被害者の母、加害者を崇拝する少女、その運命の環の外に立つ女性作家……各々の人生が交錯した時、何を思い、何を見つけたのか。著者渾身の長編小説！（佐藤　優）
く-39-1

小池真理子
沈黙のひと
生き別れだった父が亡くなった。遺された日記には、父の心の叫び——娘への愛、後妻家族との相克、そして秘めたる恋が綴られていた。吉川英治文学賞受賞の傑作長編。（持田叙子）
こ-29-8

佐木隆三
復讐するは我にあり
改訂新版
列島を縦断しながら殺人や詐欺を重ね、高度成長に沸く日本を震撼させた稀代の知能犯・榎津巌。その逃避行と死刑執行までを描いた直木賞受賞作の、三十数年ぶりの改訂新版。（秋山　駿）
さ-4-17

（　）内は解説者。品切の節はご容赦下さい。

佐藤愛子
晩鐘（上下）
老作家のもとに、かつての夫の訃報が届く。共に文学を志した青春の日々、莫大な借金を抱えた歳月の悲喜劇。彼は結局、何者だったのか？　九十歳を迎えた佐藤愛子、畢生の傑作長篇。
さ-18-27

佐藤愛子
凪の光景
謹厳実直に生きていた丈太郎、72歳。突然、64歳の妻・信子が意識改革!?　高齢者の離婚、女性の自立、家族の崩壊という今日まで続く問題を鋭い筆致でユーモラスに描く傑作小説。
さ-18-33

桜木紫乃
風葬
釧路で書道教室を開く夏紀。認知症の母が言った謎の地名に導かれ、自らの出生の秘密を探る。しかしその先には、封印された過去が。桜木ノワールの原点ともいうべき作品ついに文庫化。
さ-56-2

最果タヒ
十代に共感する奴はみんな嘘つき
いじめや自殺が日常にありふれている世界で生きるカズハ。女子高生の恋愛・友情・家族の問題が濃密につまった二日間の出来事。カリスマ詩人が、新しい文体で瑞々しく描く傑作小説。
さ-72-1

城山三郎
鼠　鈴木商店焼打ち事件
大正年間、三井・三菱と並び称される栄華を誇った鈴木商店は、米騒動でなぜ焼打ちされたか？　流星のように現れ、昭和の恐慌に消えていった商社の盛衰と人々の運命。（澤地久枝）
し-2-32

柴田　翔
されど　われらが日々——
共産党の方針転換が発表された一九五五年の六全協を舞台に、出会い、別れ、闘争、裏切り、死など青春の悲しみを描き、六〇年、七〇年安保世代を熱狂させた青春文学の傑作。（大石　静）
し-4-3

澁澤龍彦
高丘親王航海記
幼時から父帝の寵姫薬子に天竺への夢を吹き込まれた高丘親王は、鳥の下半身をした女、犬頭人の国など、怪奇と幻想の世界を遍歴する。遺作となった読売文学賞受賞作。（高橋克彦）
し-21-7